Joie de croire, joie de vivre

DU MÊME AUTEUR

Aux éditions du Centurion :

L'humilité de Dieu, 1974.
La souffrance de Dieu, 1975.
Beauté du monde et souffrance des hommes,
entretiens avec Charles Ehlinger, « Les interviews », 1980.

Chez d'autres éditeurs :

Fénelon et le pur amour, Paris, Le Seuil.
Eléments de doctrine chrétienne, 2 tomes, coll. « Livre de Vie ».
Claudel, Paris, Desclée de Brouwer, 1967, coll. « Les écrivains devant Dieu ».
Paul Claudel, journal, I, Gallimard, Paris, 1968, Bibliothèque de La Pléiade.
Un abrégé de la foi catholique, Toulouse, Prière et vie, 1968 (traduit en italien, portugais).

FRANÇOIS VARILLON

Joie de croire, joie de vivre

Conférences sur les points majeurs de la foi chrétienne

RECUEILLIES PAR
BERNARD HOUSSET

PRÉFACE DE RENÉ RÉMOND

2e édition

Le Centurion

Lionel
22 juin 1983

Imprimi potest : Paris, le 6 janvier 1981, Henri Madelin, s. j.

Imprimatur : Paris, le 17 mars 1981, Paul Faynel, v. é.

ISBN 2.227.31033.2

17, rue de Babylone, 75007 Paris

PRÉFACE

Le Père Varillon
l'homme, le religieux, l'écrivain

Il est des livres dont il n'est pas nécessaire de connaître l'auteur. Il en est d'autres dont l'intelligence est éclairée par ce qu'on peut savoir de celui qui les a conçus. Peut-être est-ce plus vrai encore pour les écrits posthumes dont l'auteur n'est plus là pour expliquer son dessein. Tel est le cas du présent livre dont le texte a été établi après la mort du Père Varillon à partir de notes prises par des auditeurs. L'éditeur a estimé que la lecture de ses conférences devait être précédée par quelques indications sur l'homme, le religieux, l'écrivain, à l'intention de ceux qui n'ont pas eu l'occasion d'approcher et d'entendre le conférencier.

C'est à l'ami qu'on a demandé de dessiner ici le portrait du Père Varillon. J'ai eu le privilège, partagé avec beaucoup d'autres, de le connaître depuis longtemps : plus d'un tiers de siècle.

Avant de le rencontrer, j'avais lu quelques-uns des articles de critique littéraire que, jeune jésuite, il avait donnés aux *Études*.

J'ai fait sa connaissance quand il était aumônier général adjoint de l'ACJF, et depuis je crois pouvoir dire que nos chemins ne se sont jamais séparés ; innombrables furent les occasions de travailler ensemble. Il a toujours répondu à mes invitations à des sessions ou semaines du Centre des Intellectuels catholiques. Il a été, il est devenu l'ami de notre foyer, de nos enfants. Il est entré dans notre vie.

Qu'il ait été ainsi, pendant plus d'un quart de siècle, un de nos amis les plus proches ne me rend pas la tâche plus aisée : il est difficile d'échapper à la subjectivité qui affecte inévitablement les relations personnelles et qui tient aux circonstances où ces relations se sont établies. Aussi est-ce un témoignage plus qu'une analyse qu'on attend de moi. Et si je me réserve, en conclusion, de tenter, comme historien, de mesurer ce qu'ont été son rôle et son influence, l'essentiel sera bien un témoignage sur l'homme.

Deux traits compliquent la tâche du portraitiste, mais qui sont déjà comme les premières touches jetées sur la toile.

C'est d'abord l'extrême discrétion pour tout ce qui touchait à lui-même. Il parlait fort peu de lui. Il était relativement avare de confidences et il fallait insister pour lui arracher, dans les dernières années, quelques précisions sur l'état de sa santé, sur ce qu'il appelait sa « fragilité ». Charles Ehlinger, qui a eu la grâce de longs entretiens avec lui à quelques semaines de sa mort, dans le très bel article qu'il lui a consacré au lendemain de sa disparition, dit : « Il ne parle de lui qu'avec humour et pudeur. » Pudeur, certes, mais qu'il faut qualifier sur le registre spirituel : cette discrétion, cette réserve étaient l'expression du dépouillement de soi et d'un total désintéressement. François Varillon était tout entier dévoué aux autres, à sa tâche, à sa mission.

Tous ceux qui l'ont approché ont été frappés, émus, de l'attention qu'il leur prêtait : il partageait leurs préoccupations, il savait trouver les mots pour le dire, oralement ou par écrit. Les idées tenaient une très grande place dans son existence.

Il accordait aussi le plus grand soin aux charges dont il avait la responsabilité : la maison du Châtelard pour le temps où il en fut le directeur.

La deuxième difficulté, ceux qui ne l'ont pas approché directement la connaissent aussi bien que ses amis intimes : c'était l'exceptionnelle richesse de sa personnalité, et je ne crois pas l'expression excessive. Comment saisir, rassembler des aspects aussi divers ? Ses curiosités étaient des plus variées. François Varillon s'intéressait à presque tout : au mouvement des idées, aux dernières créations littéraires, à la poésie, à la musique, au cinéma. Cette curiosité ne le détournait pas de l'actualité : il s'intéressait aux événements, à la politique. Il avait suivi avec sympathie l'expérience de Pierre Mendès France : son souvenir lui laissait quelque nostalgie. Il s'intéressait à l'histoire en train de se faire. Divers aussi ses aptitudes et ses talents : au religieux et à l'écrivain, il faudrait ajouter « le musicien », pas seulement le mélomane, mais l'homme qui exécutait au piano des partitions à quatre mains avec Urs von Balthasar au temps de Fourvière. A travers le conférencier, le philosophe, le théologien, on devinait l'unité profonde de la personne : jamais on n'avait l'impression d'une personnalité éclatée. L'unité procédait d'une inspiration unifiante : le prêtre, l'homme de Dieu, l'homme qui cherchait Dieu et l'annonçait aux autres.

Je commencerai par l'aspect sur lequel, en 1974, le Grand Prix catholique de littérature a attiré l'attention du grand public pour un livre qui relevait moins de la littérature que de la culture spirituelle : *L'humilité de Dieu*. Écrivain, François Varillon a, dès son adolescence, porté un intérêt très vif à la chose écrite. Toute sa vie, il s'est intéressé à la littérature. Jeune jésuite, il l'a enseignée à Mongré, à Sainte-Hélène. Je rappelais les études critiques dans les *Études* par lesquelles son nom a commencé à être connu dans l'immédiat avant-guerre. Presque jusqu'à la fin de sa vie, il a exercé une critique littéraire orale dans les conférences mensuelles qu'il donnait à Lyon, à Genève, à Paris, où il rendait compte de l'actualité, lisant chaque mois cinq, six, sept romans ou essais, exerçant un ministère qui l'apparente à Bremond ou au Père Blanchet.

L'aspect le plus connu, assurément, c'est le commentateur et l'éditeur de Claudel. Il avait découvert Claudel, jeune étudiant dans les années vingt, en un temps où les fidèles de Claudel n'étaient pas nombreux. La connaissance de Claudel fut pour lui une illumination contemporaine de la naissance de sa vocation et de sa décision d'entrer dans la Compagnie de Jésus. Avec Claudel, c'était le souffle du génie poétique, une vision catholique du monde, la beauté de la création, le drame de la Rédemption, une inspiration profondément religieuse à laquelle lui-même était accordé. Il fit plus tard la connaissance personnelle de Claudel à Brangues et reçut de lui mission d'éditer après sa mort le *Journal* qu'il avait tenu pendant des années. A la préparation de cette édition, François Varillon — tous ses amis en furent les témoins — a consacré pendant des années tous les instants disponibles. Et seuls ceux qui ont l'expérience de cette sorte d'édition critique peuvent mesurer ce qu'ont exigé de lui, ce que représentent comme somme de travail et de recherche patiente le déchiffrement du manuscrit, l'établissement du texte, l'élucidation des citations. D'autres l'édition du *Journal* eût suffi à établir la réputation comme érudits. Mais le souci de François Varillon de donner un instrument pour une meilleure connaissance de l'auteur du *Soulier de satin* nous a valu un *Claudel* dans la collection « Les Écrivains devant Dieu ».

Cette fidélité claudélienne, dont il ne s'est jamais écarté en cinquante années d'existence depuis la découverte initiale et qui mettait spontanément sur ses lèvres telle ou telle citation de Claudel, n'était pas exclusive : le Père Varillon n'était pas l'homme d'un seul écrivain. Il n'y avait pas moins sectaire que lui. Et ce dans tous les domaines, pas seulement pour les admirations littéraires. Je n'emploierai pas le mot d'éclectisme, qui a souvent une connotation relativiste : je parlerai plutôt d'œcuménisme.

Il y avait dans ses goûts culturels, ses curiosités littéraires, ses sympathies artistiques un extraordinaire œcuménisme ; en musique il aimait également Bach et Schoenberg et réconciliait Mozart et Wagner... avec néanmoins un doute, il se reprochait le plaisir qu'il prenait à Wagner, qu'il trouvait un peu suspect, comme Mauriac dans une « gorgée de poison », recueillie dans son *Journal*.

L'éventail de ses prédilections dessine des configurations intellectuelles inattendues. Ainsi la place de Fénelon pourrait surprendre, lui si différent de Claudel. Et il y a à cela des raisons d'ordre spirituel : chez Fénelon c'est le mystique du pur amour qui avait séduit le Père Varillon. Il définissait ainsi ce qu'il appelait le miracle fénelonien : « Le miracle fénelonien réside en un prodigieux contraste entre la densité spirituelle de la chose exprimée et l'harmonieuse aisance de l'expression. » Et dans cet article que je mentionnais tout à l'heure, paru au lendemain de la mort de François Varillon, Charles Ehlinger poursuit : « N'est-ce pas également le miracle de Varillon ? » et, rendant la parole à François Varillon qui disait de Fénelon : « Philosophe, théologien, humaniste, poète... un homme accompli en vérité », il ajoute : « Tout cela, et autre chose : ajoutez-y la musique, et le portrait ne serait-il pas celui de François Varillon ? ».

Il y avait sûrement des affinités entre l'archevêque de Cambrai et le jésuite lyonnais. François Varillon a contribué, dans un petit volume paru dans la collection des « Maîtres spirituels » intitulé *Fénelon et le pur amour*, à nous restituer le vrai Fénelon, débarrassé des légendes qui obscurcissaient son visage et qui encombrent la mémoire.

Écrivain, François Varillon ne l'était pas seulement parce qu'il s'intéressait aux écrivains. Il l'était lui-même au plein sens du mot, attentif au nombre de la phrase, goûtant la musique des mots, sensible à la justesse d'une épithète, au poids d'un terme, au modelé des images, cherchant inlassablement pour lui-même l'expression la plus juste, la plus concise, la plus claire, travaillant ses textes écrits et aussi oraux, car il écrivait toutes ses conférences, sans complaisance pour la préciosité et les jeux d'écriture, et tendant à une fusion aussi intime que possible de la pensée et de l'expression.

Que, sur la foi de ces notations et à l'évocation de l'écrivain, ceux qui n'ont pas eu la chance de l'approcher, le privilège de l'entendre, ne s'imaginent pas quelque prêtre homme de lettres un de ces ecclésiastiques beaux esprits fréquentant les salons littéraires et réduisant leur ministère à la compagnie des gens de lettres. François Varillon était d'abord, essentiellement, un prêtre, un religieux, un homme de Dieu. La littérature n'a jamais été conçue par lui comme un divertissement. Elle ne l'a pas détourné de son ministère, sans — et ceci est à noter — qu'il l'ait pour autant jamais détournée de sa finalité propre et qu'il ait cherché à en faire un instrument d'apologétique. Il était conforme à sa vision du monde ou à sa théologie des réalités terrestres que de respecter la distinction entre les ordres de réalité et de tenir compte de la spécificité des activités. C'était avant tout un homme de Dieu : tout s'ordonnait et gravitait autour de l'unique nécessaire.

Le moment est donc venu d'essayer de définir cette forme de ministère originale que les circonstances autant que la vocation et les dispositions personnelles — mais les circonstances, n'est-ce pas la façon dont Dieu agit dans les existences individuelles ? — lui ont assignée. Un ministère qui associait dans un équilibre assez rare la parole et l'action, l'enseignement et l'animation. Parole inspiratrice de l'action — pas l'action directe, rarement tout au moins —, mais prononcée pour ceux qui étaient eux-mêmes engagés dans l'action, qu'ils fussent laïcs ou clercs, et qu'illustre assez bien ce terme d'aumônier qui fut son titre dans diverses institutions d'Église, l'ACJF ou le MICIAC. C'est un des traits originaux du catholicisme français des années 1930-1970 que l'apparition et le développement d'un ministère d'aumônerie, c'est-à-dire d'un ministère de proximité, d'influence ; une magistrature morale en quelque sorte, auprès d'hommes chargés de responsabilités et engagés dans des tâches d'Église ou des tâches civiques.

François Varillon a aussi animé des communautés de foyers, fondées sur la volonté de vivre en plénitude l'amour conjugal et la grâce du sacrement de mariage, exerçant un ministère proche de celui de son condisciple Henri Caffarel, fondateur des Équipes Notre-Dame. Les cinq verbes — donner, pardonner, offrir, demander, recevoir — proposés à ces foyers définissaient une spiritualité de laïcs. Il a ainsi pris part à ce renouveau qui a été une des lignes de force du catholicisme français du milieu du XXe siècle.

Il s'est trouvé à l'origine, au début de l'occupation, du premier *Cahier de Témoignage chrétien*. C'est lui qui, ayant reçu la confidence des craintes de quelques militants, est allé trouver le Père Chaillet, l'a alerté et a été à l'origine du premier des *Cahiers*, celui rédigé par Gaston Fessard, *France, prends garde de perdre ton âme*... Entre 1941 et 1944, il a été associé à ce groupe de « théologiens sans mandat » qui eut un si grand rôle dans la formation des catholiques français confrontés aux difficultés et aux problèmes de la guerre. Surtout il joua un rôle important auprès des mouvements de jeunesse d'Action catholique spécialisée, pendant une bonne dizaine d'années, comme aumônier général adjoint de l'ACJF depuis 1945 jusqu'à la disparition de la grande association en 1956.

Il se plaisait à dire que ces années avaient été pour lui une expérience incomparable. Pour ce jésuite d'une quarantaine d'années, ç'avait été la découverte, ou la prise de conscience, de tout un ensemble de problèmes qui ont profondément marqué sa vision du monde et de la relation entre l'Évangile et le siècle. Il lui restera toute sa vie attaché, et jusqu'à son dernier jour, fidèle aux amitiés qu'il avait nouées à cette occasion.

Son apport est difficile à apprécier, car difficile à distinguer d'une expérience collective, mais qu'il soit permis à qui en a été des années le témoin quotidien de le dire ici : il fut considérable.

Il a été associé avec abnégation et désintéressement à une recherche commune entreprise par des laïcs et des prêtres, pour unir la foi et l'action, mener de front l'approfondissement spirituel et l'engagement dans la vie.

Il n'y a jamais eu, ni dans la pensée ni dans la pratique de François Varillon, la moindre dissociation entre ce qu'on appelle quelquefois aujourd'hui l'horizontal et le vertical. Les deux s'unissaient et s'articulaient profondément et son intervention se situait précisément à la jointure des deux avec une discrétion, une humilité qu'il partageait avec la plupart de ses confrères jésuites ; il n'y avait pas moins clérical que lui. Il croyait profondément à la nécessité de former des chrétiens adultes, des hommes responsables, et qu'il n'y avait pas d'autre pédagogie — terme qu'il n'employait pas souvent, mais dont la réalité lui était familière — que d'inciter à prendre des responsabilités. Il écoutait, il rappelait la signification, la bonté, l'inspiration de l'action, et guidait la recherche de Dieu.

C'est en partie à l'occasion de cette expérience qu'il a été amené à s'interroger sur la façon d'annoncer Dieu, de faire connaître sa parole aux auditeurs de ce temps.

Par rapport à ce temps, deux inquiétudes le poignaient, deux exigences le motivaient, celles-ci étant le corollaire des premières.

La première : être compris de tous, accessible à tous, trouver un langage qui permette d'être de plain-pied avec les auditoires les plus variés. Et j'ai eu l'expérience de la diversité de ces auditoires : je l'ai vu, je l'ai entendu s'adresser à des militants syndicalistes, à des ingénieurs, à des militants ruraux qui n'avaient pas fait d'études ; en toute circonstance il déployait une pédagogie merveilleusement efficace parce que dépouillée et à l'écoute des autres. Cette préoccupation l'a amené à élaborer, d'abord, en collaboration avec le Père Congar, les fiches de culture religieuse, qui devaient donner naissance aux « Éléments de doctrine chrétienne » repris par la suite dans la collection « Livre de vie ».

La seconde inquiétude était d'ordre proprement intellectuel : il est assez rare de voir le même homme se poser le problème de l'audience populaire et de la rigueur intellectuelle, et essayer de ne sacrifier aucune des deux.

Il a été des premiers — je ne dirais pas le premier, parce que Henri de Lubac et Gaston Fessard lui avaient frayé la voie — à prendre au sérieux l'incroyance moderne ; à tenir compte, sous l'influence précisément du Père de Lubac à qui il vouait une déférente admiration, de l'athéisme, du refus de l'aliénation qu'aux yeux de beaucoup la croyance en Dieu entraînait pour l'homme, le refus d'un « Dieu jupitérien » comme il disait. Il reconnaissait ce qu'il y avait de légitime dans la volonté de l'homme d'être autonome et il n'a pas cessé, depuis le moment où cette inquiétude s'est éveillée jusqu'à son dernier jour, de lire les philosophes, les anciens et les modernes, Hegel, Nietzsche ou Marx, les philosophes du soupçon, Sartre, les existentialistes.

Il essayait d'élaborer des réponses au même niveau de réflexion et d'exigence intellectuelles que les contestations opposées au christianisme. Il était profondément convaincu de la nécessité pour l'Église et les chrétiens d'écouter les interrogations adressées par l'intelligence contemporaine et de trouver des réponses appropriées. Convaincu de la vertu de l'effort intellectuel, il n'était pas de ceux qui croient possible de faire l'économie de la réflexion et qu'on puisse passer sans transition d'une expérience pratique à la profondeur spirituelle. Le fidéisme lui paraissait une menace redoutable... comme tous les « ismes » d'ailleurs. La médiation de l'intelligence était, dans sa perspective, une étape indispensable. Non qu'il y ait une philosophie chrétienne au sein de l'Évangile, mais l'activité philosophique est un point de passage obligé, une étape pour toute culture religieuse. Et lui-même unissait réflexion philosophique et démarche théologique, on s'en rend mieux compte depuis la publication de ses deux derniers ouvrages.

A cet égard, pour le rapport entre l'intelligence et la foi, la réflexion théologique et l'énonciation dogmatique, il était convaincu de l'impossibilité de parler de Dieu de façon adéquate : sur ce point, il a été un précurseur, à la fois en avance sur notre temps et en accord avec lui. Il a été un des premiers à dénoncer le flou, l'imprécision de certaines formulations, le danger des approximations. Je me souviens l'avoir entendu, dès 1943, pourchasser les images erronées, mettre en garde contre les définitions trop scolaires d'une catéchèse classique, notamment sur les attributs de Dieu. Il n'en était pas moins convaincu qu'il fallait parler de Dieu, même s'il est impossible de le faire avec justesse. Parler de Dieu, ce n'était pas seulement pour lui un devoir de sa charge, mais un besoin de parler de celui dont il vivait, avec qui il vivait, qui était le principe de son action, ou, pour reprendre une formule que n'a certainement oubliée aucun de ceux qui l'ont entendue, l' « initiative de nos initiatives ». Je le cite dans *L'humilité de Dieu* : « Il est difficile de parler sérieusement de Dieu. Pourtant il le faut. Ne pas savoir parler de Dieu aux autres, quand on ne cesse de s'en parler à soi-même, quelle amertume ! »

Pas davantage, il n'opposait l'annonce de Dieu à l'action dans le monde. Il réconciliait le vertical et l'horizontal, et on ne m'en voudra pas de le citer une fois encore : « Il faut en effet changer la vie. Mais il ne faut pas pour autant renoncer à parler de Dieu. Changer la vie le mieux possible. Parler de Dieu le moins mal. »

Ce souci de parler de Dieu et de dégager la vision que nous en avons des formulations par trop anthropomorphiques qui font insulte à la transcendance de Dieu l'avait conduit à rédiger un *Abrégé de la foi* publié dans les *Études* en 1967, auquel il attachait beaucoup d'importance. Il avait essayé d'y résumer ce qui était « l'essentiel de l'essentiel », selon son expression. Ce souci de répondre aux interrogations du monde contemporain et d'apporter une réponse appropriée à ses exigences et ses aspirations l'avait conduit à exercer un ministère original de la parole, qui a employé en totalité les dix dernières années de son existence. Ministère original, car différent de la prédication traditionnelle. Ce n'est pas qu'il se désintéressât de celle-ci : il a publié en collaboration avec le Père Michonneau un ouvrage sur la prédication. Mais il a créé, d'une certaine façon, un genre nouveau qui associait la réflexion, la référence étroite à l'Écriture, l'énoncé des vérités essentielles, le dialogue avec la pensée contemporaine. Pour parler en termes claudéliens, ses conférences doctrinales sollicitaient simultanément *animus* et *anima* ; ce n'était pas une prédication spirituelle ou un exposé doctrinal, c'étaient les deux dans une intime et étroite synthèse. Le sentiment de l'urgence de ce ministère l'a conduit à répondre à des appels innombrables de publics parisiens et provinciaux.

A Paris, il avait élu domicile à Notre-Dame de Belleville où il s'adressait à un auditoire populaire et ouvrier. Et aussi bien le dimanche matin à un public de grande bourgeoisie dans le cadre du groupement diocésain d'Action catholique. Et aussi dans la banlieue parisienne (une des dernières conférences que j'ai entendues de lui, c'était à Viroflay), en province dans quinze ou vingt villes du Sud-Est et du Sud-Ouest, les dernières années. Son programme était strictement minuté : il racontait plaisamment qu'il lui arrivait de passer d'un train dans un autre et de coucher dans dix-huit lits différents le même mois, en dépit d'une santé qui, à plusieurs reprises, avait donné à ses proches de graves inquiétudes.

Ses conférences dévoraient son temps, car il les renouvelait d'une année à l'autre. J'ai rarement vu quelqu'un qui ait à ce point le souci d'enrichir sa réflexion et qui incorpore, dans son enseignement, année après année, le dernier état de ses lectures et de ses réflexions. S'il restait au Châtelard, c'était pour y prêcher des retraites spirituelles et les Exercices ou des sessions de recyclage.

Il avait un réel talent de conférencier, qu'il n'est pas facile de définir. Mais quiconque l'a entendu une fois ne saurait oublier cette voix grave, cette diction qui détachait les mots, soulignait les idées, cette élocution qui mettait en valeur les idées, sans effets oratoires, sans recherche autre que celle de l'expression au service exclusif d'un texte dense, lui-même ordonné à l'annonce de l'essentiel.

Constamment repris, indéfiniment renouvelés dans leur expression, quelques thèmes essentiels reviennent dans ses conférences. Bien qu'ils ne se prêtent guère à un résumé, j'en énumérerai quelques-uns que nous lui avons si souvent entendu développer et dont nous lui sommes redevables pour notre compréhension de l'essentiel.

Dieu est un être personnel, Dieu est amour. L'amour n'est pas un attribut de Dieu. Effectivement, on peut dire que Dieu est grand, que Dieu est tout-puissant, que Dieu est infini ; mais l'amour ne se situe pas au même plan, il n'est pas un attribut de Dieu, c'est l'être même de Dieu. Il faut donc substituer à Dieu le mot amour. C'est l'Amour qui est infini, l'Amour qui est tout-puissant, l'Amour qui est transcendant.

Ce Dieu personnel n'est pas jaloux de notre liberté, il en est respectueux. C'est lui qui l'a créée, lui qui l'a voulue. Il est au principe de notre action. Il n'y a donc pas contradiction entre la reconnaissance de Dieu et l'affirmation de l'autonomie de l'homme, car il est au principe même de l'exercice de notre liberté, il est l'initiative de nos initiatives. Il nous appelle « à vivre de sa vie même ». C'est à ce qui est la vie de Dieu que nous sommes appelés à participer pour la répandre dans le monde au service des autres. Dieu et histoire ne sont pas des ennemis, ils ne sont pas séparés. Il aimait à citer le mot de saint Irénée : « La gloire de Dieu, c'est l'homme vivant. »

Cet enseignement, cette intuition ont trouvé leur expression approfondie et développée dans deux petits livres : *L'humilité de Dieu*, *La souffrance de Dieu*, dont les titres eussent sans doute paru déconcertants il y a trente ans, parce qu'ils vont à l'encontre de l'idée traditionnelle que l'on se fait de la majesté, de la puissance divine, mais qui expriment une intuition profonde, sans doute aussi une expérience mystique de celui dont les derniers mots ont été : « Je m'abandonne comme un enfant ... », expression de cette affirmation fondamentale que Dieu est Amour.

Si Dieu est Amour, ce n'est pas un dieu jaloux, ce n'est pas le Dieu dominateur, ce n'est pas Jupiter. Entre deux êtres, quel est le plus démuni, le plus dépendant ? Celui qui aime le plus. Dans la relation entre Dieu et l'homme, c'est Dieu qui est le plus dépendant, et qui est humble. Jean-François Six a dit qu'il avait fait « une percée théologique ». Étienne Borne a parlé d' « audace théologique ». Effectivement, avec ses deux livres, François Varillon s'est révélé comme un grand théologien, et un théologien d'avenir. On aurait pu croire, au vu de son activité de conférencier itinérant, qu'il était le vulgarisateur de la pensée d'autrui. En fait, celle-ci était profondément assimilée, repensée, devenait originale Ses deux livres sont l'aboutissement d'un itinéraire, ils récapitulent une pensée et une vie.

François Varillon est mort dans l'exercice de cette tâche de conférencier qu'il a accomplie jusqu'au dernier jour. Depuis plusieurs années, sa santé donnait des signes graves d'inquiétude ; il avait eu à Pâques 1978 un accident et, sur le conseil amical, insistant des médecins et de ses confrères, il avait décidé de renoncer à la plupart de ses activités. La tendresse de Dieu lui a épargné la vieillesse. Elle l'a aussi retiré à notre affection. Mais grâce à Dieu tout n'a pas pris fin de son rayonnement puisque deux ouvrages posthumes gardent sa présence parmi nous, qui étendront même l'influence de sa pensée audelà du cercle de ceux qui l'ont approché et aimé. Par une circonstance où il est permis de voir un signe providentiel, Charles Ehlinger a pu, quelques semaines avant sa mort, l'interroger pendant neuf journées et recueillir de sa bouche une somme de souvenirs, de réflexions, dont le livre paru en 1980 sous l'admirable titre *Beauté du monde et souffrance des hommes* a déjà transmis l'essentiel. Le présent livre qui propose un texte de ces conférences de culture religieuse qu'il prononçait à travers la France entière assurera la pérennité de son enseignement.

Si, au terme de cette évocation, le témoin et l'ami s'effacent devant l'historien et sollicitent de celui-ci qu'il tente d'évaluer le rôle du Père Varillon et de fixer sa place dans l'histoire religieuse, il songera à l'influence exercée sur des centaines de militants à la formation desquels il a grandement concouru, sur ces milliers d'auditeurs que son enseignement a nourris, enrichis, à qui il a révélé un Dieu d'amour. Naguère, ébauchant pour les *Informations catholiques internationales* un portrait de François Varillon, à l'occasion de l'attribution du Grand Prix catholique de littérature, je croyais pouvoir écrire : « Il est des quelque quinze ou vingt religieux, jésuites ou dominicains, dont l'influence a été décisive et sans lesquels la figure du catholicisme français ne serait pas ce qu'elle a été depuis une trentaine d'années. » Renchérissant sur cette appréciation, Charles Ehlinger écrivait dans *La Croix* au lendemain de la mort du Père : « Chaque génération reçoit quelques hommes et femmes dont l'œuvre, le nom, la présence marquent la conscience, évoquent une certaine façon d'être homme et d'être chrétien. Sans hésiter je place François Varillon parmi ces dix ou douze figures qui constituent nos grandes références. »

Ai-je su restituer les traits de sa personne pour ceux qui l'ont connu, les suggérer aux autres ? Les premiers ont perdu un ami dont la perte est irrémédiable. Que les autres sachent quel homme il fut, dont la pensée et l'existence ont tenu une place incomparable dans l'histoire intellectuelle et religieuse de notre pays.

René RÉMOND.

AVANT-PROPOS

Nous venions d'admirer les magnifiques ruelles de la cité de Cordes dans le Tarn. Il bruinait discrètement. Le Père Varillon, de moins en moins alerte pour marcher, s'était abrité sous l'auvent de la grande halle, pendant que j'allais rechercher la voiture au bas du village. Je le revois adossé à la margelle du puits, fatigué mais émerveillé. Et je l'entends me citer un poème qui se terminait par ces vers : « Je goûtais un parfum d'éternité. » C'était le 15 mars 1978, dernière journée que j'ai passée en sa compagnie. Quelques jours après, une crise cardiaque grave l'obligeait à diminuer ses activités. Une seconde crise le terrassait définitivement le 17 juillet de la même année.

J'ai commencé de connaître son œuvre en découvrant son « Abrégé de la foi catholique », article d'une vingtaine de pages. Ce texte était sans doute un peu difficile. Mais le hasard a voulu que, grâce à un enregistrement de magnétophone, j'entende l'explication que lui-même en avait donnée à des prêtres rassemblés en session. Dans cette présentation de « l'essentiel du christianisme », j'ai été impressionné par la conviction de sa parole, la vigueur de son intelligence et l'ampleur de ses perspectives. J'étais prêtre depuis trois ans, mais c'est à ce moment-là que j'ai mieux senti la grandeur et la beauté de la foi. Cet enthousiasme pour le Christ ressuscité s'est approfondi, quatre ans plus tard, durant le mois d'Exercices spirituels de saint Ignace que j'ai reçus du Père Varillon, dans la maison des jésuites du Châtelard. Il a bien voulu venir à Pau, malgré la fatigue de l'âge et l'éloignement de Lyon, donner ses conférences religieuses, d'avril 1974 à février 1978. C'est alors que je l'ai davantage rencontré et quelle « rencontre »!

Que d'intensité dans sa conversation, sans aucune formalité ni mesquinerie! Loin de me sentir écrasé par la qualité de sa personnalité, j'ai été au contraire frappé par sa modestie, pour ne pas dire son humilité. Comme ses nombreux amis, j'ai accueilli avec joie son amitié, surpris qu'il termine l'une de ses lettres par cette phrase : « Comptez-moi, je vous prie, parmi vos meilleurs amis. » Je savais qu'il ne s'agissait pas d'une formule de politesse banale. Comme je comprends qu'un homme d'une telle délicatesse ait pu écrire que non seulement nous prions Dieu mais que Dieu lui-même nous prie.

J'ai été étonné aussi qu'un prêtre de son envergure ose dire, à plus de soixante-dix ans, qu'il ne comprenait pas bien encore le sens de l'expression : « Le Christ est mort pour nos péchés. » Ne pas se contenter de formules toutes faites, fussent-elles d'Église, mais vouloir les approfondir dans la fidélité à la Tradition authentique pour les retraduire dans une langue qui corresponde à la culture contemporaine, telle était bien sa préoccupation permanente. En parlant des jeunes qu'il rencontrait, il m'a répété : « Supposez que l'un d'eux ait une vocation de philosophe! S'il a compris la foi chrétienne de l'intérieur, il ne redira pas, comme tant d'autres, qu'elle est une aliénation! »

Son amour de Jésus Christ a développé en lui une même passion pour Dieu et pour l'homme. Il s'intéressait prodigieusement à tout ce qui intéresse les hommes et les femmes d'aujourd'hui, dans tous les domaines de l'aventure humaine. C'est ainsi que beaucoup de ceux qui l'ont connu parlent de l'étendue de sa culture : non pas érudition mais richesse de son expérience humaine, profondeur de son humanité.

Dans sa personnalité comme dans son ministère et ses livres, ne manifeste-t-il pas cette « union des contraires » dont le Concile Vatican II a fait une des lignes de crête du renouveau de l'Église? A la fois modeste et convaincu, traditionnel et audacieux, mystique et réaliste, toutes ces attitudes ne sont pas chez lui contradictoires mais s'équilibrent harmonieusement.

Ses nombreux auditeurs de Pau, dans la diversité des formes d'Église auxquelles ils appartiennent : paroissiens, membres de mouvements, catéchètes, animateurs de scoutisme et de préparation au mariage, etc., ont beaucoup apprécié ses conférences. Ne pouvait-on pas, après sa mort brutale, courir le risque de les éditer, afin de continuer à profiter d'une telle expression de la foi, puisque, de son vivant, elle avait permis à tant de personnes d'approfondir la leur? En janvier 1979, je m'ouvrais de ce projet à Charles Ehlinger. Il m'a fait connaître les jésuites du Châtelard qui m'ont accueilli avec confiance et m'ont permis de compulser tous les manuscrits et les cahiers de notes personnelles du Père Varillon.

J'ai donc disposé, d'une part de ses manuscrits (soit intégralement rédigés, surtout ces dernières années, soit indiquant seulement un plan et accompagnés de résumés dactylographiés de ses lectures); d'autre part, de certaines transcriptions polycopiées par ses auditeurs dans différentes villes de France. J'ai reconstitué onze séries, composées chacune de cinq ou six thèmes. De cette masse de documents que j'ai compilés et analysés, se sont peu à peu dégagées les idées-forces suivantes :

— *La cohérence de sa démarche :* elle s'articule autour d'un axe qu'il définit comme « l'essentiel de l'essentiel » : Dieu s'est fait homme pour que l'homme soit fait Dieu. Ou, ce qui revient au même mais parle sans doute davantage à l'expérience de chacun : l'homme est capable d'aimer comme Dieu aime, c'est-à-dire d'un amour qui n'est que de l'amour. C'est dans sa conférence sur l'enfer, même si le paradoxe est violent, qu'il affirme : « S'il arrivait qu'un point quelconque de la doctrine chrétienne apparût comme sans lien avec l'amour ou comme contredisant l'amour ou comme n'étant pas condition ou conséquence de l'amour, on serait en droit de le rejeter. » Cohérence mais non synthèse ni catéchisme de toutes les vérités de la foi. Certaines manquent, parce qu'il ne se sentait plus capable d'en parler dans le contexte actuel.

— *Son christo-centrisme :* si « l'office du poète, selon Saint-John Perse, est l'approfondissement même du mystère de l'homme »[1], la conviction du Père Varillon est qu'un tel approfondissement ne peut se faire qu'à partir du mystère de Dieu (mystère non pas au sens d'énigme que l'on ne peut pas comprendre mais au sens de réalité que l'on n'a jamais fini d'explorer). L'un et l'autre approfondissement ne peuvent se faire qu'à la lumière de Jésus Christ, pleinement Dieu et pleinement homme. Le Christ — Dieu devenu homme pour que l'homme devienne Dieu — est sacrement de Dieu et sacrement de l'Homme. L'unité de l'homme et de Dieu dans le Christ est le centre qui donne Sens à l'humanité. Certes il s'agit d'éviter toute confusion,

1. *Humilité de Dieu*, éd. du Centurion, p. 41.

en méditant, comme l'écrit Étienne Borne, « qu'un Dieu devenant homme n'en est que mieux Dieu et qu'un homme divinisé n'en est que plus pleinement homme »[2]. Mais a-t-on découvert le cœur de la foi tant que l'on n'a pas entrevu en Jésus Christ le Dieu d'amour humble et vulnérable ? Il n'est ni le Dieu de la justice vindicative qui exigerait le sacrifice du Fils, ni le Dieu du déisme paternaliste qui se contenterait de la médiocrité des hommes.

— *Son réalisme spirituel* avec son refus de toutes les abstractions que l'on confond trop souvent avec la vie chrétienne. Celle-ci est un combat permanent contre la tentation toujours présente de l'abstrait. Son souci de réfléchir constamment à partir de l'expérience permet au Père Varillon de s'exprimer avec cette simplicité, à la fois lumineuse et profonde, caractéristique de son style. Simple sans jamais être simpliste. C'est ce réalisme spirituel qui lui permet aussi de mettre en œuvre sa pédagogie. Il invite ses auditeurs à un cheminement qui, s'appuyant sur les objections habituelles, leur permet de les écarter peu à peu pour s'enraciner sur des bases solides. Ainsi insistait-il souvent sur la « genèse de la foi des apôtres qu'il nous faut retrouver, en lisant les évangiles de très près, si nous voulons que notre affirmation de la divinité de Jésus Christ ne soit pas une pure abstraction ».

— *Sa sérénité* qui ne se presse pas de tout comprendre et de tout résoudre. L'une des lois du Royaume est la patience qui laisse le temps des germinations et des maturations. Le Père Varillon tient à dégager l'essentiel de la foi sans en encombrer le chemin par des questions secondes, sinon secondaires. Définir l'homme, avec toute la Tradition, comme du divinisable, c'est lui donner confiance en l'avenir. Il s'agit bien d'une spiritualité de constructeurs de civilisation. Non pas un optimisme naïf et béat (le monde s'il est magnifique est aussi tragique, la souffrance des hommes est réelle) mais une espérance qui s'appuie fondamentalement sur le don inouï de la divinisation offert à tout homme et à toute l'humanité. « Comme on doit essayer de bien parler de l'homme, on doit aussi tenter de bien parler de Dieu. Alors s'apaisera peut-être cette douleur sans fond et sans visage qui s'est levée sur l'Occident, où l'on affirme, en dépit du mystère du Christ, que Dieu s'est absenté de nos douleurs par droit de Transcendance... Il faut essayer de parler pour ces hommes qui se vomissent eux-mêmes par dégoût de ne pas être aimés, pensent-ils, de Celui que les chrétiens continuent d'appeler l'Amour même du monde[3]. »

2. Etienne Borne, *La Croix* du 27 juin 1980.
3. Martelet, *L'au-delà retrouvé*, Desclée, 1975, p. 37.

***

Au fur et à mesure de la découverte de ces idées-forces, ma méthode s'est précisée. Tout au long de ces dix-huit mois de travail, j'ai été beaucoup soutenu et encouragé par Charles Ehlinger et le Père J. de Mauroy. Je les en remercie profondément. Comme je remercie ceux et celles qui, par leurs remarques amicales, m'ont permis de clarifier la mise en œuvre de ce dossier. Avec un certain nombre de ces chrétiens, j'ai beaucoup reçu du Père Varillon comme de l'ACI (Action Catholique des Milieux Indépendants), où j'exerce avec plaisir mon ministère actuel. N'est-il pas vrai qu'intelligence de la foi et démarche d'Action Catholique, loin de s'exclure, s'appellent et se fécondent réciproquement? Voici donc quelques indications de la manière dont j'ai réalisé la mise en forme de ces conférences.

Quand les manuscrits originaux étaient entièrement rédigés, je n'ai rien retranché, mais, grâce aux polycopies dont j'ai disposé, j'ai ajouté des explications qui détaillent des phrases très concises. J'ai été dans l'obligation de supprimer pas mal de paragraphes pour éviter des répétitions fastidieuses, cependant j'ai maintenu l'expression des convictions maîtresses, souhaitant que leur insistance, même dans des contextes différents, ne lasse pas le lecteur. Ces suppressions nécessaires, qui ont déséquilibré de nombreux textes rédigés ou polycopiés, m'ont obligé à les recomposer. Les auditeurs ne trouveront donc pas forcément les conférences telles que le Père Varillon les a lui-même données dans chaque ville où il a parlé. D'autant qu'un même thème a reçu de sa part plusieurs présentations (et donc plusieurs titres) appropriées à des auditoires diversifiés. Aussi ai-je dû effectuer l'agencement de ces multiples développements pour éditer celui qui m'a paru le plus significatif. Les auditeurs ne trouveront pas non plus, même résumées, toutes les conférences que le Père Varillon a données durant sa vie. J'ai retenu celles des dix dernières années mais dans l'axe choisi pour ce livre : la présentation de la cohérence de la foi chrétienne.

J'ai transcrit certaines comparaisons qui, oralement, pouvaient être proposées avec un brin d'humour et qui, mises par écrit, pourraient prêter à ironie. Le Père Varillon, dans la passion qui était la sienne de se faire comprendre d'un grand public, les a utilisées, puisque la foi est pour tous et non pour quelques initiés. Évidemment le raffinement de son style écrit manque. Que le lecteur un peu agacé par certaines tournures de phrases se rappelle ses remarques : « Quand je fais des conférences proprement religieuses, ce n'est pas de l'art, c'est un apostolat. J'écris ou je parle pour être compris du plus grand nombre[4]. » Pour ne pas mésestimer sa personnalité ni ses qualités littéraires, il est indispensable de se reporter à ses magnifiques entretiens avec Ch. Ehlinger, ainsi qu'à ses deux livres-joyaux : *L'humilité de Dieu* et *La souffrance de Dieu.*

Je me suis efforcé enfin de retrouver l'origine de ses références (j'indique celles que j'ai repérées) sans pouvoir affirmer y être intégralement parvenu. Il a étudié tellement d'auteurs, a lu tellement de livres! En consultant ses manuscrits et ses notes, j'ai senti les influences multiples depuis Claudel et le Père Y. de Montcheuil jusqu'aux toutes dernières lectures du Père Labarrière et de René Char. Lui-même disait qu'à force de lire et de méditer, il ne savait plus ce qui est de lui et ce qui est de ses sources.

J'espère ne pas trahir, travestir ses convictions profondes, ni figer le dynamisme de sa pensée, sans cesse en mûrissement à cause de sa curiosité d'esprit et de la jeunesse de sa foi. Sans oublier que la mort l'a surpris en plein travail de rédaction de son commentaire de la seconde partie du Credo, avec des réalités aussi importantes que l'Église, le baptême et le pardon des péchés. Il faut donc tenir compte de la date des manuscrits que j'indique en tête de chaque chapitre : certains sont anciens ou incomplets.

Après plusieurs esquisses, j'ai fini par adopter le plan suivant, pour mettre en valeur les trois dimensions de toute formation chrétienne qui s'entrelacent en permanence chez cet « éveilleur » : initiation spirituelle; approfondissement du contenu de la foi; éducation à l'analyse des situations et des événements :

— Une *introduction* ou mieux un porche par lequel il est indispensable d'entrer dans la lecture du livre, surtout pour le lecteur qui n'aura jamais entendu le Père Varillon de son vivant, afin de se familiariser avec son vocabulaire et sa pédagogie. Lui-même accordait beaucoup d'importance à une telle préparation.

— 1. *Le Christ mort et ressuscité,* cœur du Réel, avec l'admirable méditation sur les Béatitudes;

— 2. *L'accueil du Don de Dieu :* Marie, image de l'Église; puis l'Église, expérience de l'accueil du Don de Dieu par tous les baptisés : François Varillon, au fur et à mesure de son itinéraire d'homme, de chrétien et de prêtre, insistait sur cet accueil, avec la nécessité de se décentrer, de se désapproprier de soi-même, pour se recevoir sans cesse de Dieu et trouver ainsi sa plénitude.

4. *Beauté du monde et souffrance des hommes,* éd. du Centurion, p. 264.

— 3. *Les principaux dogmes :* ils permettent d'approfondir qui est Dieu, qui est l'homme et quelle peut être leur relation. Il soulignait une juste compréhension du dogme de la Création : c'est le Dieu authentiquement créateur qui fonde notre liberté et donc notre dignité humaine.

— 4. *Quelques critères de discernement pour l'accomplissement de la tâche humaine :* situer la relation au Christ au cœur des dynamismes humains, non pas à côté d'eux, ni à leur place; vivre l'Évangile qui est un appel à la foi et à la liberté; prier, puisque le don de Dieu est une tâche à accomplir; combattre le mal et la souffrance, au lieu de se résigner à les subir.

— En *conclusion*, ou, plutôt, en récapitulation de tout, l'Eucharistie : elle est « la source et le sommet de la vie chrétienne », selon l'expression du Concile Vatican II, reprise à propos du Congrès eucharistique international de juillet 1981.

Il me semble enfin être dans la ligne de ce dynamisme en donnant comme titre à ce livre *Joie de croire, joie de vivre*, joies suscitées chez tous ceux qui ont goûté ces conférences et ont fait l'effort de les assimiler. J'achève ce travail le 3 décembre 1980, en la fête de saint François-Xavier : solidement enraciné dans sa culture basque et sa foi catholique, il n'a pas hésité à aller au-devant des mondes nouveaux de son époque : n'est-ce pas aussi la démarche de François Varillon ? Et je lis dans l'Exhortation du pape Jean-Paul II sur la catéchèse que « le don le plus précieux que l'Église puisse offrir au monde de ce temps, désorienté et inquiet, c'est d'y former des chrétiens affermis dans l'essentiel et humblement heureux dans leur foi » : n'est-ce pas le portrait du Père Varillon ?

J'exprime toute ma reconnaissance au Père Jacques Guillet qui a accepté de « vérifier » le manuscrit dans son état final et à René Rémond qui a bien voulu que ce livre débute par un portrait du Père Varillon.

B. H.

INTRODUCTION

L'essentiel de la foi

Sens et non-sens[*]

Une situation de crise comme celle que nous traversons actuellement est bienfaisante. Je sais qu'une crise peut être mortelle, mais il y a aussi des crises de croissance.

Péguy distinguait, dans nos existences individuelles comme dans l'histoire des civilisations, les périodes et les époques. Une période est un temps où il ne se passe pas grand-chose, les individus et les collectivités vivent sur leur lancée, ils ne sont pas provoqués à des décisions importantes. L'époque est un temps où il se passe quelque chose, où la liberté, qui est l'essentiel de l'homme, est provoquée, il lui est impossible de dormir. Une époque est un moment véritablement crucial de l'histoire où il faut à tout prix sortir de l'assoupissement. Ce ne sont pas les dormeurs qui entreront dans le Royaume de Dieu.

Nous vivons une époque, ce n'est pas douteux. Nous avons des décisions importantes à prendre et nous ne pouvons pas les éluder. Décision, c'est un mot que vous m'entendrez prononcer bien sou-

* *Manuscrits du Père Varillon :* un plan en 3 pages intitulé « Sens et non-sens » ; « Réflexion sur la foi » (année 1976-1977, page 6). — *Polycopies* réalisées à Mâcon : « L'essentiel de l'essentiel » (novembre 1967); Le Péage-de-Roussillon : « L'essentiel » (janvier 1968) ; Boulogne : Ire et IIe Conférences de l'hiver 1968-1969 ; Annecy : « L'essentiel de la foi » (4 mai 1970); « Dieu » (11 mai 1970); Grenoble : « La vie humaine a-t-elle un sens ? » (novembre 1971); Nantes : « Dieu ? Quel Dieu ? » (29 novembre 1973) ; Pau : « Le Dieu de Jésus Christ » (8 avril 1974); Montauban : « Ce que le Christ nous dit de Dieu et de l'homme » (novembre 1974); Carcassonne : « La vie a-t-elle un sens ? » ; « Qui est le Dieu de Jésus Christ ? » (octobre et novembre 1977).

vent : nous valons ce que valent nos décisions; petites ou grandes, c'est par nos décisions que nous sommes authentiquement des hommes.

Un temps de crise comme le nôtre doit donc être à la fois de vigilance (il y a des crises mortelles) et d'optimisme. D'autant que nous le savons bien, je n'insisterai pas, la crise présente n'est pas seulement ecclésiale, elle est une crise de civilisation dont l'Église, comme il est normal, subit le contrecoup.

Pour le dire en deux mots, ce qui caractérise la crise de civilisation présente, c'est qu'il y a un décalage entre la maîtrise croissante de l'homme sur l'ensemble de ses moyens (techniques, économiques, politiques, etc.) et une absence de plus en plus ressentie de buts communs. Il y a actuellement une intelligence, un progrès croissants au plan des moyens et une absurdité au plan des fins. On va dans la lune, comme disait André Malraux : si c'est pour s'y suicider, ça n'avance à rien. On poursuit le bien-être mais pourquoi faire ? pour faire (ou pour être) quoi ?

La vie a-t-elle un sens[1] *?*

La question qui se pose donc à tout homme est la question du sens de l'existence. C'est Paul Ricœur qui écrit : « Il est bien vrai que les hommes manquent de justice et d'amour mais ils manquent peut-être plus encore de signification. » Qu'est-ce que tout cela signifie finalement ?

La question la plus fondamentale de la philosophie est la question suivante : pourquoi y a-t-il quelque chose et non pas rien ? Au plan pratique, cette question devient : Pourquoi faut-il qu'il y ait un accroissement, une puissance, un plus-être ? A quoi cela mène-t-il ? Et c'est toute la question du sens et du non-sens de la vie.

Sens selon la double acception du mot : sens comme direction, comme on dit le sens d'un fleuve ou le sens unique dans la rue; et sens comme signification, comme on dit le sens d'une phrase. Quelle est la direction de notre existence, où allons-nous ? Et quelle en est la signification, qu'est-ce que cela veut dire ?

Beaucoup de choses ont un sens et heureusement ! L'amitié a un

1. Comme il l'écrit dans *L'humilité de Dieu*, p. 34, le Père Varillon s'inspire ici d'un article du Père E. Pousset paru dans *Etudes* (septembre 1967, p. 266-268).

sens, l'amour a un sens, la culture a un sens, le progrès économique et social, le progrès de la justice dans le monde, tout cela a un sens. Du sens, il y en a partout.

Mais il y a aussi du non-sens. Cette jeune fille de vingt ans que je vais voir à l'hôpital m'apprend qu'elle est renseignée sur son état : elle est atteinte d'un cancer et va mourir dans quelques mois, alors qu'elle est très belle, pleine de talents et qu'elle était promise à un magnifique avenir. Pour elle et pour ses proches, le fait d'être fauchée à vingt ans est absurde, n'a pas de sens. Elle me dit : « Je me révolte. » Bien loin de me scandaliser de sa révolte, je lui réponds : « Je me révolte avec vous. » Elle s'étonne, croyant que j'allais lui dire que la révolte était un péché. Devant le non-sens, devant l'absurde, la révolte est saine.

Ce père de famille de quatre enfants qui meurt subitement à cause d'un coup de frein maladroit sur une route mouillée, c'est absurde. Un raz de marée et voilà des milliers et des milliers de Pakistanais réduits à la famine, c'est absurde, cela n'a pas de sens.

Comment voulez-vous éviter de poser le problème de savoir ce qui va finalement l'emporter, du sens ou du non-sens ? Est-ce le non-sens qui va être vainqueur ? Est-ce la mort qui est le bout de tout ? La mort est-elle ce butoir sur lequel va buter tout ce qui a déjà un sens, et allons-nous être contraints de dire avec Paul Valéry : « Tout va sous terre et rentre dans le jeu »[2] ? Le jeu de la nature : nos cadavres serviront de fumier pour les légumes de nos petits-enfants !

En termes un peu plus philosophiques, est-ce que notre liberté, cette magnifique liberté qui nous permet d'émerger au-dessus des êtres de la nature, sera finalement vaincue par la nature ? Je ne crois pas qu'on puisse éviter la question du sens.

On peut n'y pas faire attention, bien sûr, et nous sommes environnés de gens qui s'enlisent dans les sens partiels de l'existence : l'amour, l'amitié, la culture, le progrès économique et politique. Pascal dirait : ils se divertissent. Autrement dit, ils vivent de façon superficielle. On peut ne pas faire attention à la question fondamentale mais elle se pose irréductiblement dès que l'on fait attention.

Le christianisme se présente comme une réponse à cette interrogation qui nous définit comme homme. Être chrétien, c'est croire à la réponse que Dieu donne en Jésus Christ à cette interrogation humaine. La foi chrétienne fait de nous des adversaires de l'absurde ou du

2. Paul VALÉRY, *Le Cimetière marin.*

non-sens et des prophètes du sens. Ou, si vous préférez, des témoins du sens.

Être chrétien, c'est pouvoir donner un deuxième sens, beaucoup plus profond, à ce qui a déjà un sens (comme l'amitié, l'amour, la culture, la musique, même la toute simple camaraderie) et c'est pouvoir donner un sens à ce qui n'en a pas. C'est ce que je disais à cette jeune fille à l'hôpital, dans un deuxième temps, après m'être révolté avec elle contre le non-sens de sa mort prématurée : « Allons-nous en rester là ? Croyez-vous qu'il vous est possible de donner vous-même un sens à cet événement de la mort, qui, en fait, est absurde et n'a pas de sens ? N'est-ce pas précisément la grandeur de notre liberté que le sens ne soit pas dans les choses mais que ce soit à nous de donner un sens à ce qui n'en a pas ? »

Distinguer indifférence et doute

Je voudrais ici, par manière de parenthèse, bien marquer la distinction qu'il faut faire entre l'indifférence et le doute. Nous devons comprendre ceux que j'appelle les douteurs sincères, disons ceux qui sont « en recherche ». Le douteur ne rejette pas le Christ, il ne sait pas, il hésite.

L'indifférence est tout autre chose. Ne pas vouloir savoir où se situe le plus haut niveau d'existence, se « divertir » pour échapper à la question sur le sens de la vie, pour étouffer la voix de la conscience qu'on ne peut pas ne pas entendre pour peu qu'on soit attentif, voilà l'indifférence. Ne jugeons personne, car nous ne pouvons pas savoir si quelqu'un est vraiment et totalement indifférent. Disons seulement que si l'indifférent total existe (Dieu seul le sait), il est in-humain ou dés-humanisé.

Pour ce qui est du doute, nous devons être très prudents. Comme le dit Jean Lacroix, « si beaucoup de nos contemporains gardent vis-à-vis des dogmes (des « vérités » de foi) une incertitude partielle, ou même totale, c'est souvent parce qu'ils ne peuvent pas en conscience faire autrement ». Tout acte humain, pour être humain, doit être justifié, y compris et surtout l'acte de croire. Tous les théologiens ont affirmé qu'il est normal que nous ayons l'intelligence de notre foi, que nous cherchions à comprendre ce que nous croyons. Notre raison a sa part, et une part importante, dans l'acte de croire. Nous ne sommes pas des fidéistes, le fidéisme étant une attitude selon laquelle la raison n'aurait pas de part à l'acte de foi.

Comme l'écrit encore Jean Lacroix : « Il n'y a rien de pire qu'une intellectualité sans spiritualité si ce n'est une spiritualité sans intellectualité (il ne s'agit pas d'une intellectualité supérieure réservée à des esprits particulièrement intelligents, mais de l'intellectualité toute simple de celui qui cherche à fonder sa foi, à la justifier). Par réaction contre un intellectualisme desséché (qui a été le fait d'un certain catéchisme pendant de longues années), plusieurs prônent aujourd'hui le retour à une foi pure qui ne chercherait aucune espèce de justification... C'est oublier (et ceci est capital) que les fidéismes détruisent la foi aussi sûrement que les traditionalismes détruisent la Tradition. Ils nient tout dialogue, et sombrent vite dans la violence et la déraison (ou la niaiserie)[3]. »

Celui qui, dans l'état actuel de ses certitudes, a vraiment mis toute son honnêteté dans la réflexion religieuse et qui ne voit décidément pas le moyen de croire, non seulement nous n'avons pas à lui jeter la pierre mais nous avons à dire : il a raison. Un homme n'a pas le droit d'affirmer ce que l'Église affirme s'il ne voit pas qu'en conscience il a le devoir de l'affirmer.

Saint Thomas d'Aquin (il est tout de même une référence majeure en fait de tradition théologique de l'Église) ne craignait pas de dire : « Croire au Christ est en soi une chose bonne mais c'est une faute morale que de croire au Christ si la raison estime que cet acte est mauvais, chacun doit obéir à sa conscience même erronée[4]. » Bien entendu, cela va de soi mais il vaut mieux le dire, l'erreur ne doit pas être volontaire, ne serait-ce qu'indirectement par négligence.

Je parle de ceux qui doutent parce qu'ils se veulent avant tout honnêtes, avec le courage qu'implique l'honnêteté. Ils sont peut-être les témoins douloureux de la médiocrité des chrétiens : médiocrité intellectuelle, si nous ne travaillons pas à purifier nos croyances des aspects mythiques qu'elles charrient inévitablement (combien, par exemple, affichent une adoration de Dieu qui n'est en réalité que le camouflage d'une adoration de l'autorité ou du pouvoir !) ; médiocrité morale, si nous interprétons l'Évangile dans le sens de la facilité (combien, par exemple, confondent charité et aumône, ou encore amour et sentiment, et se rendent par là incapables de comprendre le sens réel de la parole de saint Jean : « Dieu est Amour » !).

Ceux qui doutent par honnêteté de conscience refusent d'adhérer aux vérités de la foi jusqu'à ce qu'ils y voient clair, ils refusent de se

3. Jean LACROIX, *Le personnalisme comme anti-idéologie*, PUF, 1972, p. 160.
4. Saint THOMAS D'AQUIN, Ia IIae q. 19 art. 5.

contenter d'une foi naïve, et, en quelque sorte, pré-critique. Le tout est qu'ils ne passent pas à côté de l'Himalaya en déclarant qu'il n'y a rien à remarquer. Car on ne peut pas ne pas reconnaître que le grand mouvement judéo-chrétien depuis Abraham détient des richesses considérables. Il faut leur demander d'être au moins capables d'admirer mais, en même temps, il faut comprendre qu'ils peuvent très bien admirer sans être convaincus et que leurs réticences ne sont pas pour autant suspectes.

Le douteur sincère n'est pas le sceptique qui érige la méfiance en principe, ce qui est une maladie de l'intelligence. Il n'est pas non plus l'homme qui a peur de s'engager et qui, à cause de cette peur, se réfugie dans le doute théorique : là, c'est une maladie de la volonté. Doutez-vous parce que vous avez peur de l'engagement ? La foi est un engagement, pas seulement une opinion : on ne croit pas que Dieu existe comme on croit qu'il y a des soucoupes volantes ou qu'il n'y en a pas. Si Dieu existe, il est absolument essentiel de s'engager vis-à-vis de lui, d'engager vis-à-vis de lui le fond de l'être.

Il est bien évident qu'il y a actuellement beaucoup de malades de l'esprit et beaucoup de malades de la volonté. Le grand mal est de ne pas faire attention, de ne pas laisser sortir de soi-même l'interrogation fondamentale sur le sens ultime de l'existence humaine ou, ce qui revient au même, de ne pas chercher à dégager l'essentiel de la foi.

L'essentiel de l'essentiel

Car il y a un essentiel. Ce n'est pas moi qui le dis, c'est le dernier Concile de Vatican II : « Il y a un ordre ou une hiérarchie des vérités de la doctrine catholique en raison de leur rapport différent avec les fondements de la foi chrétienne[5]. » Autrement dit, il ne s'agit pas de tout mettre sur le même plan. Je veux bien vous faire une conférence sur les anges mais je vous dirai d'abord que la question des anges est beaucoup moins essentielle que le mystère de la Trinité. Même les dogmes qui concernent la Vierge Marie sont beaucoup plus importants que les anges mais sont tout de même moins importants que la Trinité et l'Incarnation. Ou si la Vierge Marie est importante, c'est

5. VATICAN II, *Décret sur l'œcuménisme*, nº 11.

en fonction de la Trinité et de l'Incarnation parce qu'elle est la mère de Jésus Christ.

Je ne dis pas qu'il y a l'essentiel et l'accessoire car je pense que, lorsqu'on a compris les choses, il n'y a pas d'accessoire. Mais je dis qu'il y a quand même l'essentiel et ce qui est moins essentiel, ce qui est relié à l'essentiel de manière plus ou moins directe. Or ce qui manque beaucoup à l'heure actuelle, c'est la capacité de dégager l'essentiel de la foi, je dirais volontiers l'essentiel de l'essentiel.

Ce que je voudrais, c'est que les chrétiens soient capables de répondre en deux lignes à la question : finalement, que croyez-vous ? Et, de même, j'aimerais que l'incroyant puisse également répondre en deux lignes à la question : que ne croyez-vous pas ? que refusez-vous de croire, quoi exactement ?

Ce que nous croyons, c'est la réponse que Dieu donne à l'interrogation inéluctable sur le sens de l'existence ! Cette réponse tient tout entière dans un adage qui est traditionnel dans l'Église depuis les premiers siècles; il semble que le premier à l'avoir utilisé est saint Irénée, évêque de Lyon, mort vers l'an 200; il n'a jamais cessé d'être répété et commenté par les Pères de l'Église, en Orient comme en Occident.

Je vous le cite en latin, afin qu'il ait son cachet d'authenticité : « Deus homo factus est ut homo fieret Deus », c'est-à-dire : « Dieu s'est fait homme pour que l'homme soit fait Dieu » ou, si vous préférez : « Dieu est devenu homme pour que l'homme devienne Dieu. »

Est-ce bien l'essentiel de votre foi ? Si, en écoutant cette petite phrase, vous vous dites qu'il y a une exagération, une telle réaction signifie que vous n'avez pas encore accédé à l'essentiel de la foi. Il arrive souvent que l'on pose la question : « N'est-ce pas précisément le péché originel que de vouloir devenir Dieu ? » Il y a là une équivoque terrible : oui, le péché originel est de prétendre par ses propres forces devenir ce qu'est Dieu. Mais ce qui n'est pas le péché originel et qui est même l'essentiel de la foi, c'est qu'il nous faut accueillir ce don absolument inouï de notre divinisation.

Avez-vous suffisamment réfléchi pour comprendre que, s'il n'en était pas ainsi, l'Incarnation de Dieu ne serait qu'une visite de Dieu sur terre, comme on en voit dans toutes les mythologies païennes, où les dieux se « baladent » sur terre, sous des déguisements ? S'il n'en était pas ainsi, il faudrait dire que Dieu nous a emprunté notre vêtement humain pour apparaître parmi nous pendant un certain temps, pour nous prêcher une morale dont on pourra bien dire qu'elle est supérieure à toutes les morales; après quoi, il est remonté au ciel d'où il surveille la manière dont nous agissons ici-bas, afin de nous récompenser si nous pratiquons les vertus chrétiennes ou nous punir si nous préférons vivre dans le péché : nous sommes en pleine mythologie!

Ne vous étonnez pas que nos contemporains et plus particulièrement les jeunes refusent catégoriquement d'entrer là-dedans. Si c'est cela la foi, le devoir d'un homme intelligent est d'en sortir le plus vite possible. Je ne plaisante pas et ce que je dis est très douloureux, parce que j'ai peur qu'il y ait encore des hommes et des femmes, peut-être même des militants catholiques, des prêtres et des religieuses, qui vivent sans s'en apercevoir en pleine mythologie.

L'adage que je vous propose comme exprimant l'essentiel de la foi est tout ce qu'il y a de plus traditionnel dans l'Église. Pour le dire en passant, n'appelons pas traditionnel ce qu'un certain nombre d'entre nous ont appris au début de ce siècle. Il y a des confusions qu'il importe de devoir briser énergiquement. Beaucoup se disent actuellement traditionnels en pensant à ce qu'on leur a appris quand ils étaient jeunes. Mais il faut savoir qu'il y a cinquante ans nous avons été éduqués à une époque où l'Église était assez loin de sa propre Tradition. Cela n'a rien de scandaleux : dans la vie de l'Église, il y a des moments de baisse de tension. Un peu comme dans l'œuvre d'un écrivain, on est surpris de voir dans certaines parties de son œuvre des choses qui frisent la bêtise. Ou bien, dans une partition de grand musicien, il y a des moments où l'on a l'impression qu'il oublie qui il est, tellement c'est faible. Dans une œuvre immense, une telle baisse de tension est normale; en général, elle ne dure pas, le génie se ressaisit très vite.

Il en est de même dans la vie de l'Église, il y a des moments où l'on est assez loin de l'essentiel de la Tradition. Que les plus âgés d'entre vous fassent appel à leur mémoire : leur a-t-on beaucoup parlé de saint Paul quand ils étaient jeunes ? Pas tellement, on avait peur de la liberté! C'est un exemple entre mille. Nous avons donc à faire très attention à ne pas confondre la Tradition de l'Église avec ce qu'on nous a appris qui, la plupart du temps, d'où la crise actuelle, était relativement étranger à la véritable Tradition de l'Église (je dis relativement car il ne faut rien exagérer, une baisse de tension n'est pas une erreur).

Les deux vérités sont rigoureusement corrélatives, l'incarnation de Dieu et la divinisation de l'homme. Cela est absolument traditionnel, c'est le noyau de la foi, le permanent, l'immuable, ce qu'aucun contexte culturel nouveau ne peut modifier, ce que l'Église ne mettra jamais en question, même si elle remet en question la manière de le formuler, car cela il le faut bien!

On nous l'a toujours dit, mais on nous l'a peut-être dit en des termes qui sont terriblement usés, comme l'on dit d'un tissu usé « qu'on voit le jour à travers » :

GRÂCE SANCTIFIANTE : grâce veut dire don; et sanctifiant veut dire divinisant. Saint est le nom de Dieu dans l'Ancien Testament (cf. Saint, saint, saint est le Seigneur...). Par conséquent, ce qui est sanctifiant, en rigueur de terme, c'est ce qui est divinisant. Nous avons tous appris qu'il y a la grâce sanctifiante, on a peut-être omis de préciser qu'il s'agissait de notre divinisation.

SALUT : y a-t-il un mot plus usé ? C'est un intellectuel marxiste, Gilbert Mury, qui m'a aidé, lors d'une semaine des Intellectuels catholiques à Paris, à expliciter ma propre pensée sur le salut. « A mon avis, a-t-il dit, ce mot entraîne quatre questions :

« qui est sauvé ? »
« qui sauve ? »
« sauvé de quoi ? »
« sauvé pour aboutir à quoi ? »

« Voici la réponse marxiste : qui est sauvé ? l'homme; qui sauve ? le prolétariat organisé en parti; sauvé de quoi ? de l'aliénation (injustices, exploitations, etc.); pour aboutir à quoi ? à la société sans classes, à la cité harmonieuse et fraternelle. » Après quoi, j'ai donné la réponse chrétienne : « Qui est sauvé ? l'homme; qui sauve ? Jésus Christ; sauvé de quoi ? de la finitude de la créature (nous sommes des êtres finis!) redoublée par le péché, aliénation beaucoup plus profonde; pour aboutir à quoi ? non pas à la société sans classes mais à une vie éternelle divinisée, ce qui n'exclut pas d'ailleurs l'objectif humain d'une société plus juste et plus fraternelle (disons-le en passant, nous ne serons pas divinisés, nous n'irons pas au ciel — pour parler comme le vieux catéchisme —, si, maintenant, nous ne travaillons pas, autant que nous le pouvons, à créer un monde plus juste, plus fraternel, plus profondément humain). » On nous a toujours parlé du salut : on avait peut-être omis de préciser tout cela.

FILS DE DIEU : ce mot ne veut pas dire seulement créature mais vivant de la même vie que Dieu. Un père ne donne pas à ses enfants seulement la vie mais sa propre vie. Quand nous disons que nous sommes fils de Dieu, nous disons que Dieu nous donne sa propre Vie, c'est-à-dire qu'Il nous fait participer à sa divinité, c'est-à-dire que nous sommes, en rigueur de terme, divinisés. C'est sérieux, vous savez! Je dis des choses énormes en ce moment : que le baptême nous fasse enfants de Dieu au sens fort, ce n'est quand même pas une petite affaire!

VIE SURNATURELLE : faites une enquête dans vos milieux, vos paroisses, les écoles, les lycées : que signifie cette expression ? Pour certains, une apparition de la Vierge Marie à Lourdes est un phénomène surnaturel. D'autres diront que le surnaturel est ce qui ne peut pas être expliqué dans la nature : une soucoupe volante est un phénomène surnaturel. Combien de chrétiens actuellement savent-ils que ce mot signifie, de la manière la plus exacte, la vocation de l'homme à partager la vie même de Dieu, à être divinisé ?

Si les mots sont usés, dégradés, ne laissons pas perdre la réalité qui a été enseignée, car il s'agit bien de l'essentiel.

Le Christ révèle qui est l'homme et qui est Dieu

Le sens ultime de l'existence humaine est que nous sommes appelés à devenir Dieu. J'aimerais que soit relancé dans l'Église le mot divinisation ou déification. Là aussi, il y aurait une enquête à faire : le mot peut-il être reçu ? Il y faut certes des précisions : nous ne serons pas éternellement Dieu comme Dieu est Dieu, nous ne serons pas infinis, absolus comme Lui mais nous vivrons de la même Vie que Lui. D'où la nécessité de savoir en quoi consiste cette Vie. Nous sommes concernés, il ne sert à rien de répéter que nous avons à vivre éternellement de la vie même de Dieu si nous ne savons pas en quoi consiste cette vie. Dieu ne peut pas nous révéler que notre vocation est de devenir ce qu'il est sans nous dire qui il est; autrement, il se moquerait de nous.

Qu'est-ce qu'un mystère ?

Le mot mystère demande à être bien compris. Quand j'étais enfant, figurez-vous qu'on me disait que le mystère est ce que l'on ne peut pas comprendre. Ah! je n'étais pas très malin en ce temps-là!

Si j'avais eu un peu d'intelligence, j'aurais rétorqué : c'est tout de même curieux! Si Dieu me parle, c'est pour que je comprenne; il est curieux d'affirmer d'une part que Dieu par amour me révèle sa vie et que, d'autre part, on ne peut pas le comprendre.

C'est exactement comme si je disais à l'un d'entre vous : j'ai beaucoup d'amitié et de sympathie pour vous, donnez-moi un peu de temps et je vais vous raconter toute ma vie, ce que j'aime, ce que je fais, où sont mes amitiés, etc. Vous direz : c'est bien gentil vraiment, c'est une grande preuve d'amitié qu'il me donne. Mais si je me mets à parler chinois, que direz-vous ? Il est complètement fou : d'une part, il me déclare que, par amour, il va me faire entrer dans le secret de son existence et, d'autre part, il me parle chinois!

Or c'est exactement ce que l'on dit quand on affirme que le mystère est ce que l'on ne peut pas comprendre. Vous constatez sur un exemple précis ce qu'a pu être un certain enseignement lorsque l'Église avait partiellement oublié sa propre Tradition. Car saint Augustin n'a jamais défini le mystère comme ce que l'on ne peut pas comprendre mais toujours comme ce que l'on n'a jamais fini de comprendre, ce qui est très différent.

Un homme marié, très heureux dans son foyer, vient me dire après vingt ans de mariage : « Vous savez, Père, ma femme est encore un mystère pour moi. » Je lui réponds : « Cela ne veut pas dire qu'elle est une énigme : cela veut dire que vingt ans de vie commune n'ont pas suffi à vous faire pénétrer jusqu'à sa profondeur ultime. Tant mieux, car vous allez encore découvrir des profondeurs insoupçonnées chez votre femme. »

De même, pour un morceau de Bach, je vous interroge à la sortie du concert : avez-vous aimé ce concerto ou cette fugue ? Vous répondez : doucement, c'est profond, il faut que je réentende cette pièce deux fois, trois fois... Alors, peut-être à la douzième fois, puisque Bach n'est pas Dieu, n'y aura-t-il plus de mystère mais il y faut du temps!

Dieu nous fait pénétrer dans son mystère. Nous sommes concernés : ce n'est pas une affaire de curiosité intellectuelle, il ne s'agit pas de répondre à une question philosophique : qui est Dieu ? Il s'agit de savoir ce qu'est notre vocation : nous avons à devenir ce qu'il est. Il faut donc que nous sachions qui il est.

En d'autres termes, le sens de la vie est notre relation à Dieu, une relation telle que nous vivrons éternellement de sa vie. Le christianisme est essentiellement la vérité d'une relation. Comprenons que le contraire de la vérité n'est pas seulement l'erreur (deux et deux font quatre, c'est une vérité; deux et deux font cinq, c'est une erreur) mais aussi le mensonge. Il y a des relations vraies et il y a des relations mensongères. Une certaine manière de dire à une femme qu'on l'aime et d'accomplir avec elle les gestes de l'amour en pensant à une autre femme fait que la relation de cet homme avec cette femme est une relation mensongère, n'est pas une relation vraie.

Tout dans le christianisme existe pour que notre relation avec Dieu soit une relation vraie. Tout dans le christianisme (dogme, morale, sacrements...) a pour but unique de garantir ou d'authentifier la vérité de notre relation à Dieu. Il est évident que, pour que notre relation avec Dieu soit une relation vraie, il faut savoir qui est l'homme et qui est Dieu, il faut connaître la vérité sur l'homme et la vérité sur Dieu. On n'a tout de même pas une relation vraie avec quelqu'un qu'on ne connaît pas! C'est le Christ, celui qui s'est fait homme pour que l'homme soit fait Dieu, qui nous révèle qui est l'homme et qui est Dieu.

Qui est l'homme ?

Si vous me demandez ce qu'est l'homme, je vous réponds ceci : l'homme est du divinisable. C'est la réponse la plus profonde, au-delà de toutes les choses si intéressantes que peuvent nous dire les sciences humaines. Nous savons bien que les étudiants se pressent aux portes des facultés des sciences humaines : psychologie, sociologie, psychosociologie, psychanalyse, etc. Tout cela est passionnant mais ne va pas jusqu'à la profondeur ultime de l'homme, ne nous renseigne pas sur ce qu'est le mystère de l'homme car l'homme est un mystère.

Pourquoi l'homme est-il du divinisable ? Tout simplement, parce qu'il y a un homme qui est Dieu. Un homme pleinement homme : l'Évangile et saint Paul nous répètent que le Christ est pleinement homme sauf le péché, ajoute-t-on. Mais c'est précisément parce qu'il n'est pas pécheur que le Christ est pleinement homme. Ce qui nous empêche, nous d'être parfaitement hommes, c'est que nous sommes pécheurs.

Si vraiment il y a un membre du genre humain, de l'espèce humaine qui est Dieu, c'est donc qu'il y a dans tous les hommes une capacité à devenir ce qu'est Dieu. Si un homme est Dieu, c'est que tous peuvent le devenir. Le mystère de tout homme, le sens de l'homme, la signification de la vie humaine, c'est l'aptitude essentielle de l'homme à devenir ce qu'est Dieu.

Sans quoi, il faudrait dire que le Christ n'est pas un homme, qu'il est une parenthèse dans l'histoire de l'humanité, un aérolithe, un phénomène tombé du ciel. Mais l'Église s'est battue pendant des siècles pour maintenir à tout prix, envers et contre tout, l'humanité de Jésus Christ. Le Christ n'est pas du tout une parenthèse, il est au contraire l'Homme en plénitude. Il y a certes l'homme selon Socrate, l'homme selon Nehru, etc. Mais nous, chrétiens, nous croyons que seul le Christ nous dit ce qu'est l'homme véritable. Seul le Christ réalise en perfection la définition même de l'homme : il est l'Homme et cet homme est Dieu. C'est donc que nous, nous ne serons parfaitement hommes que lorsque nous serons divinisés.

Je me heurte à des objections comme celle-ci : cela ne m'intéresse pas de savoir que je serai divinisé, je demande simplement à être humanisé; devenir Dieu ne me dit rien, devenir authentiquement un homme, oui. C'est là qu'il faut essayer de comprendre que, dans un même mouvement, le Christ nous humanise et nous divinise. Nous n'avons pas à choisir entre devenir pleinement hommes et devenir ce qu'est Dieu. On a voulu nous enfermer dans un dilemme : ou l'homme ou Dieu. Si j'avais à choisir entre l'homme et Dieu de telle manière que l'un des deux doive être exclu, je choisirais l'homme. Ce serait conforme à ma dignité : je suis un homme et j'ai à le devenir. Je ne pourrais pas croire en un Dieu qui m'obligerait à faire ce choix, car ce Dieu-là ne peut être qu'une idole. Devenir ce qu'est Dieu ne veut pas dire que nous cesserons d'être hommes.

Quelles différences y a-t-il entre le Christ et nous ? Il y en a deux. La première, c'est que ce qu'Il est, nous avons à le devenir; le fait de ne pas être comme Lui dès notre conception mais d'avoir à Le devenir tout au long de notre vie suffit pour établir entre Lui et nous une différence infinie qui durera pendant toute l'éternité. La seconde, c'est que c'est par Lui et par Lui seul que nous le devenons. L'homme qu'il s'agit de faire est le Christ, norme absolue, type de l'humanisation achevée. Nous ne devenons hommes que par Lui.

Ces deux différences suffisent à maintenir entre le Christ et nous une distinction éternellement irréductible. Jésus est le seul Homme-Dieu mais tous les hommes sont divinisables, nous devenons, bel et bien, ce qu'Il est. Jésus me le révèle par sa seule existence d'Homme-Dieu. Avant même d'entendre ses paroles, à partir du moment où je crois qu'il y a un Homme-Dieu, je crois que ma vocation est de devenir, moi aussi, divin, devenir ce qu'est Dieu. Comme l'écrit G. Morel, « nous devenons par participation ce que Dieu est par nature ».

Qui est Dieu ?

Jésus nous révèle qui est Dieu : Dieu est Amour. Nous le savons, oui; mais prenons-nous cette affirmation au sérieux ? Il est bien évident que s'il y a un homme qui est Dieu, c'est que Dieu est Amour. On imagine mal l'Incarnation si Dieu n'est pas Amour. En effet, la tendance profonde, le mouvement profond de l'amour est de devenir l'être aimé, non pas seulement d'être uni à lui mais d'être un avec lui. C'est un mouvement qui existe déjà dans l'amour humain mais qui n'est pas réalisable pleinement.

Je pense qu'il n'y a pas de joie comparable à la joie d'aimer, elle est sans aucune commune mesure avec la joie de l'art ou de la recherche scientifique. La joie d'aimer est absolument unique mais elle ne va pas sans souffrance. Entrer dans l'amour, c'est entrer dans la joie mais c'est aussi entrer dans la souffrance, non pas simplement parce qu'il y a toujours le risque de la trahison, de l'habitude, d'un amortissement progressif du sentiment réciproque, mais beaucoup plus profondément parce que le vœu profond de l'amour ne peut pas être réalisé ici-bas : ce n'est pas seulement que toi et moi nous soyons unis, c'est que toi et moi nous ne soyons qu'un, un seul.

C'est ce que Dieu réalise dans l'Incarnation : il devient un seul avec moi; en Jésus Christ, Dieu n'est pas seulement uni à l'homme mais il est un seul avec lui. C'est l'amour qui est réalisé en plénitude. Donc quand l'Église me dit que le Christ est à la fois Dieu et Homme, une seule personne, je sais déjà que Dieu est amour. Et toute la Bible développe ce point.

De la puissance à l'amour

Toute l'histoire de la Révélation est la conversion progressive d'un Dieu envisagé comme puissance à un Dieu adoré comme amour. C'est avec cette perspective-là qu'il nous faudrait relire toute la Bible et étudier l'histoire des religions. Il est normal que l'homme considère d'abord Dieu comme le Tout-Puissant. Mettez-vous à la place des primitifs qui s'aperçoivent qu'ils sont jetés dans un monde dangereux, que leur existence est fragile, précaire, qu'ils sont soumis à tous les dangers des fauves, des tempêtes, des raz de marée, des épidémies : ils cherchent spontanément une puissance qui les protège. Les païens ont sacralisé tout ce qui donne une impression de puissance : la foudre, le soleil, les arbres, la lune, etc.

Mais l'idée de puissance est très ambiguë, une puissance peut faire beaucoup de bien mais aussi beaucoup de mal : il y a des puissances qui écrasent, qui dominent, qui nous annulent. Hitler pendant un temps a été très puissant, Staline aussi. Allez-vous vous livrer pieds et poings liés à ce genre de puissance ? Aussi les païens, devant cette puissance ambiguë, essayent de se la rendre favorable, de se la concilier, en lui offrant des sacrifices, des prières.

Peu à peu, c'est toute l'histoire de l'Ancien Testament, il y a eu une conversion d'un Dieu-puissance en un Dieu-amour. Au cœur de cette évolution, les prophètes révèlent que Dieu est volonté de justice : vous cherchez, disent-ils, à vous concilier la toute-puissance, vous cherchez à vous la rendre favorable et pour cela vous faites brûler de l'encens, vous offrez des taureaux, des boucs, vous multipliez les fêtes et les cérémonies, vous célébrez les nouvelles lunes; dites-vous que vous n'avez qu'un moyen de vous rendre la toute-puissance favorable, c'est de pratiquer la justice entre vous, car Dieu est volonté de justice. C'est la grande étape des prophètes en plein cœur de l'Ancien Testament.

Finalement Jésus révèle que Dieu est amour. Cette histoire d'une conversion progressive d'un Dieu qui est simplement la toute-puissance en un Dieu qui est Amour, n'est-ce pas au fond l'histoire de chacun de nous ? N'avons-nous pas sans cesse à nous convertir à un Dieu qui n'est qu'Amour ? Car dire que Dieu est Amour, c'est dire que Dieu n'est qu'Amour.

Dieu n'est qu'Amour

Tout est dans le « NE QUE ». Je vous invite à passer par le feu de la négation car ce n'est qu'au-delà que la vérité se dégage vraiment. Dieu est-il Tout-Puissant ? Non, Dieu n'est qu'Amour, ne venez pas me dire qu'il est Tout-Puissant. Dieu est-il Infini ? Non, Dieu n'est qu'Amour, ne me parlez pas d'autre chose. Dieu est-il Sage ? Non. Voilà ce que j'appelle la traversée du feu de la négation, il faut y passer absolument. A toutes les questions que vous me poserez, je vous dirai : non et non, Dieu n'est qu'Amour.

Dire que Dieu est Tout-Puissant, c'est poser comme toile de fond une puissance qui peut s'exercer par la domination, par la destruction. Il y a des êtres qui sont puissants pour détruire (demandez à Hitler, il a détruit six millions de juifs!). Beaucoup de chrétiens posent la toute-puissance comme fond de tableau puis ajoutent, après coup : Dieu est amour, Dieu nous aime. C'est faux! La toute-puissance de Dieu est la toute-puissance de l'amour, c'est l'amour qui est tout-puissant!

On dit parfois : Dieu peut tout! Non, Dieu ne peut pas tout, Dieu ne peut que ce que peut l'Amour. Car il n'est qu'Amour. Et toutes les fois que nous sortons de la sphère de l'amour, nous nous trompons sur Dieu et nous sommes en train de fabriquer je ne sais quel Jupiter.

J'espère que vous saisissez la différence fondamentale qu'il y a entre un tout-puissant qui nous aimerait et un amour tout-puissant. Un amour tout-puissant, non seulement n'est pas capable de détruire quoi que ce soit, mais il est capable d'aller jusqu'à la mort. J'aime un certain nombre de personnes, mais mon amour n'est pas tout-puissant, je sais très bien que je ne suis pas capable de tout donner pour ceux que j'aime, c'est-à-dire de mourir pour eux.

En Dieu, il n'y a pas d'autre puissance que la puissance de l'amour et Jésus nous dit (c'est lui qui nous révèle qui est Dieu) : « Il n'y a pas de plus grand amour que de mourir pour ceux qu'on aime» (Jn 15, 13). Il nous révèle la toute-puissance de l'amour en consentant à mourir pour nous. Lorsque Jésus a été saisi par les soldats, ligoté, garrotté au Jardin des Oliviers, il nous dit lui-même qu'il aurait pu faire appel à des légions d'anges pour l'arracher aux mains des soldats. Il s'est bien gardé de le faire car il nous aurait alors révélé un faux Dieu, il nous aurait révélé un tout-puissant au lieu de nous révéler le vrai, celui qui va jusqu'à mourir pour ceux qu'il aime. La mort du Christ nous révèle ce qu'est la toute-puissance de Dieu; ce n'est pas une puissance d'écrasement, de domination, ce n'est pas une puissance arbitraire telle que nous dirions : qu'est-ce qu'il mijote là-haut, dans son éternité ? Non, il n'est qu'amour mais cet amour est tout-puissant.

Je réintègre les attributs de Dieu (toute-puissance, sagesse, beauté...) mais ce sont les attributs de l'amour. D'où la formule que je vous propose : « L'amour n'est pas un attribut de Dieu parmi ses autres attributs mais les attributs de Dieu sont les attributs de l'amour. »

L'amour est { tout-puissant
sage
beau
infini

Qu'est-ce qu'un amour qui est tout-puissant ? C'est un amour qui va jusqu'au bout de l'amour. La toute-puissance de l'amour est la mort : aller jusqu'au bout de l'amour, c'est mourir pour ceux qu'on aime. Et c'est aussi leur pardonner. S'il y en a parmi vous qui ont l'expérience si douloureuse de la brouille à l'intérieur d'une famille ou d'un cercle d'amis, vous savez à quel point il est difficile de pardonner vraiment. Il faut que l'amour soit rudement puissant pour pardonner, ce qui s'appelle réellement pardonner. Il en faut de la puissance d'aimer !

Qu'est-ce qu'un amour qui est infini ? C'est un amour qui n'a pas de limites. Moi, je me heurte à des limites dans mon amour humain, dans mes amitiés humaines mais l'amour de Dieu, lui, est infini, donc il est capable de devenir homme tout en restant Dieu. Il réalise ce que nous n'arrivons pas à réaliser, même dans les ménages les plus profondément unis (j'ai assez de confidences pour savoir que, dans la vie conjugale, il y a comme des flashes, c'est-à-dire des moments rapides, fugaces où l'homme et la femme ont le sentiment de n'être qu'un, mais cet instant ne dure pas bien longtemps : on se sépare et on se retrouve deux). C'est pour cela que je vous disais qu'il est impossible d'entrer dans l'amour sans entrer dans la souffrance, si vraiment on aime et si on réalise ce que c'est qu'aimer, vouloir devenir un avec l'autre. L'infini de Dieu n'est pas un infini dans l'espace, un océan sans fond et sans rivages, c'est un amour qui n'a pas de limites !

Les caractéristiques de l'amour

La question rebondit : qu'est-ce que l'amour ? Il ne s'agit pas d'être sentimental, il faut faire la guerre au sentimentalisme comme au rationalisme. Un des bienfaits du chant grégorien dont je suis un dévot, c'est qu'il m'a toujours arraché au rationalisme sec autant qu'au sentimentalisme niais. Rabâcher le mot aimer finit par devenir un peu « bébête ».

Amour = accueil et don

Tournez les choses comme vous voudrez : l'amour est don et accueil. Le baiser est un très beau symbole d'amour, il est le signe à la fois du don et de l'accueil. Un baiser n'est vraiment donné que s'il est accueilli. Des lèvres de marbre, une statue, n'accueillent pas un baiser, il faut que ce soient des lèvres vivantes. Or des lèvres vivantes sont des lèvres qui accueillent et donnent en même temps. Le baiser est un geste admirable et c'est précisément pour cette raison qu'il ne faut pas le prostituer, jouer avec, mais qu'il faut le réserver comme le signe de quelque chose d'extrêmement profond (nous sommes là au cœur de tout ce que l'Église pense en matière de moralité sexuelle). Le baiser est l'échange des souffles qui signifie l'échange de nos profondeurs : je me souffle en toi, je m'expire en toi et je t'aspire en moi de telle sorte que je sois en toi et que tu sois en moi.

C'est-à-dire que je me décentre afin de n'être plus à moi-même mon propre centre, mais que désormais mon centre soit toi. C'est toi que j'aime, qui es mon centre, je vis pour toi et par toi; je sais que toi, tu te décentres aussi, tu n'es plus à toi-même ton propre centre, tu es centré sur moi. Je suis centré sur toi, je vis pour toi. Tu es centré sur moi, tu vis pour moi et tous deux, nous vivons l'un par l'autre. Aimer, c'est vivre pour l'autre (c'est le don) et vivre par l'autre (c'est l'accueil). Aimer, c'est renoncer à vivre en soi, pour soi et par soi.

C'est tout le mystère de la Trinité. Si l'amour est don et accueil, il faut bien qu'il y ait plusieurs personnes en Dieu. On ne se donne pas à soi-même, on ne s'accueille pas soi-même. La vie de Dieu est cette vie d'accueil et de don. Le Père n'est que mouvement vers le Fils, Il n'est que par le Fils. Mesdames, ce sont bien vos enfants qui vous donnent d'être mères; sans vos enfants, vous ne seriez pas mères. Or le Père n'est que paternité, donc il n'est que par le Fils et il n'est que pour le Fils. Le Fils n'est que Fils, il n'est donc que pour le Père et par le Père. Et le Saint Esprit est le baiser commun.

La vie de Dieu étant cette vie d'accueil et de don, puisque je dois devenir ce qu'est Dieu, je ne vais pas vouloir être un homme solitaire. Si je suis un homme solitaire, je ne ressemble pas à Dieu. Et si je ne ressemble pas à Dieu, il ne sera pas question pour moi de partager sa vie éternellement. C'est ce que l'on appelle le péché : ne pas ressembler à Dieu, ne pas tendre à devenir ce qu'il est, don et accueil.

Si Dieu n'est qu'amour, il est pauvre, dépendant, humble. Au premier abord, cela paraît impossible et pourtant, il y a une phrase du Christ qui domine tout, il s'agit de la prendre au sérieux! Quand je vois Jésus agenouillé aux pieds des apôtres avec un linge autour des reins et occupé à leur laver les pieds, c'est à ce moment-là que je l'entends me dire : « Qui me voit, voit le Père », c'est-à-dire : « Qui me voit, voit Dieu » (Jn 14, 9). Certes le paradoxe est très fort et nous sentirons peut-être notre raison chanceler et vaciller, mais je n'y peux rien. Dieu ne se révèle pas à nous comme l'Être Infini. Le Dieu en qui nous croyons n'est pas le Dieu des philosophes, d'Aristote ou de Platon, il est le Dieu révélé par Jésus Christ.

Approfondissons cette méditation à partir de notre expérience humaine. Car si nous n'avons aucune expérience de l'amour, nous ne savons pas ce que nous disons quand nous disons que Dieu n'est qu'amour. Il faut bien parler d'expérience. Autrement, c'est abstrait, « parachuté» et les jeunes ont horreur de ce qui est enseigné, en quelque sorte, d'autorité, sans qu'il y ait un point d'attache avec l'expérience.

Pauvreté de Dieu

Dans mon expérience d'homme, je vois qu'il n'y a pas d'amour sans pauvreté. Voulez-vous essayer pendant quelques instants d'imaginer un regard d'amour dans lequel il n'y aurait que de l'amour ? C'est très difficile parce que, dans tout regard humain, il y a toujours autre chose que de l'amour. Même dans le regard le plus amoureux, il y a toujours un regard sur soi. Je suis pécheur, cela veut dire qu'au moment même où je te dis que je t'aime, je devrais ajouter, si j'étais vraiment sincère : il y a tout de même quelqu'un que je préfère à toi et ce quelqu'un, c'est moi. Voilà le péché, quelle que soit la forme qu'il revête. Le péché originel est mon incapacité à aimer purement; c'est ce qui fait que l'autre n'est pas tout pour moi (tout en rigueur de terme) ; c'est ce qui fait que je ne suis pas pur mouvement vers l'autre (pur en son sens strict) comme dans la Trinité le Père est pur mouvement vers le Fils, le Fils pur mouvement vers le Père, le Saint Esprit étant la réciprocité et le dynamisme même de ce mouvement.

Il y a pourtant moyen d'imaginer un regard d'amour où il n'y aurait que de l'amour car je pense que, dans l'expérience de l'amour humain (qu'il s'agisse de l'amour conjugal, de la sympathie fraternelle, de l'amour paternel ou maternel, de la charité et du dévouement aux autres, etc.), il y a suffisamment d'amour même mêlé de beaucoup d'égoïsme, pour que nous comprenions ce qu'est l'amour quand il est vécu en Dieu, en toute pureté et en toute plénitude.

Lorsqu'un homme regarde sa femme avec ce regard d'amour où il n'y a que de l'amour, que peut-il lui dire ? Quelle est la phrase qu'il peut prononcer pour traduire ce regard d'amour ? Je n'en vois qu'une : « Tu es tout pour moi, tu es toute ma joie. » C'est une parole de pauvreté : si c'est toi qui es tout, moi je ne suis rien. Hors de toi, je suis pauvre. Ma richesse n'est pas en moi, elle est en toi. Ma richesse, c'est toi, et moi je suis pauvre.

Si cela est déjà vrai dans l'amour humain, à combien plus forte raison quand il s'agit de Dieu ! Dieu est la Pauvreté Absolue; en Lui, il n'y a pas trace d'avoir, de possession. Éternellement, le Père dit au Fils : tu es tout pour moi. Le Fils répond au Père : tu es tout pour moi. Et le Saint Esprit est le dynamisme même de cette pauvreté. C'est Dieu qui est le plus pauvre de tous les êtres. Si votre raison vacille devant une telle perspective, dites alors : Dieu est riche, mais ajoutez immédiatement : riche en amour et non pas en avoir. Or, être riche en amour et être pauvre, c'est exactement la même chose. Dieu est un infini de pauvreté. La propriété est le contraire même de Dieu.

Certes, dans la complexité des choses humaines, une certaine propriété est nécessaire; celui qui n'a aucun avoir est le clochard. Le malheur est que, s'il n'a aucun avoir, il aura beaucoup de peine à être, ce qui veut dire qu'ici-bas l'être sans avoir est impossible. C'est pourquoi l'Église dit qu'il y a un droit de propriété : pour que l'être humain soit, un certain avoir est nécessaire. Mais en Dieu absolument pas. Et nous n'entrerons en Dieu que lorsque nous serons dépouillés de tout avoir. La pauvreté matérielle de Bethléem et de Nazareth n'est que le signe d'une pauvreté beaucoup plus profonde. Pauvreté immense de Dieu, infinie, absolue, sans quoi nous ne pouvons pas dire que Dieu est amour.

Ah! nous sommes loin de certaines images de Dieu! Soyons sérieux : c'est le cœur de notre foi, ce n'est pas de la plaisanterie. Il y a des athées qui ne sont pas sérieux mais il y a aussi des chrétiens qui ne sont pas sérieux. Si l'on veut se situer là où l'on doit, il faut confronter le chrétien sérieux et l'athée sérieux. Et le chrétien sérieux est celui qui affirme la pauvreté de Dieu.

Dépendance de Dieu

Essayons encore d'imaginer le regard d'amour d'une femme sur son mari où il n'y aurait que de l'amour et procédons par l'absurde. Cette femme peut-elle dire à son mari : je t'aime, mais il est bien entendu que si ta situation t'appelle à Madagascar, moi, je reste en France ? Autrement dit, en même temps que je t'exprime mon amour, je t'affirme mon indépendance par rapport à toi. Il est évident qu'une telle attitude est impossible, impensable. Aimer, c'est vouloir dépendre : je t'aime, je te suivrai jusqu'au bout du monde, je veux dépendre de toi.

D'ailleurs, dans toute communauté humaine, il y a cette phrase implicite : je veux dépendre de vous. Pourquoi tant de communautés à l'heure actuelle naissent et meurent très vite ? Parce qu'il n'y a pas cette affirmation de dépendance réciproque.

Si, dans l'amour humain, aimer, c'est vouloir dépendre, à combien plus forte raison est-ce vrai de Dieu là où l'amour est vécu en plénitude. Seulement n'oublions pas le « ne que », ne sortons pas de la sphère de l'amour. Si Dieu n'est qu'amour, il est le plus dépendant des êtres, il est un infini de dépendance. Le père du prodigue dépend de son fils; si son fils ne revient pas, il pleurera; si son fils revient, il sera dans la joie (Lc 15).

Faisons attention à une ambiguïté qu'il faut réduire, car il y a deux sortes de dépendance : est-ce bébé qui dépend de maman ou maman qui dépend de bébé ? Au plan de l'être et de la vie, c'est l'enfant qui dépend de sa mère mais au plan de l'amour, n'est-ce pas la mère qui dépend de son enfant ? La dépendance de l'enfant par rapport à sa mère est étrangère à l'amour, à la liberté. Si maman n'est pas là pour lui donner le sein, il aura faim, bien sûr. Mais, dans l'amour, c'est la mère qui dépend de son enfant, c'est à ce moment qu'elle lui dit : tu es toute ma joie. Et si l'enfant respire mal, s'il est malade, si le médecin est inquiet, maman ne vit plus, tellement elle dépend de son enfant. Dieu est le plus dépendant de tous les êtres, dépendance dans l'Amour, non dans l'Être.

Humilité de Dieu

Dieu est humble et le plus humble de tous les êtres. Non seulement Jésus auquel nous disons : « Jésus doux et humble de cœur, rendez mon cœur semblable au vôtre », mais Dieu dans sa profondeur. Certes je préviens une méprise : Dieu n'est pas humble en ce sens qu'il serait déficient ou faible. Nous, nous sommes humbles en reconnaissant que nous sommes de pauvres hommes. Ce n'est pas du tout en ce sens-là que Dieu est humble mais en ce sens que l'amour ne peut pas regarder de haut en bas.

Là encore, partons de l'expérience de l'amour humain. Croyez-vous qu'il est possible à un homme, dans l'acte même d'aimer, de dire à sa femme : « Je t'aime mais n'oublie pas que je suis supérieur à toi, je suis agrégé de philosophie et de sciences, toi, tu n'es qu'une petite midinette qui a son certificat d'études » ? Croyez-vous que c'est encore de l'amour ? Un regard qui surplombe ou qui regarde d'en haut peut-il être un regard d'amour ? Certainement pas. Il faut réfléchir à cela, il y faut du temps, il faut toute une vie pour comprendre un peu ce que c'est que l'amour; précisément, c'est la vie chrétienne.

Quand Jésus lave les pieds des apôtres le soir du Jeudi Saint, il les regarde de bas en haut et c'est à ce moment-là qu'il nous dit qui est Dieu. Nous cherchons Dieu dans la lune alors qu'il est en train de nous laver les pieds. Le lavement des pieds est une leçon d'amour fraternel, bien entendu, mais, plus profondément, il est une révélation, un dévoilement de ce qu'est Dieu. Dieu ne peut pas ne pas se situer en bas. C'est impossible, sans quoi nous ne pouvons pas dire que Dieu est amour. Tournez les choses dans tous les sens, vous n'en sortirez pas. L'humilité de Dieu est la profondeur même de Dieu.

Vous me direz : mais enfin, Dieu est plus grand que nous! Bien sûr, plus grand en amour, puisqu'il n'est qu'amour. Donc, en humilité, Dieu est plus grand que nous, car jamais nous ne serons humbles comme Dieu est humble. Le Dieu en qui nous croyons est infiniment humble, autrement dit, il est dépouillé de tout prestige. Le prestige est toujours l'inessentiel. Il y a en nous un certain besoin de prestige, de toc, de faux qui n'existe pas en Dieu. Dieu est la Plénitude de l'humilité.

J'entends tous ces jeunes qui ont beaucoup de peine à supporter les mots de la liturgie : « A toi, le règne, la puissance et la gloire », je les comprends très bien. Je ne dis pas qu'il faut supprimer ces mots car ils sont traditionnels et ils signifient quelque chose. Mais il faut comprendre que le fond de la gloire, c'est l'humilité, sans laquelle l'amour n'est pas véritablement amour. L'amour qui n'est qu'amour ne surplombe jamais. Il n'y a pas de regard d'amour qui soit un regard de haut en bas. Se pencher sur le peuple, c'est ne pas aimer le peuple. Se pencher sur un enfant, c'est ne pas aimer un enfant. Dieu ne se penche pas.

Ce qui est au cœur de Dieu est une puissance d'effacement de soi. A votre avis, faut-il plus de puissance pour se mettre en avant ou pour s'effacer ? Mon expérience à moi est qu'il faut beaucoup plus de puissance pour s'effacer. Or si Dieu est tout-puissant et si je ne peux comprendre quelque chose de cette puissance qu'à partir de mon expérience, je conclus que Dieu est une Puissance Infinie d'effacement de soi.

Voyez ce que devient alors l'adoration! Je vous laisse sur cette image : pensez à une petite jeune fille toute simple, une paysanne de quinze ans. Imaginez un don Juan qui la voit, la trouve belle et veut la séduire. Il apprend qu'elle s'appelle Marie et qu'elle habite Nazareth. Plus il s'approche, plus il constate qu'émane d'elle une majesté telle que toutes les entreprises de séduction s'effondrent.

C'est une majesté devant laquelle on ne peut que s'incliner et le séducteur tombe à genoux devant l'humilité majestueuse de cette jeune fille au fichu de laine. Pour savoir qui est Dieu, je prolonge dans le même sens et, à ce moment-là, j'aboutis à Dieu : nous sommes loin de Jupiter, du paternalisme et du triomphalisme ! C'est ce Dieu-là que nous révèle Jésus Christ.

Mourir et ressusciter *

Si nous nous contentions de ce qui vient d'être dit, nous nous heurterions inévitablement à une objection redoutable : être divinisé est impossible car Dieu est précisément ce qu'on ne peut pas devenir, et Dieu ne peut pas l'impossible. C'est une erreur de croire que Dieu peut n'importe quoi, Dieu ne peut pas faire que deux et deux fassent cinq ou six, ce n'est pas possible; affirmer cela, c'est parler pour ne rien dire. Quand nous disons que Dieu est transcendant, nous disons précisément qu'Il est Tout-Autre, absolument autre et qu'entre Lui et nous, il y a un abîme qui est rigoureusement infranchissable. Par conséquent, oser affirmer que la vocation de l'homme est de devenir ce qu'est Dieu, oser affirmer que le sens de l'existence humaine est d'être divinisé, c'est dire quelque chose qui ne paraît pas possible.

* *Pas de manuscrit. — Polycopies* réalisées à Belleville : « L'Eucharistie » (1re partie) (mardi saint 1967); Belleville : « La mort et la résurrection du Seigneur » (14 janvier 1968); Boulogne : IIIe, IVe et Ve Conférences de l'hiver 1968-1969; Mâcon : « Mystère de Pâques » (22 janvier 1970); Pau : « Mourir et ressusciter » (9 avril 1974); Montauban : « Le Mystère pascal ou la transformation nécessaire » (19 décembre 1974); Carcassonne : « Le mystère de mort et de résurrection » (15 décembre 1977).

Transformation

Voilà pourquoi je vous propose de transformer la phrase : « Notre vocation est d'être divinisé » par la phrase suivante : « Notre vocation est d'être divinement transformé. » On ne devient pas ce qu'est Dieu en avançant tranquillement le long d'un plan incliné. On ne débouche pas tel que l'on est dans la vie même de Dieu. Il y faut une transformation radicale (j'entends ce mot en son sens le plus strict, il vient de *radix* qui signifie racine). Pour devenir ce qu'est Dieu, il faut que l'homme soit radicalement transformé.

Et, de même que l'expression clé de la première conférence est : NE QUE, de même, l'expression clé de celle-ci est : TRANS. Nous retrouvons ce préfixe dans trans-formation, trans-figuration, trans-fert, trans-port, trans-sibérien, trans-atlantique. Toutes les fois qu'intervient le préfixe trans, il y a mort de quelque chose et naissance d'autre chose. Le voyageur qui est transporté de Paris à Pau meurt à Paris, à la vie parisienne, pour naître à Pau. Lorsque je serai transporté de Pau à Lyon, je vais mourir à la capitale du Béarn pour renaître à ma ville de Lyon. Il n'y a pas de « trans » sans la mort à quelque chose et la naissance de quelque chose de nouveau. Voilà pourquoi, si notre vocation est d'être divinisé, il est inéluctable que notre destin soit en forme de mort et de résurrection.

Il est important de définir ces deux termes. Quand je parle de mort, tout au long de cet exposé, il ne s'agit pas simplement de notre mort finale, de la mort qui est au bout de la vie, du fait de rendre le dernier soupir. Il s'agit de cette mort qui est nécessaire tout au long de la vie, la mort à soi-même, la mort à son égoïsme que l'on appelle le sacrifice. Mettre au monde un enfant et l'éduquer, tout le monde sait que cela impose des sacrifices. Quand je parle de résurrection, il ne s'agit pas, après la mort, de revenir à la vie que l'on avait avant de mourir. Ressusciter, c'est passer à une vie tout autre.

Ce que je voudrais vous montrer, c'est que le passage ou le transfert à la vie divine, à la vie même de Dieu qui s'opère non pas seulement après la mort mais tout au long de la vie, implique toujours une mort et une nouvelle naissance ou une résurrection. Choisissons nos exemples dans la vie la plus simple. Il s'agit de comprendre qu'une croissance n'est pas un grossissement mais toujours une transformation. Le grossissement n'existe que dans l'ordre des minéraux. Dès que l'on a affaire à un organisme vivant, fût-il animal, il y a transformation. Je prendrai trois exemples, élémentaires mais très éloquents, me semble-t-il.

Petite fille qui devient femme

La femme n'est pas une grosse petite fille, une femme qui serait une grosse petite fille serait un monstre. Elle ne devient femme qu'en étant transformée, c'est-à-dire en mourant à son état, à sa situation de petite fille pour naître à la situation, à l'état de femme adulte.

Nous touchons ici quelque chose qui est capital. Si j'interroge la petite fille et si je lui demande ce que je pourrais bien faire pour lui être agréable, elle répondra spontanément : je voudrais être aussi grande, aussi grosse que maman. Mais sans songer une seconde que, pour cela, il lui faudra renoncer à ses poupées, à va vie insouciante pour passer à quelque chose d'absolument neuf, ce qui ne se fera pas sans souffrance. Elle ne sait pas que, pour devenir une grande personne, il faut qu'elle meure à son état d'enfance pour naître à l'état d'adulte.

La remarque paraît anodine, en réalité elle va très loin car il y a là un aspect de ce que l'on appelle, dans le monde moderne, le mythe. Un des aspects essentiels du mythe est que l'homme a toujours tendance à projeter dans l'avenir le présent tel quel, sans transformation.

En ce sens-là, nous pouvons dire qu'il y a du mythe dans la Bible au plan de l'expression. La Bible, en effet, nous représente la vie éternelle comme un repos et nous avons tendance à imaginer la vie éternelle dans la ligne de ce repos auquel nous tenons dans notre vie terrestre lorsque nous sommes fatigués. Lorsque nous laissons vagabonder notre imagination sans la corriger par la réflexion, nous nous représentons cette vie éternelle comme une sorte de farniente éternel. La liturgie, me direz-vous, nous y encourage, puisque, dans l'office des morts, nous disons : donne-leur, Seigneur, le repos éternel. Seulement, la liturgie suppose que nous sommes intelligents, c'est élémentaire!

On nous présente également la vie éternelle comme un festin, un banquet parce que, dans la vie présente, le repas en commun est le signe de la fraternité, de la paix et de la joie. En nous parlant du festin éternel, on nous fait projeter dans l'avenir le présent tel quel. Cela est proprement mythique et il faut reconnaître que la Bible, l'Évangile lui-même, la liturgie ont des aspects mythiques qui demandent à être sérieusement critiqués.

Ne soyez pas scandalisés quand je vous dis que l'expression biblique doit être critiquée. La Parole de Dieu est une parole humaine, Jésus s'adressait aux hommes de son temps et, voulant être compris par eux, utilisait les vieux mythes qui pouvaient leur parler. Le propre de la théologie est de critiquer au bon sens du mot, c'est-à-dire de faire la critique, de réfléchir, de comprendre ce qu'il y a sous le mythe, de telle sorte que notre imagination ne cède pas à la tentation proprement infantile de projeter dans l'avenir le présent tel quel sans transformation.

Nous avons donc tendance à nous imaginer le bonheur du ciel comme un grossissement de ce que nous appelons ici-bas le bonheur (repos, festin, etc.), alors qu'en réalité, le bonheur du ciel est le bonheur même de Dieu. Être divinisés, aller au ciel comme dit le catéchisme, ce n'est pas gravir une montagne, ce n'est pas aller dans un lieu, c'est participer à la vie divine. Or Dieu n'est qu'amour, donc la vie éternelle consiste uniquement à aimer, à sortir de soi, à ne pas penser à soi, à ne pas se replier, se recourber sur soi, à faire passer les autres avant soi. Tel est le bonheur du ciel.

Chenille qui devient papillon

Le papillon n'est pas une grosse chenille, car la croissance n'est jamais un grossissement. Mais si la chenille avait une conscience et si je pouvais lui parler, comme dans un conte de fées, je lui demanderais quel est son rêve. Elle me répondrait, sans doute, de façon mythique, qu'elle aimerait être la plus grosse des chenilles de la forêt, la reine, l'impératrice des chenilles, celle qui, à cause de sa taille et de son poids, régnerait sur toutes les autres chenilles de la forêt.

On appelle cela la volonté de puissance, ce n'est pas autre chose que l'amplification de ce que l'on est, sans transformation. La chenille ne sait pas que, pour devenir ce qu'elle doit être, il faut qu'elle dépouille son corps de chenille et qu'un corps nouveau lui soit donné. Car si elle existe, c'est pour devenir un papillon, telle est sa vocation. Ce n'est que lorsqu'elle sera devenue papillon qu'elle sera vraiment ce qu'elle doit être.

Grain de blé qui devient épi

Inutile de nous attarder à ces exemples élémentaires, étant donné que le Christ Jésus a pris soin lui-même, dans l'Évangile, de choisir un exemple extrêmement éloquent, au chapitre 12 de l'évangile de saint Jean : l'histoire du grain de blé. Jésus ne développe pas cette histoire, mais il nous est très facile de le faire. Si l'un d'entre vous avait quelque talent littéraire, je lui conseillerais volontiers d'écrire l'histoire du grain de blé. Un écrivain danois s'y est essayé naguère, Joergensen, qui est l'auteur d'une *Vie* de saint François d'Assise; il a écrit une admirable parabole sur l'histoire du grain de blé.

Le grain de blé est parfaitement heureux dans son grenier. Pas de gouttière, pas d'humidité, les petits copains du tas de blé sont très gentils, il n'y a pas de dispute, c'est parfait. Permettez-moi de dire : petit bonheur de grain de blé dans un grenier. Transposez : bonheur de l'homme, honnête aisance financière, succès dans les affaires, bonne santé et ainsi de suite... Certes nous ne devons pas mépriser le bonheur humain, je vous souhaite à tous d'être heureux de ce bonheur-là, bonheur d'un grain de blé dans son grenier mais tout de même! petit bonheur au regard de ce que nous devons être pour toute l'éternité.

J'imagine que ce grain de blé est très pieux, il remercie Dieu : Seigneur, je te remercie de ce que tu me donnes, ce bonheur qui fait que je suis tellement heureux dans mon grenier et je souhaite que cela dure toujours! Il a raison de remercier Dieu. Seulement, attention! Il ne faudrait pas que ce grain de blé s'adresse à un Dieu qui n'existe pas! Or un Dieu qui ne serait que l'auteur et le garant du petit bonheur de grain de blé dans un grenier, même si ce bonheur est tout à fait légitime, je dis : un tel Dieu n'existe pas, il est une idole. C'est précisément le Dieu nié par beaucoup d'athées qui sont nos contemporains. Pouvons-nous dire qu'ils ont tort ? Et si le grain de blé s'obstine à chanter des cantiques, je prends ma plume et j'écris un traité pour parler de l'illusion des croyants.

Un jour, on charge le tas de blé sur une charrette et l'on sort dans la campagne. La campagne est encore plus belle et plus agréable que le grenier. Aussi, devant le ciel bleu, le soleil, les fleurs, les arbres, les plaines, les montagnes, le grain de blé remercie Dieu de plus belle : Seigneur, je te remercie, tout cela est tellement beau! Il a raison, il faut remercier Dieu des belles choses qui sont ici-bas. Mais il est toujours un grain de blé : un Dieu qui ferait que le grain de blé reste grain de blé, un Dieu qui maintiendrait le grain de blé dans un grenier, sans aucune espèce de fécondité, un tel Dieu n'existe pas.

On arrive sur la terre fraîchement labourée. On verse le tas de blé sur le sol : petit frisson, c'est frais! Peu importe, c'est agréable, c'est une sensation nouvelle. Mais voici qu'on enfonce le grain de blé dans la terre. Il ne voit plus rien, il n'entend plus rien, l'humidité le pénètre jusqu'au-dedans de lui-même. Le grain de blé qui, par la mort inévitable, est en train d'être transformé, de devenir ce qu'il doit être, c'est-à-dire un bel épi, regrette le grenier où, en effet, il était très heureux mais heureux d'un petit bonheur humain. A ce moment précis, il dit ce que disent autour de nous des millions d'hommes : si Dieu existait, de telles choses n'arriveraient pas. C'est dommage car c'est précisément là qu'il s'agit du vrai Dieu : le Dieu qui le transforme pour le faire passer de l'état de grain à l'état d'épi, ce qui n'est possible que par la mort. Le seul Dieu qui existe est celui qui nous fait croître, passer d'une condition simplement humaine à une condition d'homme divinisé.

Telle est notre histoire à tous, telle est la condition humaine. Il n'y a pas de croissance sans transformation, il n'y a pas de transformation sans mort et nouvelle naissance. Cela étant, il y a, dans l'histoire de l'humanité, trois types de mort et de naissance, trois types de transformation, trois pâques typiques.

Le mot Pâque ou Pâques vient d'un mot hébreu qui signifie peut-être « passage » : *pèsah* en hébreu, *pascha* en grec, *pasqua* en latin, pâques en français avec l'accent circonflexe qui remplace l's (mais l's est maintenu dans l'adjectif « pascal »).

Dans notre vie, il y a deux passages :

Le premier passage est notre naissance humaine : nous avons passé de ce néant où nous étions, neuf mois avant de venir au monde, à la situation de ce petit bébé dans son berceau. Passage prodigieux déjà, passage du néant à l'existence humaine qui est une existence intelligente et libre. Mais ce premier passage n'est que la condition d'un second passage.

Le deuxième passage est celui d'une existence humaine à l'existence proprement humano-divine. Ce passage est incommensurable par rapport au premier ou alors nous ne savons pas ce que nous disons quand nous prononçons le mot Dieu. C'est énorme que de passer du néant à l'existence humaine, mais c'est encore beaucoup plus énorme de passer de l'existence humaine à l'existence humano-divine. Le premier passage se fait sans notre assentiment, on ne nous a pas demandé notre autorisation pour nous mettre au monde. Le vieux poète latin Lucrèce — qui était un pessimiste — s'en plaignait déjà dans un vers admirable où il écrivait qu'il a été projeté « du ventre de sa mère aux rivages de la lumière » et il ajoutait : « Mais tout cela s'est fait sans moi ! » Le deuxième passage ne se fait pas sans nous, il s'accomplit tout au long de la vie.

S'il fallait traduire en termes d'espace la différence entre ces deux passages, je dirais que la distance entre le néant et l'existence humaine est comparable à la distance qu'il y a entre le sol et cette table ; et que la distance entre l'existence humaine et l'existence humano-divine est comparable à la distance qu'il y a entre la terre et le soleil. Et encore, ma comparaison serait très bancale parce que la distance de la terre au soleil est mesurable et mesurée, tandis que la distance à Dieu n'est pas mesurable.

Je saisis l'occasion de vous dire en passant que, selon le christianisme, l'existence humaine est véritablement sublime. Devenir ce qu'est Dieu, songez-y ! Mais si l'existence humaine est sublime, elle est aussi tragique et il est impossible qu'il en soit autrement. Il n'y a pas de milieu entre être divinisé et être damné. Le sublime ne serait pas vraiment sublime si son envers n'était pas tragique.

La Pâque est ce deuxième passage et il y a trois Pâques, trois passages transformants ou transfigurants dans l'histoire de l'humanité.

Trois Pâques ou passages transformants

Pâque des Hébreux

Elle nous est racontée au livre de l'Exode dont tout chrétien devrait avoir lu au moins quelques chapitres, d'autant que ce livre se lit comme un roman.

Les Hébreux étaient en Égypte une minorité opprimée. Nous savons, je pense, ce que sont des minorités, bien souvent exploitées (émigrés comme les Portugais, les Arabes...). Les Hébreux devaient transporter de la paille et des tuiles pour la construction des maisons. Ils étaient astreints à la corvée et leur salaire était une maigre portion d'oignons, ces fameux oignons d'Égypte que l'on trouve, encore aujourd'hui, vendus au coin des rues du Caire, comme en France, en hiver, on vend des marrons chauds. Ah ! c'est là-bas que l'on sait ce qu'est la pauvreté. Je me rappelle combien j'étais confus le jour où, entrant dans un bureau de tabac, je demande naïvement un paquet de cigarettes : j'étais environné d'Arabes qui ne demandaient pas un paquet de cigarettes mais une seule cigarette, j'avais honte d'être assez riche pour acheter vingt cigarettes à la fois!

Un jour, le Pharaon décida, comme nous disons dans l'industrie — l'expression est toujours actuelle —, d'augmenter les cadences, c'est-à-dire ordonna davantage de travail sans augmentation de salaire. Moïse s'adresse à Dieu (traduisez : il fait une expérience spirituelle, ce qui nous est exprimé, dans la Bible, sous forme de dialogue avec Dieu). Il lui dit : « C'est intolérable, ton peuple est un peuple d'esclaves. » Dieu lui répond : « Tu as raison, il ne m'est pas possible de dialoguer avec un peuple d'esclaves. Je veux que mes fils soient des hommes libres. Ce qui définit l'homme, c'est la liberté. Tu vas les faire passer (passage, pâque) de l'Égypte de l'esclavage à la Palestine de la liberté. La Palestine est la terre que j'ai promise à tes ancêtres, la terre où ils seront des hommes libres. »

Nous pouvons encore pousser plus loin les choses et nous demander ce qu'est la liberté pour un peuple. Essentiellement la prospérité économique et l'indépendance politique. Si l'une des deux manque, la liberté n'est pas totale. La terre de Palestine sera prospère, la Bible dit qu'elle est une terre « où coulent le lait et le miel ». Quant à l'indépendance politique, toutes les fois qu'elle sera menacée par les Égyptiens, les Babyloniens, les Assyriens, Yahvé interviendra et c'est toute l'histoire du peuple hébreu telle que nous la connaissons.

Entre l'Égypte de l'esclavage, c'est-à-dire la situation d'un grain de blé dans un grenier et la Palestine de la liberté, il y a un désert immense, le Sinaï. Il faut quarante ans pour le traverser, chiffre évidemment symbolique qui signifie un temps très long. Plus les Hébreux s'avancent dans le désert, plus ils ressemblent au grain de blé qu'on enfonce dans la terre et plus ils en viennent à regretter le temps où ils étaient esclaves en Égypte car ils avaient au moins leur salaire, leur maigre portion d'oignons tandis qu'en plein désert, il n'y a plus de quoi manger. Aussi commencent-ils à se révolter, il faut que Moïse les apaise par le miracle des cailles, le miracle de la manne, le miracle de l'eau qui jaillit du rocher. Plus ils avancent, plus le sol est calciné et ils veulent revenir en arrière.

Voyez ce peuple qui était esclave, qui est en marche vers la liberté et qui veut revenir à son esclavage. Connaissez-vous la belle pièce de Paul Claudel intitulée *Le livre de Christophe Colomb* ? Jean-Louis Barrault l'a montée superbement à Paris, il y a quelques années. Les marins se révoltent en plein centre de l'Atlantique et veulent revenir en arrière parce qu'ils ont faim, parce qu'ils ont soif et qu'ils sont fatigués.

Dans *Les frères Karamazov*, un des plus grands romans de toutes les littératures, Dostoïevski fait dire à un personnage, le grand Inquisiteur : « Si l'on donne au peuple à choisir entre le bonheur et la liberté, hélas ! il est capable de préférer le bonheur. » Le petit bonheur de grain de blé dans un grenier ! Le bonheur d'un peuple qui n'est responsable de rien, qui ne participe pas à la vie de la nation, qui n'a pas à prendre des responsabilités (ces responsabilités sans lesquelles on n'est pas authentiquement un homme !) mais qui s'accommode d'une vie extrêmement médiocre pourvu qu'il soit logé, habillé, nourri. Le malheur est là : quand on a le choix entre le bonheur et la liberté, préférer le bonheur tout court au bonheur d'être un homme libre.

Finalement, Moïse obtient que le peuple le suive et débouche dans la Terre promise, c'est-à-dire la patrie de la liberté. Impossible de court-circuiter le désert, il n'y a rien à faire. Les Hébreux ont l'impression d'aller vers la mort, en réalité ils vont vers la vraie vie. Comme le grain de blé enfoui dans la terre croit qu'il meurt, en réalité il est en marche vers le bel épi qui bientôt se balancera dans le vent. On ne peut pas être transformé sans passer par une mort, le sacrifice d'un certain style de bonheur, disons, pour être très clair, le bonheur égoïste. Il faut renoncer à son égoïsme pour connaître le véritable bonheur, le bonheur même de Dieu auquel nous sommes appelés pour l'éternité. Il faut passer par la mort pour atteindre à la grande liberté divine. On ne peut, sans être transfiguré, devenir un homme libre de la liberté même de Dieu.

Pâque du Christ

Il revit pour son propre compte ce qu'avait vécu son peuple. Il le revit d'abord symboliquement en passant quarante jours au désert, au seuil de sa vie publique (quarante jours qui rappellent les quarante ans de l'exode) puis, non plus de façon symbolique mais de façon bien réelle, en montant au Calvaire : il va vers la mort, en réalité il va vers la vraie vie qui est la vie ressuscitée au cœur de la Trinité, la vie même de Dieu. La première pâque n'était qu'une image, celle du Christ est la Pâque centrale de l'histoire.

Le Christ, avons-nous dit précédemment, est l'homme, l'Homme parfait, celui qui vit en plénitude le destin de l'homme, il est Dieu lui-même fait homme qui meurt pour ressusciter, c'est-à-dire pour « passer de ce monde au Père » (Jn 13, 1). La résurrection du Christ n'est pas le retour à la vie qui était la sienne avant de mourir, elle est le passage à la vie de Dieu. Après sa résurrection, le Christ vit au cœur même de la Trinité, les conditions de sa vie sont les conditions de la vie divine. Il est devenu autre, il n'est plus, comme nous, lié à tous les conditionnements de l'espace et du temps.

Réfléchissons bien : le Christ est devenu tout autre, mais il n'est pas un autre, il est le même. Un peu comme le Paris des brouillards de l'automne devenu tout autre en été, transfiguré par le soleil, demeure le même Paris. Le Christ ressuscité ne cesse pas d'être un homme. Comme l'écrit Romano Guardini, de toutes les religions « le christianisme seul a osé placer le corps (humain) dans les profondeurs les plus cachées de Dieu »[1]. Le Christ ne s'est pas dépouillé de son humanité en ressuscitant, il n'a pas rejeté sa « chair » après trente ans, comme une poussière inutile. Le Christ ressuscité est Homme-Dieu pour l'éternité. Depuis la résurrection, la Trinité, ce n'est plus le Père, le Fils et le Saint Esprit; c'est le Père, le Fils incarné, mort et ressuscité et le Saint Esprit; c'est le Père, le Christ et le Saint Esprit. Ressuscité, l'homme-Jésus vit au cœur même de la Trinité. Pourquoi Dieu se serait-il fait homme sinon pour nous entraîner avec Lui, pour que « par Lui, avec Lui et en Lui » nous vivions, au cœur de la Trinité, de la vie de Dieu ? Cela vaut le coup de donner sa vie pour que les hommes le sachent et que telle soit leur espérance.

Notre Pâque

La troisième pâque de l'histoire est la nôtre et il n'y en a pas qu'une, je veux dire que chacune de nos décisions est une pâque, c'est-à-dire est en forme de mort et de résurrection.

1) *Importance de nos décisions*

Commençons par comprendre que ce qui importe dans notre vie, ce sont nos décisions. Ma vie réelle d'homme ou de femme ou, si vous préférez, ce qu'il y a d'humain dans ma vie est un tissu de décisions. Ce qui dans ma vie n'est pas décision n'est rien, ne construit rien, est de la bourre (je pense à cette paille que l'on met dans les paquets pour éviter que l'objet précieux s'abîme). Saint Augustin a une comparaison plus poétique : « Nous sommes comparables, dit-il,

1. Romano GUARDINI, *Le Seigneur*, éd. Alsatia, 1964, t. II, p. 126.

à une harpe et la seule chose importante dans la harpe, ce sont les cordes. Il y a certes tout un bâti mais ce sont les cordes qui vibrent. Dans ma vie, ce qui vibre, ce qui me constitue, ce sont mes décisions petites ou grandes. »

Il y a les *petites décisions* qui semblent insignifiantes : décision de rendre service à un voisin qui est malade, décision de renoncer à une promenade pour passer la journée à l'hôpital, auprès d'un compagnon qui a été blessé, etc. Si je m'adressais à des enfants, je dirais : décision de céder ma place dans un autobus ou dans un train, décision de prendre le plus petit morceau de viande dans le plat pour laisser le morceau le plus gros à celui qui vient après moi, etc. C'est un sacrifice, c'est une mort. Faire cela pour l'enfant, c'est mourir déjà à son égoïsme.

Il y a *les grandes décisions* qui orientent toute une vie : décision de mariage, décision d'entrer au séminaire ou dans la vie religieuse, décision de renoncer à une femme qui n'est pas celle à qui j'ai juré fidélité : c'est terrible, c'est sanglant de devoir renoncer à un homme ou une femme qu'on aime; j'en ai là-dessus des confidences, c'est une mort! Si l'on ne voit pas qu'une telle décision est terrible, c'est qu'on n'est pas un homme et le prêtre doit être un homme!

Entre les petites et les grandes décisions, il y a toute la gamme mais ce qui, dans la vie, n'est pas décision, ou acte libre, ou option, n'est rien. Or ce sont nos décisions qui nous construisent. C'est jour après jour, minute après minute, exactement décision après décision que nous construisons notre vie éternelle. Pourquoi donc ? Tout simplement parce que le Christ ressuscité est au cœur des décisions que nous prenons.

2) *Le Christ est présent dans nos décisions*

Posons simplement la question : croyez-vous que le Christ est *ressuscité* ? Puisque vous êtes chrétiens, vous me répondez : oui, bien sûr. Saint Paul nous dit que « si le Christ n'est pas ressuscité, notre foi n'a aucun fondement » (1 Co 15, 14).

Si le Christ est ressuscité, est-il *vivant* ? Vous êtez bien obligés de répondre : oui. Dire qu'il est ressuscité, c'est dire qu'il est vivant.

S'il est vivant, il est *présent*. Où voulez-vous qu'il soit ? Il n'est pas dans la lune, il n'est pas dans Sirius, il n'est pas derrière les étoiles, il n'est pas dans l'espace qui nous sépare ici les uns des autres (étant donné qu'il est ressuscité, il est étranger à l'espace, il n'a rien à voir avec l'espace). Il est présent dans notre liberté car c'est par la liberté que nous sommes véritablement des hommes, que nous émergeons de la nature.

S'il est présent, il est *actif*, il fait quelque chose, car une présence inactive n'est pas une présence réelle. Je me rappelle une jeune femme qui ne parvenait pas à comprendre que le Christ était actif dans notre liberté. Je lui dis : « Mais enfin! ce n'est quand même pas une bûche! » Alors, tout d'un coup, elle a compris. Le Christ n'est pas une bûche, il n'est pas là pour être là (pour l'instant, laissons l'Eucharistie, nous en parlerons plus tard). Le Christ n'est pas ailleurs que là où nous sommes et il n'est pas dans notre foie, ni dans notre pancréas, il est dans notre liberté. Non pas dans notre liberté lorsque nous dormons mais dans notre liberté lorsque nous posons des actes libres, c'est-à-dire lorsque nous prenons des décisions.

S'il est actif, il est *transfigurant*. Que voulez-vous qu'il fasse, si ce n'est transfigurer ? Il est l'Amour et l'amour transfigure tout ce qu'il touche. Voyez donc cette pauvre jeune fille à demi neurasthénique qui ne veut pas quitter sa chambre, qui refuse de manger, qui ne dort plus; voici qu'un beau jour, elle rencontre le prince charmant. Tout le monde dit : qu'est-ce qui est arrivé ? Elle est transformée, l'amour l'a transformée. L'amour ne peut pas ne pas transfigurer tout ce qu'il touche.

S'il est transfigurant, il est *divinisant*. Puisque c'est Dieu qui est présent dans notre liberté, pour lui, nous transfigurer, c'est nous diviniser, nous faire devenir ce qu'Il est.

J'insiste parce que j'ai vraiment le sentiment, d'après les enquêtes que je peux faire ici ou là, que cette vérité absolument centrale de notre foi paraît difficile à beaucoup de chrétiens, parce qu'ils sont encore enlisés dans des notions abstraites. Tout ce que je vous dis en ce moment, n'allez pas dire que c'est difficile! Dire que quelqu'un est vivant, ce n'est pas abstrait (une présence, ce n'est pas abstrait le moins du monde!). Dire qu'il est présent dans nos actes libres, dans nos décisions et qu'il les transfigure, ce n'est pas abstrait non plus.

N'allez pas dire que je suis un intellectuel; autrement, j'aurais vite fait de vous montrer que c'est vous qui l'êtes. Car celui qui est intellectuel au mauvais sens du mot est celui qui utilise des mots usés jusqu'à la corde sans les casser. Il faut casser les mots, comme on Jasse une tirelire ou un œuf de Pâques pour voir ce qu'il y a dedans. ce vous oblige à casser les mots, c'est indispensable.

3) *Le Christ divinise notre activité humaine humanisante*

Cette formule est un peu dense au premier abord, mais elle n'est pas abstraite, elle est tout ce qu'il y a de plus réel : le Christ donne à nos décisions humaines humanisantes une dimension divine. En d'autres termes, il divinise ce que nous humanisons.

Que voulez-vous que le Christ divinise, si nous n'humanisons rien ? Si nous restons dans nos pantoufles ? Si, sous prétexte que nous risquerions de nous salir les mains, nous ne touchons rien du matin au soir ? Si notre vie n'est pas une vie qui travaille à transformer les relations des hommes et aussi les institutions sociales et politiques, qui conditionnent ces relations (car les institutions peuvent être telles que nécessairement les relations seront inhumaines) ? Nos relations sont-elles vraiment humaines et toujours plus humaines ? Les décisions que nous prenons tendent-elles à humaniser le monde ? Au plan familial d'abord, au plan social et politique ensuite ? Par exemple, une activité syndicale intelligente est une activité qui tend à humaniser les relations des hommes entre eux.

Car l'Homme n'est pas, l'Homme est à faire. Nous sommes des commencements d'homme, dit saint Jacques[2]. Nous sommes des ébauches d'homme. Dieu ne crée pas l'homme tout-fait, Dieu a horreur du tout-fait. Dieu crée l'homme capable de se créer lui-même.

Notre tâche humaine est de créer l'homme, c'est-à-dire de faire que l'homme soit. Vous ne me direz pas que l'homme est. Quel est celui d'entre nous qui oserait se lever pour dire : moi, je suis un homme ? Quand je vois un petit bébé dans les bras de sa maman, je complimente la maman et je lui dis : il est magnifique, j'espère que vous allez en faire un homme! Or, ce qui est absolument évident quand il s'agit d'un bébé est vrai de tout homme à tout âge. Il y a des choses qui sont toutes faites mais l'homme n'est pas une chose, l'homme est à faire. Nos relations et nos institutions doivent devenir véritablement humaines, elles sont en cours d'humanisation.

Nous sommes hommes en devenir, ce sont nos décisions qui contribuent à faire que nous soyons des hommes. Et nos décisions ne sont vraiment humaines que si elles sont humanisantes. Notre humanité passe par l'humanité des autres, notre liberté passe par la libération des autres. On ne devient pas tout seul un homme libre, cela n'existe

2. Jc 1, 18, d'après la traduction latine de la Vulgate : afin que nous soyons le commencement de sa créature. Dans la traduction œcuménique : afin que nous soyons pour ainsi dire les prémices de ses créatures.

pas. On devient soi-même un homme libre quand on travaille à libérer ses frères. On devient plus homme en travaillant à ce que le monde soit plus humain.

Ces décisions humanisantes, il est rare qu'elles ne soient pas des sacrifices, des morts à l'égoïsme, on ne peut pas à la fois se donner et se garder pour soi. Tout le monde sait par expérience qu'il n'y a pas de vie humaine humanisante authentique sans sacrifice. Mais ce que les incroyants ne savent pas et que nous, nous devons savoir (puisque c'est pour cela que nous sommes chrétiens), c'est que chacune de ces décisions humaines humanisantes qui font mourir en quelque sorte notre égoïsme est un passage à la vie divine, chacune de ces morts partielles est une nouvelle naissance. C'est la décision qui a une structure pascale, une structure de mort et de résurrection.

Car nous ne passons pas à la vie divine après la mort. Je vous supplie d'éliminer de votre esprit cette idée que Dieu verse dans notre âme une liqueur que l'on appellerait la grâce et qui nous permettrait d'être transportés après la mort dans un beau jardin qu'on appelle le paradis. Tout cela est de la mythologie : franchement, ce n'est pas le moment! La vie divine, la vie éternelle, la divinisation n'est pas seulement la vie future, elle est déjà maintenant. On devient ce qu'est Dieu, on « va au ciel », par chacune des décisions humanisantes.

D'où la formule à laquelle, pour ma part, je tiens beaucoup et qui me suffit pour être chrétien ou plutôt pour essayer d'être chrétien (on fait ce qu'on peut!). Car, lorsque je suis tenté de glisser sur la pente des rêves égoïstes, quand je suis tenté de ne pas donner mon maximum pour travailler à un monde plus humain, plus juste et plus fraternel, je me rappelle cette phrase en me disant : mon pauvre ami, il faudrait tout de même que toi, tu mettes en pratique ce que tu dis à travers toute la France!

Cette formule est la suivante : le Christ ressuscité qui est vivant-présent-actif-transfigurant-divinisant au cœur de nos décisions humaines humanisantes leur donne une dimension de Royaume éternel, proprement divine.

Il paraît que certains butent sur ce mot dimension car il évoque, pour eux, des kilomètres ou les dimensions d'un objet. Aidez-moi à en trouver un autre, il y a des années que je cherche et je n'y arrive pas. Une comparaison peut aider à comprendre les choses. Voici un célibataire : sa vie a une dimension filiale (il a des parents); sa vie a une dimension fraternelle (il a des frères et des sœurs); sa vie a une dimension nationale (il est Français); sa vie a une dimension musicale (il aime beaucoup la musique); sa vie a une dimension professionnelle (il est avocat, médecin ou menuisier). Mais il est célibataire, sa vie n'a donc pas de dimension conjugale. Que cet homme vienne à se marier, sa vie acquiert une dimension nouvelle absolument privilégiée, qui va tout changer dans sa vie. Et ce sera la dimension la plus essentielle.

La comparaison est éclairante : s'il y a une Église, c'est pour révéler aux hommes que leur vie n'est pas seulement une vie humaine. La vie des hommes a une dimension proprement humano-divine. Ainsi le Christ est présent dans les décisions humanisantes de ceux qui ne le connaissent pas, par exemple les neuf cents millions de Chinois. S'il m'était possible d'aller en Chine, je dirais que je vais là-bas non pas pour sauver les Chinois (il y a longtemps que le Christ m'a précédé) mais pour leur révéler Celui qui les sauve, c'est-à-dire qui les divinise. Si vous me dites que cela n'a pas d'importance, je vous répondrai que vous êtes sordide, que vous n'aimez pas vraiment le Christ. Si j'aime le Christ, je veux le faire connaître à ceux qui ne le connaissent pas; même s'ils sont sauvés sans le connaître, à condition, comme on dit couramment, qu'ils agissent conformément à leur conscience, c'est-à-dire que leur activité soit vraiment humanisante.

Toutes les fois que je prends une décision pour la vérité, pour la justice, pour la liberté, bref pour ce qu'on appelle les valeurs, le Christ ressuscité donne à ma décision une dimension proprement divine. Pour le dire en passant, il ne peut diviniser que mes décisions humanisantes. Le péché est ce que le Christ ne peut pas diviniser parce que ce n'est pas humanisant; le péché, c'est toujours de renoncer à humaniser, c'est ce qui est dés-humanisant. On ne peut bien comprendre ce qu'est le péché que si l'on comprend d'abord ce qu'est notre vocation. Car le péché consiste à manquer à notre vocation. Il est le refus de notre divinisation et cela se traduit par l'égoïsme sous toutes ses formes, c'est-à-dire le contraire de ce qu'est Dieu.

Telle est la pâque de l'histoire et il y a autant de pâques dans l'histoire qu'il y a de décisions humaines humanisantes. Jour après jour, décision après décision, nous construisons une éternité humano-divine, mais cette éternité n'est humano-divine que parce que le Christ la construit avec nous. Nous, chrétiens, nous croyons que tel est le sens de notre existence et que ce sens est vécu dans l'accomplissement même de notre tâche humaine. Si nous n'étions que des hommes, nous ne construirions que de l'humain et l'humain relève du vers de Valéry : « Tout va sous terre et rentre dans le jeu. » Mais Celui qui s'est fait homme pour que l'homme devienne Dieu est au cœur de notre liberté et transfigure divinement notre activité humaine humanisante.

Évangile signifie Bonne Nouvelle : c'est que Dieu n'est qu'Amour et que la grandeur de l'homme est immense, parce que sa vocation est infiniment au-delà de ce qu'il pourrait lui-même imaginer ou concevoir : il est capable d'aimer comme Dieu aime.

PREMIÈRE PARTIE

Le Christ

*Le cœur de l'enseignement de Jésus : Le Discours sur la montagne**

Comprendre ce que dit Jésus dans ce grand texte, c'est vraiment atteindre le cœur du christianisme. C'est un des textes les plus importants de l'Évangile. Il faudrait cesser de l'appeler « sermon », car ce mot est aussi mal choisi que possible. De ce Discours sur la montagne qui se trouve en saint Matthieu (chap. 5, 6, 7) et en saint Luc (chap. 6, 12-49), se dégage incontestablement une unité. Unité de ton et unité logique. *La pensée du Christ est conduite selon une logique intérieure qui est celle* du christianisme. Logique du style de vie, de la qualité d'existence que vient instaurer Jésus. D'un mot, la logique même de l'amour.

Être chrétien, c'est partager l'expérience du Fils

Le Discours est précédé de deux notes importantes en saint Luc : Jésus a passé la nuit entière en prière sur la montagne (6, 12) ct, au

* *Manuscrit :* « Le discours sur la montagne ». Le Père VARILLON indique qu'il se réfère à J. GUILLET, *Jésus devant sa vie et sa mort*, Aubier, 1971, chap. 7 et 8; *Éléments de doctrine chrétienne* (Poche), p. 247-312; William-David DAVIES, *Pour comprendre le sermon sur la montagne*, Seuil, 1970 (plus technique). Ce manuscrit est le nº 5 de la série de conférences « Connaissance de Jésus Christ », rédigée en 1972-1973 à partir du livre de C.-H. DODD, *Le fondateur du christianisme*, Seuil, 1972. — *Polycopies :* Belleville (4 février 1973); Annecy (10 janvier 1974); Pau (14 décembre 1977).

matin, il a choisi douze disciples à qui il a donné le nom d'apôtres (6, 13-14) :

— Prière de Jésus : nous sommes là devant un grand mystère, le mystère de la Trinité. Jésus s'adresse au Père et à l'Esprit qui sont autres que lui et ne sont pas autres (il n'y a qu'un seul Dieu). Lui, Il s'est fait chair : il se soumet à la loi de la créature, qui est d'accueillir d'abord avant de donner et en vue de donner : « Je ne fais rien de moi-même », dira-t-il en saint Jean (5, 30). Le Discours va être un appel à l'existence filiale : il parlera d'expérience car n'imaginons pas Jésus disant des choses dont il n'a pas l'expérience, qu'il ne vit pas. Il invitera à partager une expérience, la sienne, celle *de la filialité*, du fils qui n'est que fils. Cela est très important si nous voulons sortir des notions abstraites et si nous voulons comprendre une fois pour toutes que tout est affaire d'expérience.

— Choix des apôtres : puisque l'enseignement de Jésus sera une invitation à partager son expérience de filialité, d'amour vécu d'abord comme accueil (le Fils reçoit du Père), il faut que les hommes qui auront à proclamer cette Bonne Nouvelle que Dieu est un Père partagent les premiers l'expérience de leur Maître. Désormais les Douze suivront Jésus partout où il va. Marc précise avec grand soin : « Il en établit Douze, pour les avoir avec lui et pour les envoyer prêcher » (3, 14). La doctrine de Jésus n'est pas une philosophie mais une expérience de vie, les apôtres de Jésus ne peuvent donc pas être les propagandistes d'une philosophie, d'un système de pensée. Ils ne pourront redire sa parole que s'ils peuvent témoigner d'une expérience, l'expérience d'une certaine relation à Dieu. Pendant la vie de Jésus, ils témoigneront très imparfaitement : « Ils seront lents à croire, prompts à déformer, lourds à porter[1]. » Mais, après la Pentecôte, l'Esprit Saint, qui est l'Esprit de Jésus, c'est-à-dire Celui qui du dedans inspire et anime l'activité de Jésus, leur donnera de reproduire la manière de vivre et d'agir de Jésus, le style de vie, la qualité d'existence de Jésus, la vie vécue en plénitude selon la logique de l'amour. Faute de quoi, le christianisme serait un système, c'est-à-dire tout autre chose; tandis que s'il s'agit d'expérience, alors ça vaut la peine!

L'Évangile est pour tous

Pour Luc comme pour Matthieu, c'est aux disciples que s'adresse le Discours, mais, dans les deux évangiles, il est précisé qu'une foule

1. J. Guillet, *op. cit.*, p. 85.

innombrable est là, venue de loin, non seulement de Jérusalem mais de la contrée maritime de Tyr et de Sidon (Sour et Saïda de l'actuel Liban). C'est que, si le message que Jésus va livrer n'est pas théorique (il est une expérience vécue), il n'est pas non plus ésotérique (il est pour tous et non réservé à quelques-uns). Jésus dira : « Ce qui vous est murmuré à l'oreille, criez-le sur les toits » (Mt 10, 27). Vatican II dira comme en écho : « L'Église est pour le monde. » C'est pour la foule innombrable que les disciples sont aux côtés de Jésus en qualité de disciples ; et ce que Jésus va dire aux disciples intéresse tous les hommes. S'il y a des disciples, c'est pour attester aux yeux de la foule que l'expérience de vie proposée à tous les hommes peut être tentée, puisque quelques-uns l'ont déjà tentée en acceptant de suivre Jésus.

Le tableau qui nous est présenté est donc très net. C'est ce que demande saint Ignace de Loyola dans ses *Exercices spirituels.* Avant d'écouter, regardons : il y a Jésus, les disciples groupés autour de lui, et la foule qui se presse à mi-côte sur le plateau (la précision est de Luc). Vous voyez :

Jésus	les disciples	la foule
Le Saint	les déjà sanctifiés	les sanctifiables
Dieu fait homme	les divinisés	les divinisables
L'homme libre	les déjà libérés	tous ceux qui sont « appelés à la liberté » (Ga 5, 13)
Le Fils parfaitement Fils	ceux qui font déjà l'expérience de la filialité	la foule de ceux qui sont invités à faire cette expérience

Que voit la foule ? Elle voit Jésus et ses disciples auprès de lui. Les disciples, c'est-à-dire des gens qui, il y a peu de temps, faisaient partie de la foule, vivaient comme tout le monde, avaient le style de vie de tout le monde. Maintenant ces hommes appartiennent intégralement à Jésus, vivent avec lui, comme lui, le suivent « partout où il va ». La foule voit donc qu'il est arrivé à ces hommes quelque chose qui n'est pas arrivé aux autres. C'est clair, c'est visible, c'est en quelque sorte inscrit sur le terrain.

Que voient les disciples ? Ils voient la foule dont ils sont sortis et vers laquelle ils vont être envoyés.

Que voit Jésus ? Il voit près de lui le noyau de son Église ; et, au-delà, la grande Église dont il veut que les limites soient les limites mêmes de l'univers. Tous ceux qu'il appelle, par le moyen des disciples, à partager son expérience de Fils de Dieu. Il est, lui, l'Envoyé du Père, les disciples seront les envoyés de Jésus (tel est le sens du mot « apôtre »).

Et il sait qu'ils seront rejetés par le monde, comme lui-même le sera. Le mystère de la Croix qui est au cœur même de l'Acte créateur (quand Dieu crée, il risque la Croix du Fils) sera vécu par eux comme par Lui.

Éviter les contresens des Béatitudes

Alors Jésus « ouvrit la bouche ». Cette formule traditionnelle, employée par Matthieu, relève l'importance de ce qui va suivre. C'est un peu comme une recommandation de faire silence : taisez-vous, il n'y a pas un mot à perdre. Et les premières paroles de Jésus, nous le savons, sont les Béatitudes. On a pris la déplorable habitude d'isoler les Béatitudes de ce qui les suit, comme si ces Béatitudes étaient un tout se suffisant à lui-même et ayant valeur en soi et par soi. Il arrive même que, dans l'esprit de certains chrétiens, Béatitudes et Discours sur la Montagne soient synonymes, comme si le Discours était les Béatitudes. En réalité, celles-ci font à peine dix lignes tandis que celui-là s'étend sur trois longs chapitres de l'Évangile selon saint Matthieu.

Cette habitude de séparer les Béatitudes de tout ce qui suit est déplorable, parce qu'elle conduit fatalement à un contresens radical sur la pensée de Jésus. Comme si le message évangélique consistait à affirmer que ce qui était noir est soudain devenu blanc! Comme si le malheur (misère, larmes, faim) devait désormais s'appeler le bonheur! A la limite, on en vient à sacraliser au nom du Christ le mal et la souffrance et, du même coup, à décourager tout l'effort humain pour en triompher : ne rendez pas les gens riches puisque Jésus a dit : ce sont les pauvres qui sont heureux! On aboutit à demeurer passif et résigné devant le malheur des hommes, parce que Jésus aurait dit que le malheur est, selon lui, le bonheur.

Le contresens a été fait, nous sommes en train de payer des fautes qui ont été commises, on a interprété les choses comme cela. Péguy a là-dessus des pages d'une violence inouïe dans son livre intitulé *Jean Coste*. Pas question de sacraliser la misère, pas question de dire aux pauvres gens qui n'ont pas de quoi boucler leur budget à la fin du mois : Ne vous tracassez pas, Jésus déclare que vous êtes heureux parce que vous êtes malheureux! Si les Béatitudes nous proposaient une consolation vulgaire, le christianisme serait une religion dolente et larmoyante. Le vrai, c'est que nous rêvons d'un bonheur au rabais fait de joies faciles. C'est ce rêve que Jésus vient condamner, et ce qu'il propose (voilà le mot essentiel) c'est que notre appétit de bonheur soit lui-même transformé. Heureux, bienheureux ceux dont l'âme est assez haute pour que leur désir essentiel soit de vivre comme des fils du Père qui est dans les cieux!

La pauvreté, les larmes, la faim, la persécution ne sont donc pas des conditions pour être heureux de ce bonheur qu'apporte Jésus. Le malheur n'est pas une sorte de préalable, comme s'il était nécessaire de pleurer et d'avoir faim pour connaître la vraie béatitude. Le Père Guillet a écrit ces phrases, à mon sens décisives : « La misère, la captivité, la faim, les larmes demeurent pour Jésus les aspects divers du malheur de l'homme; s'il proclame heureux ceux qui en sont frappés, c'est qu'il vient les en délivrer... L'originalité de l'Évangile ne consiste pas à affirmer que ce qui était noir est soudainement devenu blanc, mais à offrir à ceux qui sont dans le malheur une issue nouvelle et bienheureuse[2]. »

Les Béatitudes engagent l'homme dans un processus de transformation de l'existence. Elles sont un commentaire anticipé du mystère pascal, passage de la nature à l'histoire ou à la liberté, mystère de l'arrachement à un moi préfabriqué en vue de la création de soi par soi. Il s'agit de passer à la liberté à partir de ce moi préfabriqué par notre hérédité, par notre milieu, par l'éducation reçue. Notre désir spontané et instinctif de bonheur est conforme à la nature, il doit être transformé pour accéder à la vraie liberté.

Les béatitudes sont *donc un appel.* Elles ne formulent pas une vérité d'ordre général (les malheureux sont heureux) mais *elles engagent dans une attitude, elles invitent à partager l'expérience qui est celle de Jésus.* Or c'est la suite du Discours sur la montagne qui dira ce qu'est ce type nouveau d'existence qui répond à la vraie grandeur de l'homme, et dont la conséquence sera le bonheur : non plus un bonheur au rabais fait de joies faciles, mais le bonheur digne de l'homme, le bonheur à la taille de la grandeur des fils de Dieu, le bonheur d'aimer et non pas le bonheur d'être comblé. Quel bonheur voulez-vous ? Un bonheur de quelle nature et situé à quel niveau ? Tout est là. Car il y a des niveaux de bonheur, de même qu'au plan de la culture il y a des musiques dignes de ce qu'il y a de plus profond dans l'homme et d'autres musiques qui s'adressent à ce que l'homme a de plus épidermique ou de plus superficiel.

2. Id., p. 89.

Bienheureux les pauvres en esprit
Le royaume des cieux est à eux

Il ne s'agit évidemment pas de traduire les pauvres d'esprit! « En esprit » veut dire : à la racine même, au cœur de l'être. La pauvreté en esprit est intérieure à l'amour. L'amour sans pauvreté n'est pas l'amour (ceci est inintelligible si vous n'en faites pas l'expérience!). C'est pourquoi Dieu même est pauvre : il est étranger à l'avoir (Dieu n'a rien), car son mode d'exister, c'est d'aimer.

Avoir une âme de pauvre (au sens où l'on parle de l'âme d'un violon : c'est sans doute la meilleure traduction de « pauvres en esprit »), c'est être dépossédé de soi, donc se laisser mettre en question par l'autre d'une part, et, d'autre part, se fier à lui pour son bonheur à soi. Les deux phrases qui définissent le pauvre sont celles-ci : « Je te fais crédit » (Credo) — c'est la foi — et « je te charge de ma béatitude » — c'est l'espérance. Appuyé sur la foi et sur l'espérance, le pauvre vit dans la charité : il peut servir, se mettre au service de l'autre et des autres, car il est *désentravé*.

D'un bout à l'autre de la Bible, *le pauvre de Yahvé* est le serviteur de Yahvé : il est donc dans le Royaume : heureux ceux qui ont une âme de pauvre, car le Royaume des cieux est à eux. Êtes-vous entrés dans cette expérience, dans ce style, dans ce type d'existence ? Si oui, le Royaume est à vous. Pour les autres, Jésus vous invite : si vous dites oui, le Royaume deviendra vôtre, c'est-à-dire la relation d'intimité avec Dieu. La béatitude de pauvreté domine tout l'Évangile. Elle serait impensable si Dieu lui-même n'était pas pauvre, c'est-à-dire absolument étranger à l'avoir : Dieu n'a rien, il est tout. Celui qui est tout n'a rien. Et ce tout qu'il est, est un tout donné, il n'est qu'Amour.

Bienheureux les doux :
ils auront la terre en partage

La douceur est toute proche de la pauvreté, au point qu'on s'est demandé si la béatitude des doux n'était pas un doublet de celle des pauvres. Le mot hébreu *anav* dit en effet à la fois douceur et pauvreté. C'est le renoncement à tout droit propre quand on est seul en cause et qu'il n'y a donc qu'une affaire d'amour-propre (mais dans la société un ordre juridique est nécessaire, comme est nécessaire l'autorité qui le protège).

La douceur est liée au calme et à la force d'âme. C'est la charité, non seulement du caractère, mais de l'intelligence. Elle conduit à écouter les autres et à les comprendre, même quand leur pensée est différente de la nôtre ou opposée à la nôtre (c'est ce qui fait qu'un catholique de droite lira *Témoignage chrétien* et qu'un catholique de gauche lira *La France catholique*, pour savoir ce que pense « l'autre » et essayer de le comprendre). La douceur évite les attitudes cassantes devant les imprévus de l'histoire, elle permet d'inventer jour après jour la réponse aux appels de l'événement, imprévisible le plus souvent.

Bienheureux ceux qui pleurent :
ils seront consolés

Le meilleur commentaire, au moins dans les temps modernes, de la béatitude des affligés est sans doute le grand texte de Péguy, *Nous sommes des vaincus* (écrit en 1909) : « Un secret instinct, un avertissement secret, un secret remords nous avertit qu'il y a toujours quelque impureté dans la réussite, une grossièreté dans la victoire, une certaine impureté, au moins métaphysique, un reliquat, un résidu d'impureté, unc impureté résiduaire dans la fortune; et que c'est donc à bon droit que les grands honneurs secrets de la gloire, les suprêmes honneurs ont toujours été historiquement à l'infortune[3]. »

Péguy parle ici comme un prophète; son texte doit être éclairé par celui d'un philosophe (prophète et philosophe disant la même chose et la même chose que l'Évangile : c'est prodigieux!). Nous le demanderons à Jean Lacroix : « En lui-même, le succès est bon, car il est le sens même de l'effort (on fait effort pour réussir). C'est par le succès, c'est-à-dire par la victoire sur l'obstacle, que nous prenons de plus en plus conscience de nous-mêmes et que nous nous créons davantage. Mais le succès n'est bon (paradoxalement) qu'autant qu'il est le plus grand révélateur de l'échec... Au cas où le succès viendrait à faire oublier l'échec, il serait le pire des divertissements. Les hommes auxquels tout réussit, comme on dit, et qui n'ont pas d'autre idéal que de triompher, sont précisément ces êtres superficiels qui n'accéderont jamais à cette existence authentique que pressentent cependant les évadés, les divertis, les découragés, les ratés de tout genre et qui fait leur tourment. Il vaut mieux encore être le neveu de Rameau (c'est le type même du raté dans le roman de Diderot) ou le clochard du coin

3. Ch. Péguy, *Œuvres en prose*, Pléiade, II, p. 36.

que M. Homais ou un parvenu (M. Homais, cet imbécile que le génie de Flaubert a rendu immortel, comme disait François Mauriac). Et la grandeur de don Juan n'a pas été d'être un homme à succès, mais de demeurer insatisfait de tous ses succès, de poursuivre en chaque femme un idéal qu'il ne pouvait jamais atteindre[4]. »

On voit donc en quel sens Jésus déclare heureux ceux qui pleurent en annonçant qu'ils seront consolés. Comme dit Bonhoeffer, théologien protestant que les nazis ont pendu, « les disciples voient que le bateau sur lequel retentit l'allégresse de la fête fait déjà eau ». « Dans la musique de Schubert, dit Julien Green, la mort est déjà dans la danse. » Mais l'homme n'est pas pour la mort, il est pour la vie. C'est pourquoi savoir qu'on est enfant de Dieu, c'est la vraie fête humaine, finalement la seule. Jésus l'apporte aux hommes, il faut l'accueillir, c'est-à-dire faire l'expérience de la filiation divine : vivre, et non seulement penser, en fils qui ont un Père.

Je me rappelle ce prêtre à qui je disais spontanément quand je le rencontrais : comment allez-vous ? Il me répondait invariablement : ça ne peut pas aller mal, le Père s'occupe de moi. Ça ne se voit guère, il faut le croire ! Et c'est une affaire d'expérience ! En définitive, ce ne peut pas être une autre expérience que l'expérience même de Jésus; car, en rigueur de terme, il est le seul à faire l'expérience de la Paternité de Dieu et c'est sur sa Parole que nous croyons que le Père s'occupe de nous. Autrement, comment le saurions-nous ? Ça ne se voit guère que Dieu s'occupe des gens qui sont en train de mourir d'un cancer sur un lit d'hôpital !

Il y a dans *Le soulier de satin* de Claudel une prodigieuse approximation de la béatitude des affligés. Prouhèze dit, en pensant à Rodrigue dont elle est séparée : « Puisque je ne puis lui donner le ciel, du moins je puis l'arracher à la terre. Moi seule puis lui fournir une insuffisance à la mesure de son désir[5]. » Malheureux donc tous ceux à qui leur insuffisance n'a jamais été révélée ! En d'autres termes, malheur aux suffisants !

Bienheureux ceux qui ont faim et soif de la justice :
ils seront rassasiés

Avoir faim et soif de justice, c'est la seule façon d'être justes. Il ne s'agit ici que secondairement de justice sociale, il s'agit d'abord de

4. J. Lacroix, *L'échec*, p. 84.
5. P. Claudel, *Le soulier de satin*, Pléiade, p. 681.

fidélité. La fidélité à soi-même est de ne jamais cesser de chercher à l'être. Chercher est un des mots clés de la Bible. Jésus dira ailleurs : « Cherchez et vous trouverez », « Cherchez d'abord le Royaume de Dieu et sa justice, le reste vous sera donné par surcroît ». Mais être satisfait et du monde et de soi, c'est nier que nous soyons un infini. En un sens, l'Église existe pour contester toutes les sociétés quelles qu'elles soient, et toutes les politiques, même les meilleures. Avec sagesse et discernement, bien sûr, mais jamais l'homme ne peut être satisfait pleinement ici-bas. On peut dire que l'homme est un infini en creux, qui ne peut être comblé que par l'Infini vivant qui se donne.

Bienheureux les miséricordieux :
il leur sera fait miséricorde

Le miséricordieux, selon l'étymologie du mot, est le cœur malheureux. C'est celui qui souffre de la souffrance des autres. Celui qui ne sait pas « souffrir avec » ne peut pas accueillir le don de Dieu, car Dieu est lui-même, Lui le premier, celui qui souffre avec l'homme. La souffrance du Christ, sa passion et sa mort sur la croix, sont le signe sensible d'une profondeur de l'amour en Dieu, qu'il nous est sans doute permis d'appeler souffrance, quelque chose de très mystérieux, sans quoi l'amour ne serait pas l'amour, et que seule peut nous révéler la souffrance du Christ.

La miséricorde implique une préférence des petits, des faibles, des misérables, des malades, des solitaires (c'est une des plus grandes souffrances humaines!), de ceux qu'on humilie, à qui on fait violence, qui sont victimes de l'injustice, qui se tourmentent, qui sont inquiets. C'est bien le type d'existence qui fut celui de Jésus : travailler à libérer ceux qui sont esclaves de quelque manière que ce soit; témoigner qu'on n'est soi-même un homme libre qu'en travaillant à libérer ses frères, puisqu'on ne peut passer à la liberté qu'en passant à l'amour. Il n'y a pas de liberté en dehors de l'amour. Être libre et aimer, c'est exactement la même chose.

Bienheureux les cœurs purs :
ils verront Dieu

« Qui a le cœur pur ?, demande Bonhoeffer. C'est celui qui ne souille son cœur ni avec le mal qu'il commet ni avec le bien qu'il fait. » Ne pas souiller son cœur avec le bien que l'on fait, voilà qui est divin, qui ne peut être donné que par Dieu. Ne pas être propriétaire du bien que l'on fait, c'est cela être pur, c'est-à-dire simple, sans pli. Être pur, c'est l'attitude de celui qui ne revient pas sur soi, qui ne fait pas sonner ses bienfaits. Je me rappelle le sauvetage d'une petite fille qui avait failli être écrasée par un train. L'homme a été héroïque, il a risqué sa vie. Quand on lui en parlait, il disait : « Ça va de soi, quoi, il n'y a pas de problème, taisez-vous donc, je n'ai aucun mérite ! »

La simplicité, au sens précis du mot, est le contraire de la duplicité : ne pas se regarder soi-même faire du bien, ne pas être au miroir, ne pas se regarder grandir en charité, comme une coquette devant son miroir se voit devenir belle par tout ce que l'artifice ajoute à son charme naturel. *L'existence double est l'existence masquée : le masque double le visage* (on dit de certains hommes qu'ils ont plusieurs visages). Marcel Proust nous a montré à quel point le masque, le maquillage, le masquillage — le masque qui adhère à la peau — est le propre de la vie mondaine. Il a analysé les innombrables visages de l'inexistence ou de l'existence masquée. Rien de plus multiforme que ce qui n'existe pas, ce qui n'a pas de sens, de signification : l'in-signifiant. Dieu aime notre visage unique, non masqué, qui est un visage de pauvre. Mon vrai visage est ce visage qui verra Dieu, qui sera face à face avec lui éternellement.

Bienheureux les artisans de paix : ils seront appelés fils de Dieu

Il faut être en paix en soi-même pour travailler à la paix entre les hommes. Être en paix en soi-même, c'est être intérieurement unifié. Ce qui ne contredit pas l'insatisfaction foncière de tout ce qui n'est qu'humain. La satisfaction de soi serait un faux principe d'unité.

Être en paix en soi-même, c'est se situer au-delà de toutes les oppositions secondaires de la surface, c'est déjà concilier jusqu'à un certain point ce qui apparaît inconciliable aux esprits superficiels et qui engendre, disons en termes modernes, les progressistes et les traditionalistes, les nationalistes et les internationalistes, les extrêmes de gauche et les extrêmes de droite, les mystiques et les polémistes, en bref, tout ce qui est « sectaire » parce qu'unilatéral, tout ce qui durcit les dualités en dualismes. Au temps de Jésus, les criailleries des sectes religieuses étaient bien connues. Pour être « appelés fils de Dieu », c'est-à-dire pour être déclarés fils par le Père lui-même, il faut travailler à ce que les hommes soient frères. Si le fils n'est pas vraiment fils, les hommes ne seront pas pour lui des frères. Cela n'est possible que si étant vous-mêmes en paix, étant intérieurement unifiés, vous travaillez à la paix universelle.

Bienheureux si vous êtes persécutés pour le Christ

Jésus conclut : si vous entrez dans cette expérience, vous serez persécutés. C'est inévitable. On peut traduire, si le mot « persécutés » fait peur, par celui de « pourchassés ». Jésus ne dit pas ici, mais il pense peut-être (et il dira plus tard) : comme moi, je serai persécuté, pourchassé. *Car un christianisme qui ne heurte pas a peu de chances d'être authentique.* Baudelaire disait au plan esthétique que le beau est toujours étrange. Il faudrait que nous nous rendions compte que le vrai aussi est étrange. Or les hommes n'aiment pas ce qui est étrange. La mode est le rejet de l'étrange. Il y a une étrangeté du vrai, comme il y a une étrangeté du beau.

Emmanuel Levinas a écrit là-dessus des phrases décisives : « L'idée d'une vérité qui se manifeste dans son humilité, l'idée d'une vérité persécutée est l'unique modalité possible de la transcendance (ce qui veut dire qu'un Jésus qui n'aurait pas été persécuté ne serait pas le Témoin du Dieu transcendant, ce n'est pas possible)... Se manifester comme humble, comme allié au vaincu, au pauvre, au pourchassé, c'est précisément ne pas rentrer dans l'ordre... L'humilié dérange absolument : il n'est pas du monde... La persécution et l'humiliation à laquelle elle expose sont des modalités du vrai[6]. » Si vous n'êtes en aucune manière persécutés, méfiez-vous beaucoup, vous risquez d'être en plein artifice ou de vivre à fleur de peau. Des milliers de gens essaient de jouer sur deux claviers à la fois : le clavier de la sagesse du Christ et le clavier de la sagesse du monde. Ce n'est pas possible. Si vous choisissez le clavier de la sagesse du Christ, vous serez pourchassés, parce que vous empêchez les gens de tourner en rond.

Au fond, bien qu'il y ait quatre béatitudes chez Luc et huit chez Matthieu, il n'y en a qu'une : bienheureux ceux qui font l'expérience de l'existence vraie. Faire cette expérience, c'est à la fois et indivisiblement le bonheur et la croix, les deux ensemble. Car le christianisme est la liaison étroite entre le bonheur et la croix. Pour accéder en effet au bonheur le plus haut, il faut renoncer au bonheur trop facile, au

6. E. Levinas, *Recherches et Débats*, n° 62 : « Qui est Jésus Christ ? », Desclée de Brouwer, p. 188-189.

bonheur léger. Ce que nous appelons le bonheur du ciel, c'est le bonheur d'aimer, c'est-à-dire de sortir de soi, de ne plus penser à soi, de ne plus du tout être recourbé sur soi. Comment voulez-vous qu'ici-bas l'apprentissage de ce bonheur ne soit pas un sacrifice ? Puisque, spontanément, nous ne pensons qu'à nous; puisque, spontanément, même dans l'amour humain, l'autre est toujours un moyen privilégié pour l'amour que nous nous portons à nous-mêmes. La croix est le dépassement des bonheurs au rabais et l'accès à ce grand bonheur seul digne finalement des enfants de Dieu qui est le bonheur d'aimer. L'accès à ce bonheur passe par le sacrifice, ce que nous expérimentons tous plus ou moins dans la vie de chaque jour.

La loi nouvelle : donner comme Dieu donne

Après les béatitudes viennent les commandements de la Loi nouvelle. Elle se ramène à ceci : ayant reçu, il faut donner. L'accueil est en vue du don. Accueillir pour donner. Mais accueillir quoi ? Qu'est-ce que Dieu donne ? Il ne donne pas du tout-fait mais des tâches à accomplir.

« Donner, dit le Père Guillet, constitue l'un des grands refrains du Discours sur la Montagne : « Ne refuse pas... ne réclame pas... prête sans rien attendre.. donne et il te sera donné. » Mais il faut prendre garde : donner, ce peut être encore un moyen de conquérir et de se valoriser (on se valorise beaucoup en étant généreux). La pure joie de donner, la joie de s'unir à celui qui reçoit, seul le pauvre est en état de la connaître, c'est-à-dire celui qui a fait l'expérience des Béatitudes et découvert comment Dieu donne[7]. »

Donner comme Dieu donne (Dieu ne fait pas sonner ses dons), c'est cela être le sel de la terre et la lumière du monde. L'Évangile est saveur et lumière, parce qu'il est Présence et Puissance transformantes de Dieu perçues à travers des vies humaines. Quand le sel est affadi, c'est-à-dire quand le prêtre n'est pas vraiment prêtre, quand le religieux n'est pas vraiment religieux, quand le chrétien n'est pas vraiment évangélique, *le disciple cesse d'être ce qu'il y a de meilleur pour devenir ce qu'il y a de pire* : sel affadi qu'on ne peut que fouler aux pieds. Il ne présente pas le moindre intérêt, car il n'est rien franchement. Il est une hésitation perpétuelle à être quelque chose, ou plutôt quelqu'un.

7. J. Guillet, *op. cit.*, p. 93.

La loi nouvelle : appel à la liberté

Ce qui caractérise la Loi nouvelle, c'est à la fois le radicalisme de ses exigences et l'appel à la liberté par rapport à la lettre. Liberté par rapport à la lettre de la Loi, cela ne veut pas dire affranchissement ou émancipation : *Jésus précise qu'il n'est pas venu pour « abolir » la loi mais pour « l'accomplir »* : non pas ajouter de nouveaux préceptes, proposer des additifs à la loi mais révéler la vraie portée de la loi, montrer qu'elle contient le principe de son propre dépassement.

Car le commandement d'aimer qui est le premier commandement du Décalogue, le cœur même de la loi, est de soi illimité. Il n'y a pas de limite à l'amour. C'est parce que l'amour est un absolu que ses exigences sont radicales, en même temps que la liberté seule peut déterminer comment, en pratique et selon les circonstances, l'amour doit être vécu. Voilà le discours sur la montagne; premier point : l'exigence est radicale; deuxième point : vous êtes libres quant à la manière de vivre ce radicalisme de l'exigence. C'est pourquoi tant d'hommes ont peur de la liberté et réclament des consignes que Jésus ne donne pas et se refuse à donner. Jésus montre simplement la profondeur de la liberté de l'homme.

C'est pourquoi Il marque vigoureusement l'opposition entre : « On vous a dit... » et « Moi je vous dis... ». Qu'est-ce qu'on vous a dit, et, moi, qu'est-ce que je vous dis ?

— On vous a dit : « Tu ne tueras pas. » Moi je vous dis : « Quiconque regarde son frère avec colère est déjà un meurtrier. » Car aimer, c'est vouloir que l'autre soit, qu'il soit le plus possible; qu'il vive le plus intensément possible. Le regard de colère, la parole de colère est dirigée contre la vie de mon frère, contre son existence même. Regarder quelqu'un « de travers » (comme on dit), c'est au fond vouloir qu'il ne soit pas, c'est tendre, si peu que ce soit, à son anéantissement. C'est l'annuler en pensée, et, du même coup, c'est nous placer au-dessus de lui, c'est estimer que notre vie a plus de valeur que la sienne.

— On vous a dit : « Tu ne commettras pas l'adultère. » Moi je vous dis : « Celui qui regarde une femme pour la désirer a déjà commis l'adultère avec elle en son cœur. » En effet, de même qu'il y a des regards qui tuent, qui annulent l'autre, il y a des regards qui possèdent, qui transforment l'autre en quelque chose que l'on considère comme étant à soi. C'est considérer la femme comme un objet dont on est propriétaire...

— On vous a dit : « Tu aimeras ton prochain et tu haïras ton ennemi. » Moi je vous dis : « Aimez vos ennemis. » Car l'amour n'est pas encore le véritable amour s'il est conditionné par une exigence de réciprocité. Je ne t'aime pas parce que tu m'aimes; je ne t'aime pas à condition que tu m'aimes; je ne t'aime pas pour que tu m'aimes. Mais je t'aime même si tu ne m'aimes pas. Je t'aime quand même. Mon amour est plus fort que ton indifférence, et même que ton hostilité. Mon amour n'oscillera pas selon les oscillations de ta réponse. Il s'agit d'exigences sans limites, d'une ascension sans plafond. Le seul plafond, qui précisément n'en est pas un, est la perfection du Père : « Soyez parfaits comme votre Père céleste est parfait. » Il n'y a qu'un moyen d'atteindre la perfection du Père, c'est de ne jamais cesser d'y tendre.

On dira : ne sommes-nous pas en pleine utopie ? Tout cela est-il praticable ? L'on sera tenté de répondre : oui, c'est de l'utopie, c'est impraticable. L'on aura apparemment raison. Car donner son manteau à celui qui nous demande seulement notre tunique, tendre la joue gauche à celui qui nous a giflés sur la joue droite, s'arracher l'œil et se couper la main, se priver du nécessaire pour celui qui demande le superflu, c'est ne plus s'appartenir, c'est se laisser dévorer vivant.

Alors que faire ? Est-ce que nous allons *édulcorer* ces préceptes, prendre nous-mêmes l'initiative d'en rabattre, tout en nous prétendant disciples de Jésus ? Certainement pas. Avant tout, pas d'hypocrisie, pas de mensonge, pas de duplicité : on ne peut pas à la fois traiter Jésus de rêveur et se déclarer « christien », car il serait indigne de l'homme d'être disciple d'un rêveur. D'ailleurs tout le contexte de la vie et de l'enseignement de Jésus manifeste à l'évidence qu'il est tout le contraire d'un rêveur.

Il ne faut donc rien édulcorer : Jésus sait ce qu'il dit. Mais il ne faut pas oublier que c'est à notre liberté qu'il fait appel. On pourrait dire que ce n'est pas lui, Jésus, qui est exigeant, c'est nous qui le sommes sans le savoir. C'est nous qui nous masquons à nous-mêmes nos propres exigences parce que nous en avons peur et que nous redoutons d'avoir à être des hommes. Jésus ne fait que nous révéler à nous-mêmes, il nous dévoile la grandeur de notre liberté, il arrache les masques que nous nous sommes fabriqués de notre propre main, par peur et par égoïsme. Il nous dit : tu vaux plus que tu ne crois, ta grandeur dépasse la conscience que tu en prends. Vis conformément à cette grandeur; plus tu feras l'expérience de cette vie, plus tu t'apercevras que tu es grand et que cette grandeur est une exigence. Tu découvriras jusqu'où peut te conduire ta liberté si tu refuses les maquillages.

La Loi nouvelle, le christianisme ne peut pas être une liste de consignes. C'est, à l'aide d'exemples typiques, le dévoilement des horizons sans limites de la grandeur humaine. Nous n'avons plus qu'à écouter notre conscience lorsque nous en venons à comprendre ce que nous valons et ce que réellement nous voulons, lorsque nous découvrons que ces exigences ne sont pas d'un autre mais sont nos propres exigences. C'est une grandeur sans limites vécue dans la vie la plus humble et la plus quotidienne. Horizon sans limites au cœur *des horizons les plus familiers* : *le ménage, le voisinage, le quartier, la profession...* Jésus nous dit tout ce dont l'homme est capable dans la vie la plus simple, à condition qu'il soit bien le fils d'un Dieu qui est Père.

C'est pourquoi il faut bien nous garder d'offrir à Dieu une sorte de démission que nous prendrions pour de l'obéissance. Ce qu'il faut offrir à Dieu, c'est la construction, jour après jour, de notre liberté pour qu'elle soit vraiment non pas la liberté des esclaves mais la liberté des fils.

Que veut-on dire en affirmant :
« Le Christ est mort pour nous »[*] ?

Toutes les spiritualités se rejoignent au pied de la Croix du Christ. De multiples voies ont été ouvertes au cours des siècles pour acheminer l'homme à l'union, aussi intime que possible, de l'homme avec son Dieu. Les uns suivent la route tracée par saint Jean de la Croix et sainte Thérèse; d'autres préfèrent se mettre à la suite de saint Dominique, d'autres de saint François d'Assise, d'autres de saint Ignace, d'autres de saint François de Sales, d'autres du Père de Foucauld. Mais il y a aussi des chemins qui ne mènent nulle part et se perdent dans les sables de l'illusion. Il y a l'authentique et il y a l'aberrant. Le sûr critère, on peut dire, je pense, le seul critère de l'authenticité spirituelle est la Croix. Tout ce qui conduit à la Croix est sérieusement chrétien. Tout ce qui élimine la Croix, ou la contourne, est de l'ordre du pseudo ou de l'ersatz.

Encore faut-il bien comprendre le sens de la Croix. La mort du Christ aux environs de sa trentième année est un événement historique situé et daté. Que signifie cet événement ? En lui-même, ce n'est pas autre chose que « l'échec assez *banal* d'un *prédicateur ambulant* »[1] qui s'est prétendu prophète et Messie d'Israël. Il a souffert sous Ponce Pilate, est mort et a été enseveli. Parce que cela est arrivé en

* *Manuscrits :* « Mort du Christ » s'inspirant du P. Duquoc (*Christologie*, Cerf, 1972, t. II) et appartenant à la série rédigée en 1973-1974; « La mort du Christ et la descente aux enfers », n° 5 de la série sur la première partie du Credo rédigée en 1977-1978. — *Polycopies :* Lyon-Sainte-Hélène : « Le Christ mort pour nous : manière de parler ? » (8 février 1974); Pau (25 janvier 1978).

1. C. Duquoc, *Christologie*, Cerf, 1972, II, p. 194 et 196.

conclusion d'un procès qui fit quelque bruit dans la province romaine de Judée, la tradition juive s'en est fait l'écho, et même l'historien latin Tacite dans ses *Annales*. Pour nous chrétiens, cet événement est le centre de l'histoire. Ce qui veut dire que nous confessons cet événement particulier (comme sont tous les événements) comme ayant une signification universelle. Quelle signification ? Il faudrait être bien léger pour ne pas se poser la question.

Présentation rudimentaire du mystère de la Rédemption

On se pose la question aujourd'hui et d'autant plus profondément qu'on sent bien que la crise de l'Église impose, au-delà des multiples problèmes qu'elle implique, une recentration rigoureuse, je veux dire une re-découverte du Centre. Or le Centre ne peut pas être ailleurs que là. Ce qui frappe tout d'abord dans les nombreux essais théologiques qui sont publiés actuellement, principalement en Allemagne et en France, c'est qu'ils rejettent tous une certaine présentation du mystère de la Croix qui a marqué nos ancêtres et nous a aussi marqués nous-mêmes, et dont il est devenu évident qu'elle a déformé les choses.

Voici comment s'exprime à ce sujet le cardinal Ratzinger, archevêque de Munich : « *La conscience chrétienne a été sur ce point très largement marquée par une présentation extrêmement rudimentaire de la théologie de la satisfaction d'Anselme de Cantorbéry* (1033-1109). » Je vous prie de noter les expressions qu'emploie Ratzinger : c'est un théologien qui est maître de sa plume. Il ne remet pas en cause la conception proprement dite d'Anselme mais il emploie l'expression de « présentation extrêmement rudimentaire de la théologie d'Anselme » et il ajoute :

« *Pour un très grand nombre de chrétiens et surtout pour ceux qui ne connaissent la foi que d'assez loin, la croix se situerait à l'intérieur d'un mécanisme de droit lésé et rétabli. Ce serait la manière dont la justice de Dieu infiniment offensée aurait été à nouveau réconciliée par une satisfaction infinie... Certains textes de dévotion semblent suggérer que la foi chrétienne en la Croix se représente un Dieu dont la justice inexorable a réclamé un sacrifice humain, le sacrifice de son propre Fils. Autant cette image est répandue, autant elle est fausse. La Bible ne présente pas la Croix comme partie d'un mécanisme de droit lésé*[2]. » Je tenais à vous citer quelqu'un qui fait autorité en théologie.

2. J. RATZINGER, *Foi chrétienne hier et aujourd'hui*, Nouvelles Éditions Mame, 1976, p. 197.

La justice de Dieu exige-t-elle la mort du Christ ?

L'idée est claire : le Christ se serait substitué à l'humanité pécheresse, il aurait pris sur lui le châtiment destiné à cette humanité, il aurait fait de sa vie un sacrifice d'expiation. Soulignez bien tous ces mots qu'on risque de manipuler sans les casser. L'humanité pécheresse doit être châtiée : nous sommes devant un Dieu qui châtie. Si Dieu châtie, ce n'est sûrement pas pour son plaisir; ce ne peut tout de même pas être de sa part une mesure arbitraire, car les mesures arbitraires sont le propre des tyrans, et Dieu n'est pas un tyran. S'il châtie, c'est qu'il « doit » châtier, c'est que sa justice l'exige. Or le Christ se substitue à l'humanité pour subir le châtiment. Il prend sur lui le châtiment. S'il meurt, ce n'est donc pas à cause de ses fautes à lui (il est innocent), c'est à cause des nôtres. Il expie à notre place.

On emploie aussi beaucoup les mots « réparation » et « compensation ». On dit : l'offense faite à Dieu doit être réparée. L'hommage que les hommes ont refusé à Dieu par leurs péchés, le Christ, qui est sans péché, l'offre en compensation. Tels sont les mots principaux d'un vocabulaire naguère courant dans les catéchismes et les livres de dévotion. Je récapitule : justice, châtiment, substitution, expiation, réparation, compensation.

Pour justifier tous ces mots, voici comment on raisonne : le châtiment doit être à la mesure de la faute. En effet Dieu ne peut apaiser sa colère que si le châtiment appelé par la transgression a été accompli. Mais étant donné que c'est Dieu même qui est l'offensé, l'homme est incapable de fournir une réparation suffisante. Car Dieu est l'Infini, et l'homme est fini. Il est donc impossible que la justice de Dieu soit satisfaite. C'est pourquoi le Christ — qui est homme, mais qui est Dieu — se substitue aux hommes pour fournir à Dieu une expiation digne de Lui, c'est-à-dire ayant une valeur infinie. L'amour de Dieu pour les hommes se manifeste donc dans la substitution imaginée pour satisfaire à sa justice.

Donc l'essentiel est la réparation. Il ne peut y avoir réparation que par une compensation offerte à la justice de Dieu. Cette compensation prend la forme d'une peine acceptée par la victime elle-même, et c'est pourquoi elle est désignée en termes de satisfaction ou d'expiation. Vous voyez combien le cardinal Ratzinger a raison de dire qu'une telle présentation du sens de la mort du Christ est « extrêmement rudimentaire ». C'est trop peu dire. C'est pourquoi il ajoute : « On se détourne avec horreur d'une justice divine dont la sombre colère enlève toute crédibilité au message de l'amour. »

En effet, réfléchissons : on nous dit que Dieu ne pouvait pas pardonner à l'homme sans que d'abord sa justice soit satisfaite. Il faut donc conclure que Dieu n'est pas un Infini de gratuité. On fait intervenir en une phase en quelque sorte intercalaire du processus de pardon une « justice » qui apparaît inévitablement comme une limite de l'amour. Vous posez en Dieu un amour limité par la justice. Si la justice de Dieu exige une compensation pour le péché, peut-on encore, en rigueur de terme, parler de pardon ? Cela voudrait dire que Dieu ne peut donner libre cours à sa miséricorde que s'il est préalablement « vengé ». On pose une sorte de conflit en Dieu entre une justice vindicative et un amour paternel ; et l'amour paternel est limité par l'exigence de la justice vindicative. Le sang de Jésus versé au Calvaire est alors le prix d'une dette exigée par Dieu en compensation de l'offense infligée à son honneur par le péché des hommes[3].

Et pourtant, les textes du Nouveau Testament...

On ne peut pas ne pas être sensible à tout ce qu'il y a d'inacceptable en tout cela. Mais il faut bien reconnaître que les évangiles et saint Paul semblent autoriser l'emploi de tous ces mots : expiation, satisfaction, compensation, substitution. Nous lisons en effet dans saint Marc : « Le Fils de l'Homme est venu pour donner sa vie en rançon pour une multitude » (10, 45). Rançon ? Je cherche le sens exact du mot dans un bon dictionnaire du Nouveau Testament, je trouve ceci : somme d'argent versée pour la libération d'un prisonnier d'une guerre ou pour le rachat d'un esclave (d'où le mot rédemption qui veut dire rachat : le Christ nous a rachetés, c'est-à-dire achetés de nouveau). Que signifie une telle expression ? On ne peut tout de même pas gommer ce texte de saint Marc, dont l'authenticité n'est pas douteuse.

On le peut d'autant moins que, vingt ans avant saint Marc, saint Paul avait exprimé la même idée à peu près dans les mêmes termes : « Dieu a destiné Jésus Christ à être par son sang victime propitiatoire pour ceux qui croiraient en Lui, afin de montrer sa justice, parce qu'il avait laissé impunis les péchés commis auparavant au temps de sa patience, de manière à être juste tout en justifiant celui qui a la foi en Jésus » (Rm 3, 25). Voilà un texte qui réintroduit bel et bien tout ce qu'on voudrait écarter : sang, victime, justice, punition, tout y est.

3. Cf. *Éléments de doctrine chrétienne*, II, p. 60.

Ou bien : « Le Christ s'est livré lui-même à Dieu pour nous comme une offrande et un sacrifice de bonne odeur » (Ép 5, 2). Et il y a surtout l'épître aux Hébreux où l'auteur, pour donner le sens de la mort du Christ, se réfère continuellement aux sacrifices sanglants de l'Ancien Testament. Rien de tout cela ne peut être gommé.

Alors ? Sommes-nous au rouet, comme disait Montaigne ? Sommes-nous condamnés ou à rejeter les paroles de saint Marc et de saint Paul, ou à affirmer comme donnée de foi ce qui ne peut que révolter nos contemporains ? Car, comme le dit très bien le Père Duquoc, *quand Bossuet s'écrie que « Dieu le Père assouvissait sa vengeance sur Jésus », nous sommes*, selon l'humeur, *ou révoltés ou amusés. Révoltés, car de quel droit prêter à Dieu des sentiments qui le déshonorent et les supposer nécessaires à notre salut ? Amusés, tant cette substitution du Christ* aux pauvres hommes impuissants à réparer leur péché *paraît* quelque chose de tout à fait *gratuit et abstrait*[4].

Le vrai, c'est qu'au départ la croix de Jésus est apparue aux apôtres comme un échec dérisoire. Ils avaient suivi Jésus en croyant avoir trouvé en lui le roi dont personne ne pourrait jamais triompher, et voilà que, contre toute attente, ils étaient devenus les compagnons d'un homme condamné et exécuté. Vous me direz : la Résurrection les a tout de même éclairés ; depuis les apparitions, ils ont retrouvé leur ancienne assurance ; ils sont sûrs maintenant que Jésus est bien le Roi en qui ils avaient cru. C'est vrai. Mais ce qu'on risque de ne pas voir, c'est qu'il fallut beaucoup de temps aux apôtres pour comprendre à quoi servait la Croix. La Croix, pourquoi faire ? Le Ressuscité dit aux disciples d'Emmaüs : « Ne fallait-il pas que le Christ endurât ces souffrances pour entrer dans sa gloire ? » (Lc 24, 26). Pourquoi « fallait-il » ? Ils ne l'ont compris que peu à peu.

Pour expliquer l'événement, ils ont eu d'abord recours à l'Ancien Testament, exactement aux catégories de pensée qui étaient celles des juifs. Or ce sont des catégories rituelles, cultuelles. C'est le culte qui était central dans la vie religieuse juive. Le culte et donc les rites du culte (il n'y a pas de culte sans rites). *Les apôtres furent donc convaincus, après la résurrection de Jésus, que tout ce qui était dit dans l'Ancien Testament trouvait son accomplissement en Lui, et même que c'était à partir de Jésus seulement qu'on pouvait réellement comprendre ce dont il s'agissait en réalité avant Lui. Saint Paul et les évangélistes ont donc « expliqué » la Croix, donné un sens à l'événement « mort de Jésus à trente ans sur une croix » à partir des idées de la théologie cultuelle de l'Ancien Testament.*

4. C. Duquoc, *Lumière et Vie*, n° 101, p. 112.

Le mot « sacrifice », par exemple, appartient à cette théologie : on sait qu'en Israël on offrait rituellement des animaux en sacrifice. On retrouve le mot dans le Nouveau Testament, mais il y est comme un terme de comparaison. *Jésus* lui-même *a pensé sa propre mort à l'aide des sacrifices antiques : il offre son sang comme celui du sacrifice de l'Alliance, il dit que ce sang sera versé pour la multitude* (ce sont les paroles de la consécration eucharistique), *et le « mémorial » qu'il institue en ces jours de la Pâque s'inspire du sacrifice pascal de l'Agneau. Mais* pour Jésus *ce n'était là que des images :* il savait bien que sa mort était tout autre chose qu'un rite[5] ! Ce qu'il dit, c'est ceci : *les sacrifices anciens étaient inefficaces ; seule ma mort peut accomplir ce que ces sacrifices voulaient opérer et signifier*[6]. On peut donc dire que la mort de Jésus est « sacrificielle »; et c'est ce que dit l'Évangile.

On a fait pendant longtemps un remarquable contresens en voulant interpréter l'épître aux Hébreux selon les catégories de l'Ancien Testament. D'un bout à l'autre, l'auteur de cette épître se réfère à l'ancien Temple, aux sacrifices de la Loi juive, au sacerdoce lévitique. Il était tentant de croire que cet auteur, un disciple de saint Paul probablement, comprenait la mort du Christ selon ces catégories. En fait sa pensée est tout autre : il compare la mort du Christ aux sacrifices anciens pour marquer qu'entre cette mort et ces sacrifices il y a une différence essentielle. Il se sert des catégories bien connues de ses interlocuteurs (c'est une lettre à des Hébreux, à des Juifs) pour leur faire comprendre comment leur attente a été comblée au-delà de ce qui était prévisible.

Ratzinger résume admirablement en quelques lignes la pensée de l'auteur : « *Tout l'appareil sacrificiel de l'humanité, tous les efforts dont le monde est rempli, pour se réconcilier Dieu par le culte et les rites, étaient condamnés à rester œuvre humaine inefficace et vaine, car ce que Dieu veut, ce ne sont ni boucs ni taureaux, ni aucune offrande rituelle. On peut bien sacrifier à Dieu des hécatombes d'animaux sur toute la surface du globe, Dieu n'en a que faire, car, de toute façon, cela lui appartient ; on n'apporte rien à Dieu en brûlant tout cela pour sa gloire... C'est l'homme, l'homme seul, qui intéresse Dieu. La seule adoration véritable, c'est le « oui » inconditionnel de l'homme à Dieu. Tout appartient à Dieu, mais il a concédé à l'homme la liberté de dire « oui » ou « non », d'aimer ou de refuser d'aimer ; l'adhésion libre de l'amour est la seule chose que Dieu puisse attendre*[7]. » Hors de là, tout est dépourvu de sens. Cela seul est irremplaçable.

5. A. George, *Lumière et Vie*, n° 101, p. 51.
6. C. Duquoc, *ibid.*, p. 113.
7. J. Ratzinger, *op. cit.*, p. 200.

Or tout le *culte* antique *cherchait à remplacer ce qui est irremplaçable*, à substituer des offrandes d'animaux à l'offrande de l'amour de l'homme. Une telle substitution était parfaitement vaine. Jésus, lui, s'est offert lui-même : il a prononcé le « oui » à Dieu de l'obéissance filiale (notez que je résume l'épître aux Hébreux; je ne prétends pas expliquer en ce moment pourquoi la mort du Christ est un « oui » filial d'obéissance à Dieu, puisque précisément nous estimons inacceptable et scandaleux que Dieu puisse, au nom de sa justice, exiger le sang du Fils; mais nous allons y venir).

Pour l'auteur de l'épître aux Hébreux, le Christ substitue aux offrandes *vaines et inefficaces* des Anciens sa propre personne. Certes, *le texte affirme que c'est par son sang que Jésus a accompli la réconciliation avec Dieu (9, 12)* Mais *cela ne veut pas dire que ce sang versé serait un don matériel, un moyen d'expiation quantitativement mesurable :* le sang versé est l'expression concrète d'un amour qui va jusqu'au bout de lui-même. Le Christ, pour l'auteur de la lettre aux Hébreux, est celui qui a tout donné, absolument tout. En cela il est l'Homme, l'homme en la plénitude de sa perfection. *Il est l'absolu de l'amour, tel que seul pouvait l'offrir Celui en qui l'amour même de Dieu était devenu amour humain*[8].

Ce n'est donc pas parce que les Évangiles, saint Paul et l'épître aux Hébreux expriment la mort du Christ en termes de rançon, d'expiation ou de substitution, que nous devons rester prisonniers, comme on l'a été trop longtemps, de la théorie selon laquelle le Père aurait exigé le sang du Christ comme satisfaction à sa justice lésée par le péché des hommes. En d'autres termes, ce n'est pas être infidèle à l'Écriture que de s'évader d'une telle théorie (car ce n'est qu'une théorie; et ce n'est pas le seul cas où les théologiens ont indûment lié l'essentiel de la foi à une théorie explicative). Dans le cas du sens de la mort du Christ, non seulement la théorie qui, pendant des siècles, a prévalu dans les traités de théologie et dans les catéchismes est contestable : elle est, redisons-le, gravement déformante! Nous sommes au pied du mur : quel sens a donc l'expression du Credo : le Christ est mort pour nous ?

8. J. Ratzinger, *op. cit.*, p. 202.

Proposition de réflexions théologiques

Il faut toujours en revenir à la parole de Jésus dans l'Évangile de saint Jean : « Qui me voit voit le Père » (14, 9). Voir Jésus, c'est voir Dieu. Nous ne connaissons Dieu que par Jésus. Mais connaissant Jésus, nous connaissons vraiment Dieu, autant qu'il nous est nécessaire de le connaître pour avoir avec lui une relation vraie. La question essentielle est de ne pas nous tromper sur ce qu'est Dieu.

Tout ce que Jésus dit et fait révèle, ou dévoile, Dieu. Ce qui existe visiblement en Jésus existe invisiblement, mystérieusement, en Dieu. Si l'Incarnation est acte d'humilité, c'est que Dieu est Être d'humilité. Si Jésus est pauvre, c'est que Dieu est pauvre. Quand je vois Jésus, le soir du Jeudi saint, laver avec humilité des pieds d'homme, je vois donc Dieu lui-même éternellement Serviteur avec humilité au plus profond de sa Gloire. L'humilité du Christ n'est pas un avatar exceptionnel de la gloire de Dieu : elle manifeste dans le temps de l'histoire humaine que l'humilité est éternellement au cœur de la Gloire. Or ce n'est pas au moment où Jésus meurt sur la croix que je vais cesser de l'entendre me dire : « Qui me voit voit le Père. » Bien au contraire : c'est la mort de Jésus qui me révèle, me dévoile, me fait voir qui est Dieu, quel est son être, quelle est la profondeur de l'Être éternel de Dieu.

Pour le Christ, « obéir » au Père, ce n'est pas exécuter un ordre, comme nous voyons ici-bas un inférieur exécuter l'ordre de son supérieur hiérarchique. Il ne faut pas imaginer Dieu le Père disant à Dieu le Fils : je t'ordonne de souffrir et de mourir à trente ans. Si c'était cela l'obéissance, comme on serait d'accord avec les contestataires de tous poils pour la refuser ! Au vrai, le Christ « obéit » au Père en Le révélant tel qu'Il est, et non pas tel que les hommes voudraient qu'Il soit. Révéler Dieu tel qu'Il est, ce fut pour Jésus accepter de mourir. Si Jésus n'avait pas accepté de mourir, il n'aurait pas révélé Dieu tel qu'Il est.

L'amour est mort à soi-même, livraison de soi

En effet, le fond des choses, c'est qu'en Dieu éternellement la mort est au cœur de la vie. Dieu est Amour. Or aimer, c'est mourir à soi-même, non seulement en préférant les autres à soi, mais (quand on est

Dieu et qu'on aime en plénitude, qu'on réalise éternellement la perfection de l'amour), en renonçant à exister pour soi et par soi afin d'exister uniquement par les autres et pour les autres. Dieu est Trinité : le Père n'est que mouvement vers le Fils et l'Esprit; le Fils n'est que mouvement vers le Père et l'Esprit; l'Esprit n'est que mouvement vers le Père et le Fils. Ce « ne que » sur lequel j'insiste, car c'est ce « ne que » qui exprime le mystère de Dieu, veut dire que le fond de Dieu est la mort identique à la vie. Sortir de soi, c'est bien mourir à soi. Vivre, c'est aimer, mais aimer, c'est mourir, car c'est n'être que par les autres et pour les autres.

Voilà très exactement ce que Jésus manifeste en mourant sur la croix. Saint Paul nous dit que Dieu « s'anéantit lui-même, en prenant condition d'esclave et en devenant semblable aux hommes... et il s'humilia plus encore, en étant obéissant jusqu'à la mort, et la mort de la croix » (Ph 2, 8-9). Cela veut dire que l'être de Dieu est éternellement en acte de se livrer à d'autres. Certes nous ne pouvons pas comprendre exactement ce que cela signifie, car l'Être éternel de Dieu est au-delà de toutes nos représentations, mais nous pouvons essayer de comprendre que tel est bien le « mystère » de l'Être de Dieu. Il faut quand même savoir en quel Dieu nous croyons!

Les juifs attendaient une manifestation triomphale de Dieu. Voici que, sur le Calvaire, Dieu n'intervient pas, il se cache et il se tait. Ce n'est pas le Dieu Sabaoth, c'est-à-dire le Dieu des armées, c'est le Dieu « désarmé » : le jeu de mots est classique. On l'imaginait riche et puissant, et certes il l'est puisqu'il est l'Infini; mais on voit maintenant que sa richesse n'est pas de posséder, elle est de donner : c'est la richesse d'une livraison totale de soi, sans réserve ni arrière-pensée. Ce serait méconnaître l'amour que de soupçonner Dieu d'une arrière-pensée ou d'une arrière-intention. L'amour ne livre pas quelque chose de soi en réservant le fond : c'est le fond qu'il livre. Garder une pensée ou une intention en arrière de soi, cela voudrait dire qu'on est propriétaire de soi. Or il n'y a pas trace de propriété en Dieu.

Bien loin d'exiger, pour que satisfaction soit donnée à sa justice, le sacrifice de son Fils, le Père, en sacrifiant son Fils, sacrifie ce qu'il a de plus cher. C'est dire qu'il se sacrifie lui-même. Le Père ne s'épargne pas lui-même. Puisque l'être du Père n'est que (toujours ne... que) par et pour le Fils, en nous livrant son Fils, il se livre lui-même. Son être, sa « nature » est d'être « livraison de soi » (le mot « livrer », « se livrer » est un de ceux qui reviennent le plus souvent dans les évangiles).

La mort du Christ nous conduit à penser que l'être de Dieu est tout autre que nous nous le représentons, que les perfections de Dieu sont, non seulement infiniment supérieures à ce que nous pouvons être en fait de perfection, mais encore qu'elles sont en Lui sous un mode infiniment différent du nôtre : Dieu est Tout Autre ! Nous, nous sommes riches en possédant; Dieu, lui, est riche en se dépossédant. Nous, nous sommes forts en dominant; Dieu, lui, est fort en s'asservissant.

Le Christ, en se faisant esclave, en se laissant lier dans sa Passion et en se dépossédant de sa vie même, traduit Dieu en gestes et en actes humains. Il est, comme on l'a dit, le « prisme » de Dieu qui décompose pour nos yeux de chair la lumière blanche éblouissante de la Divinité. Il est ce prisme d'un bout à l'autre de sa vie, mais il l'est surtout par sa mort. C'est quand il rend le dernier soupir qu'il se dépossède de la vie même, donc de tout; c'est à ce moment-là qu'il est humainement ce qu'est Dieu divinement de toute éternité. C'est à ce moment-là qu'il est humainement tout-puissant, comme Dieu est divinement tout-puissant. C'est à ce moment-là qu'il participe à la toute-puissance de Dieu, qui n'est pas une puissance de domination ni d'exhibition de soi, mais d'effacement de soi.

Tant qu'on n'a pas compris que la toute-puissance de Dieu est une toute-puissance d'effacement de soi, tant qu'on n'a pas expérimenté dans sa propre vie qu'il faut plus de puissance d'amour pour s'effacer que pour s'exhiber, tout ce que je viens de dire est littéralement inintelligible. Aimer l'autre, c'est vouloir qu'il soit, et non pas vouloir lui passer devant pour qu'il soit moins : telle est la puissance de l'amour !

La toute-puissance de l'amour est le pardon

Quand le Christ participe à la toute-puissance de Dieu qui est une puissance d'effacement de soi — et il y participe quand il s'efface, c'est-à-dire quand il meurt —, il participe à la puissance de pardon qui est le fond de Dieu. A la lettre, il meurt pour nous les hommes, il nous « sauve ». Cela demande un mot d'explication car il est très difficile de bien parler du pardon et pourtant, comme disait Mauriac, nous avons faim de pardon plus encore que de pain.

Le pardon n'est pas l'indulgence mais une re-création. C'est la re-création de la liberté de celui qui a laissé dépérir sa liberté par le péché. Il faut plus de puissance à Dieu pour pardonner que pour créer. Car recréer, c'est plus que créer. La puissance de re-création est au cœur de la puissance créatrice, comme une sur-puissance. En créant des libertés, Dieu s'engage dans un redoublement d'amour à leur restituer ce pouvoir qu'il leur donne de se créer elles-mêmes. Or l'acte créateur est en Dieu acte d'humilité et de renoncement : c'est Dieu qui est Tout et qui renonce à être Tout. Car, quand on est Amour, on ne tolère pas d'être Tout; on ne peut pas être Amour et être Tout. Il ouvre alors un espace à la liberté et, comme le dit le poète allemand Hölderlin, « Dieu fait l'homme comme la mer fait les continents : en se retirant ».

Si pour Dieu l'acte de créer est l'acte de se retirer, est-ce que l'acte de recréer, ou de pardonner, de refaire une liberté ne sera pas un redoublement de l'acte de se retirer ? Est-ce que pardonner ne sera pas se retirer deux fois ? Est-ce que ce ne sera pas la suprême Toute-Puissance ? L'oraison de la messe du vingt-sixième dimanche ordinaire l'exprime explicitement : « Dieu, qui donnes la preuve suprême de ta puissance lorsque tu patientes et que tu pardonnes, sans te lasser, accorde-nous ta grâce ! »

C'est donc en mourant que le Christ participe à la Puissance suprême, re-créatrice, pardonnante de Dieu. Un homme, né de la Vierge Marie, donc de notre race, a par sa mort la puissance divine de pardonner. Un Dieu qui nous octroierait le pardon ne pourrait que nous être suspect. Rien n'est plus suspect qu'une certaine manière paternaliste de dire : je te pardonne. Mais un Dieu fait Homme qui pardonne en mourant, dont la mort est identiquement pardon, et universel pardon, comment nous serait-il suspect ?

Il est donc bien vrai de dire que c'est par le sang versé du Christ que nous sommes sauvés. C'est ce qu'exprime la phrase de la consécration eucharistique : voici ce sang qui sera répandu en rémission des péchés. Ces paroles ne veulent pas dire que le sang est une compensation offerte à la justice de Dieu qui exigerait que le sang du Christ soit versé. Le sang versé est le signe d'un amour qui va jusqu'au bout (cf. Jn 13, 1). Jusqu'au bout du don, c'est-à-dire au par-don ou don parfait.

Je souligne que le mystère de la Croix du Christ n'est qu'une énigme dépourvue de signification, si l'on ne convertit pas radicalement l'idée qu'on se fait spontanément de la puissance de Dieu. Tout homme commence par chercher Dieu dans la ligne de la puissance, Dieu est le « Grand Patron », c'est inévitable : on ne peut pas ne pas s'orienter d'abord dans cette direction qui est païenne. Spontanément, nous voudrions que Dieu intervienne constamment dans nos affaires, que Dieu écrive Lui-même notre histoire à notre place, que Dieu nous délivre de cette terrible responsabilité que nous avons d'être nous-mêmes l'auteur de notre destin.

Quand on devient chrétien (car on n'est pas chrétien, on le devient, il y faut une conversion de tous les jours) et que l'on contemple l'Impuissance absolue de l'Homme-Dieu cloué sur une croix, on a toujours beaucoup de peine à oublier la première démarche (païenne) qui nous a profondément marqués. On est toujours mal converti. On oscille entre deux images du divin que l'on concilie tant bien que mal, faute de savoir les unifier : l'image de la Toute-Puissance païenne, dominatrice et l'image de la Toute-Impuissance du Christ cloué qui agonise et meurt. L'image de la Toute-Puissance païenne subsiste par-dessous, inchangée; et l'image de la Toute-Impuissance du Christ cloué est en quelque sorte en surimpression. Cette coexistence des deux images est un désastre pour l'âme et pour l'esprit.

Il faut donc poursuivre à longueur de jours et d'années une méditation proprement chrétienne qui nous persuade en profondeur que c'est la Toute-Impuissance du Calvaire qui révèle la vraie nature de la Toute-Puissance de Dieu, de l'Être éternel et infini. C'est la mort du Christ qui révèle en plénitude la Gloire de Dieu, cette Gloire qui est identiquement l'Amour comme Puissance d'anéantissement de soi. C'est en Jésus crucifié qu'est rendu manifeste le pur « pour toi » ou « pour vous » de l'Absolu vivant qui est Trinité. C'est un homme défiguré, sanglant, couvert de crachats, de sueur et de sang, comparé par Isaïe à l'agneau conduit à la boucherie, qui dé-voile l'Être éternel sans figure. L'existence humaine n'a de sens qu'en lui et par lui : telle est l'affirmation centrale de notre foi.

Comme on comprend l'émotion de saint Paul, quand il nous dit (Ph 3, 18) qu'il « pleure » en songeant à ces hommes « qui marchent en ennemis de la croix du Christ »! Il faudrait sans doute demeurer ou devenir capables de pleurer aussi.

La résurrection du Christ est-elle un fait historique ?*

Nous abordons le problème de la résurrection du Christ. Problème ou mystère important entre tous, s'il est vrai que nous devons croire saint Paul quand il nous dit que « si le Christ n'est pas ressuscité, notre foi est vaine ou vide », c'est-à-dire sans fondement (I Co 15, 14).

Histoire et foi

La bataille d'Austerlitz est un fait historique, la mort du général de Gaulle aussi. Faut-il dire que la résurrection du Christ est, de la même manière, un fait historique ? Oui et non. *La Résurrection est à la fois*, et indivisiblement, *un fait historique et un événement pour la foi.* Plus exactement, elle est un événement pour la foi, qui comporte un fait historique (sans lequel on ne pourrait pas parler d'événement).

* *Manuscrit :* « La résurrection du Christ est-elle un fait historique ? » appartenant à la série rédigée en 1971-1972. Le Père VARILLON s'appuie sur un article du Père E. POUSSET, « La résurrection », paru dans la *Nouvelle Revue théologique* en décembre 1969 (p. 1009-1044) et sur le livre du Père X. LÉON-DUFOUR, *Résurrection de Jésus et message pascal*, Seuil, 1971, l'un et l'autre largement cités. — *Polycopies :* Annecy : « La résurrection du Christ, le tombeau vide et les apparitions » (9 décembre 1971) ; Le Péage-de-Roussillon (19 avril 1972); Pau (22 février 1978).

Ce qui est historique, c'est le témoignage des apôtres : des hommes, qui avaient vécu avec Jésus et qui l'avaient tenu pour le Messie, ont proclamé l'avoir vu vivant après sa mort sur la croix.

Ce témoignage, qui est historique, implique quelque chose qui n'est pas historique et ne peut pas l'être : *la Résurrection, comme acte de passer de la mort à la vie éternelle, ne peut être une réalité que pour la foi. Les apôtres n'ont pas été témoins de cet acte et ne pouvaient pas l'être (même s'ils étaient restés dans le tombeau de Jésus jusqu'au matin de Pâques)*. En effet, *par rapport à ce monde où quelque chose peut être constaté, la résurrection est* purement et simplement *une disparition*. Le corps de Jésus ressuscité n'appartient plus à notre univers physique de l'espace et du temps.

Par conséquent, il est impossible que l'on puisse constater le passage — l'acte de passer — de la mort à la vie éternelle. C'est pourquoi la résurrection de Jésus ne peut être assimilée en aucune manière à la réanimation d'un cadavre, comme dans le cas de Lazare.

La résurrection de Lazare n'est pas le passage de la mort à la vie éternelle, au monde de Dieu, mais le retour à la vie telle qu'elle était avant la mort. Lazare est revenu à la vie qui était la sienne avant de mourir. M'adressant à des enfants, je leur dis que, sortant du tombeau, Lazare a peut-être éternué, toussé, apprécié le temps qu'il faisait (soleil ou pluie). En tout cas, il a retrouvé ses parents, ses amis, l'univers tel qu'il l'avait laissé avant de mourir, il a repris sa vie et il n'a pas été dispensé de mourir une seconde fois, même si ce n'est pas à Marseille qu'il a trouvé la mort définitive, comme le voudrait la légende. Donc rien de commun entre ce qu'on appelle la résurrection de Lazare (qui est plutôt le miracle d'un cadavre réanimé) et la résurrection de Jésus.

Ce que nous pouvons tenir pour historique, c'est ce qui a fait pour les apôtres l'objet d'un constat sensoriel ou sensible (pour les sens). *Or ce qu'ils ont constaté avec leurs sens, ce qui a été pour eux l'objet d'un constat sensoriel, c'est seulement deux choses : le tombeau vide ;* d'autre part, je ne dis pas la manifestation de Jésus ressuscité mais *la manifestation de quelqu'un qui se présente à eux, sans qu'ils le reconnaissent encore comme étant Jésus vivant.* S'ils l'avaient reconnu de suite comme étant Jésus vivant, il faudrait dire qu'il s'agit d'un cadavre ré-animé.

On hésite à plaisanter quand il s'agit d'un mystère aussi profond mais on peut tout de même dire ceci : on n'imagine pas les apôtres s'écriant : tiens! tu es donc sorti du tombeau ? ou tiens! comment cela se fait-il ? Tu étais mort et te voilà! Cela est impensable! Les apôtres ont d'abord constaté la présence de quelqu'un, jardinier pour Madeleine, voyageur pour les pèlerins d'Emmaüs... et *c'est dans un acte de foi qu'ils ont ensuite reconnu ce quelqu'un comme étant celui avec qui ils avaient vécu* pendant trois ans et dont ils avaient été les disciples.

J'insiste : *il serait faux de s'imaginer que les apôtres ont constaté* (constat — par les sens — donc historique) que ce quelqu'un qui se présente à eux *est le Jésus qu'ils avaient connu avant sa mort sur la croix, et qu'ensuite ils ont cru au Ressuscité. Les textes évangéliques* disent au contraire :

— *ils ont perçu quelqu'un, mais sans le reconnaître ;*
— *de cette perception, ils sont passés à la foi par le moyen d'une réflexion sur leur existence antérieure avec Jésus, éclairée maintenant par les Écritures qu'il leur interprète* et par la mission qu'il leur confie.

Nous avons donc :

1) Constat de la présence de quelqu'un qui se manifeste ;

2) Intelligence des paroles anciennes de Jésus, de sa conduite ancienne et des prophéties relatives à sa mort (c'est dans le récit des pèlerins d'Emmaüs que ce temps de réflexion au moyen des Écritures est le plus développé, mais tous les récits d'apparitions notent bien que la simple manifestation de Jésus ressuscité ne suffit pas aux apôtres pour qu'ils le reconnaissent, alors que tout le monde a reconnu Lazare) ;

3) Reconnaissance (par la foi) de ce quelqu'un comme étant Jésus vivant, cequel Jésus les oriente aussitôt, à partir de leur passé, vers l'avenir en leur lonfiant une mission, la mission de faire l'Église.

Le tombeau vide

Quels sont les signes par lesquels Jésus ressuscité se manifeste ? L'Évangile répond : il y en a deux : l'un, négatif (le tombeau est vide) ; l'autre, positif (Jésus apparaît aux apôtres).

Précisons que *la découverte du tombeau vide,* telle qu'elle nous est relatée par l'Évangile, *n'a guère joué de rôle dans la genèse de la foi des apôtres. Le tombeau vide, en effet, ne prouve pas, à lui seul, la résurrection.* D'ailleurs, dans la formule la plus ancienne du Nouveau Testament (de l'an 50 environ), saint Paul affirme que « Dieu a ressuscité Jésus d'entre les morts » (I Th 1, 9) : il n'est pas question de sépulcre. La découverte du tombeau vide est relatée certes dans les évangiles, mais elle ne fait pas partie du message apostolique fondamental (il en va tout autrement des apparitions).

« *Le tombeau vide est un fait curieux qui pose une question. La réponse ne s'impose pas*[1]. » On peut toujours interpréter le fait autrement, notamment par l'enlèvement du corps. Nous ne disons pas du tout que le tombeau vide n'est pas une réalité, un fait. *Nous disons simplement que si l'on isole ce fait du contexte*, c'est-à-dire essentiellement du témoignage des apôtres concernant les apparitions, *il reste un détail*, dont l'historien pourra toujours contester la solidité (comme tel ou tel fait divers relaté par l'historien Tacite). *Pris en lui-même, à deux mille ans de distance, un tel détail, même bien attesté, n'a pas grande valeur historique.* On ne peut déclarer « historiques » *que des événements de quelque ampleur et intégrés dans un ensemble* qui est lui-même tenu pour « historique ».

Il n'y a donc pas lieu de s'étonner que l'historien moderne reste sur la plus grande réserve à l'égard de la découverte du tombeau vide. Il ne sortira de sa réserve d'historien que si, par ailleurs, il reconnaît la valeur du témoignage des apôtres relatif aux apparitions.

Les apparitions, leur objectivité

Pour ce qui est des apparitions, on ne voit guère comment le fait pourrait être nié. « *Sans cela, pour peu que l'on renonce à l'insoutenable hypothèse d'une fourberie concertée, le christianisme devient inexplicable*[2]. » Pour Édouard Le Roy, philosophe ami de Bergson et de Teilhard de Chardin, « *le fait des apparitions est placé au-dessus de toute contestation raisonnable*[3] ». *Mais le problème est celui de la signification de ce fait, de sa portée. Or, ici, la réflexion bute souvent sur un* a priori, *selon lequel toute apparition ne peut être qu'une hallucination subjective et pathologique, sans valeur objective.* Il faut dire que ce postulat n'est nullement évident par lui-même. Trancher ainsi d'avance la question n'est pas conforme à la véritable méthode critique.

On parle *d'autosuggestion :* « *Il resterait à comprendre comment la foi des apôtres, si débile, si fragile avant la grande déception de la mort de Jésus, a pu renaître si vive et si exaltée après. Le danger était beaucoup plus grand pour eux de prêcher Jésus ressuscité d'entre les morts que de reconnaître au moment de son procès qu'on avait été son disciple.* Or les apôtres n'ont pas eu le courage au moment de son procès de le reconnaître comme étant leur maître. Et pourtant c'était moins difficile que *d'avoir l'audace de prêcher que* ce même Jésus était ressuscité. *La difficulté, une fois qu'il eut*

1. X. Léon-Dufour, *Les évangiles et l'histoire de Jésus*, Seuil, 1963, p. 446.
2. A. Nizin, *Histoire de Jésus*, Seuil, Livre de vie, p. 51.
3. E. Le Roy, *Dogme et Critique*, 1907, p. 218-224.

disparu, était beaucoup plus grande qu'auparavant d'avoir en lui une confiance poussée jusqu'à l'acceptation joyeuse du martyre. »

Notons cependant que *cette remarque n'est pas décisive à elle seule : il y a une échappatoire. Il y a en effet le cas des phénomènes collectifs de croyance en la survie d'un héros tué à la guerre. La chose semble avérée dans des populations de psychologie primitive. Survie, non pas en ce sens que le héros aurait émigré au séjour des morts, mais en ce sens qu'il appartiendrait toujours, quoique invisiblement, à notre monde, et y exercerait encore une action historique. Une telle croyance peut susciter chez les peuples primitifs le dévouement le plus exalté, de la part des fidèles, pour la cause incarnée par ce héros.* Il faut donc être prudent, d'autant qu'il s'agit du fondement de la foi.

On dit : une apparition ne peut être qu'une construction de l'esprit; c'est quelque chose de subjectif; on a affaire à un mécanisme hallucinatoire. Mais nos perceptions les plus communes (par exemple, la perception que j'ai en ce moment de ce micro, de ce papier, de cette table et de vous tous ici rassemblés) comportent, elles aussi, une part de construction subjective. *Une apparition peut parfaitement impliquer des éléments de construction subjective et avoir une valeur objective.* Seulement il faut bien s'entendre sur le mot « objectif ». Il est ambigu. Objectif ne veut pas dire extérieur. Notre imagination nous porte à croire que tout ce qui est objectif est extérieur, et que tout ce qui est intérieur est purement subjectif. Il est bien vrai que vous tous qui êtes en ce moment devant moi, vous êtes objectifs, vous avez une existence objective (vous ne vous résigneriez pas à n'exister que dans ma pensée; si je vous disais que vous n'existez uniquement que dans ma pensée, vous seriez furieux et vous protesteriez : vous existez objectivement). Et, en même temps, vous êtes extérieurs à moi (vous êtes séparés de moi par quinze ou vingt mètres et, pour vous toucher, vous serrer la main ou vous embrasser, il faudrait que je franchisse l'espace qui nous sépare). Mais, de soi, objectif ne dit pas extérieur, ce sont deux concepts absolument différents.

Quand nous disons que la manifestation de Jésus ressuscité aux apôtres a été objective — c'est cela qui est l'essentiel — nous ne disons pas pour autant qu'il était extérieur à eux (comme vous tous êtes extérieurs à moi, et moi extérieur à vous). *Même si les apôtres, construisant nécessairement leur perception* (puisque toute perception est une construction, c'est le B.A.BA de la philosophie) *et parlant selon le langage courant, ont perçu Jésus comme extérieur à eux, cela ne veut nullement dire que Jésus était, quant à lui, extérieur à eux.*

Je reconnais que c'est un point difficile ; si vous préférez penser que Jésus ressuscité était à la fois objectif et extérieur, vous êtes bien libres.

Seulement il faut prévoir les objections et les difficultés, il ne faut pas encombrer le chemin de la foi, car l'essentiel, ce qui engage la foi, c'est que sa présence était objective.

Ce que nous voulons dire en parlant de la « valeur objective » des apparitions, c'est exactement ceci : les apparitions ne sont pas la seule reconstruction des apôtres. Elles sont réelles en ce sens que les apôtres perçoivent le Ressuscité en vertu d'une initiative qui ne vient pas d'eux, mais de lui. Dans l'hallucination, l'initiative vient du sujet connaissant. Dans le cas des apparitions, l'initiative ne vient pas des apôtres mais du Christ. En d'autres termes, si les apôtres ont vu Jésus, c'est que Jésus s'est fait voir, s'est donné à voir.

Peut-on assimiler les apparitions de Jésus ressuscité aux expériences mystiques dont il nous est parlé dans l'histoire de l'Église (celles d'une sainte Thérèse, d'une sainte Catherine de Sienne ou d'une Bernadette de Lourdes) ? Oui et non, mais surtout non.

Oui, parce que, ici et là, pour les apôtres et pour Bernadette, il y a une *expérience de l'ineffable*; à Jérusalem comme à Lourdes, l'ineffable (c'est-à-dire ce qui n'est pas naturellement objet d'expérience : Dieu même ou Marie) *devient objet d'expérience.* Lisez n'importe quel livre sérieux sur les mystiques, Baruzi ou Delacroix, et songez que c'est par l'étude des mystiques que Bergson a accédé à la foi. *L'expérience mystique est celle du divin :* c'est vrai pour sainte Thérèse ou pour sainte Bernadette, c'est vrai pour les apôtres.

Mais j'ai dit : surtout non. Car, dans l'expérience des apôtres, dans ce que nous appelons les apparitions de Jésus ressuscité, il y a quelque chose qui est absolument original, quelque chose dont eux seuls ont fait l'expérience. Quoi donc ? Quelle différence fondamentale y a-t-il entre les apparitions de Jésus aux apôtres et celles de Marie à Bernadette ? Ceci : *l'identité de celui qu'ils voient maintenant, après sa mort, avec celui qu'ils avaient connu, avant sa mort, dans les conditions de l'existence naturelle.* C'est le même. Les apôtres reconnaissent Jésus comme étant bien celui avec lequel ils avaient vécu avant sa mort. Bernadette ne reconnaît pas Marie comme une femme avec laquelle elle avait gardé les moutons. Il n'y a aucune reconnaissance d'une identité. L'expérience des apôtres est absolument originale et unique dans l'histoire : *ils saisissent qu'il y a continuité entre la vie mortelle de Jésus et son existence de Ressuscité.*

La genèse de la foi chez les apôtres

Essayons de comprendre comment les choses se sont passées, bien que ces questions-là, comme vous le voyez, ne soient pas tellement simples. Il est probable que si cela n'est pas simple, c'est que nous avons été un peu déformés. Il faudrait que ce soit simple (je ne dis pas simpliste!), car la foi est pour tout le monde et non pas seulement pour les érudits et les philosophes. Il y a trois temps de la genèse de la foi chez les apôtres :

PREMIER TEMPS : les apôtres sont des hommes qui ont *rencontré* Jésus, *l'homme Jésus, dans sa vie mortelle*; ils l'ont suivi, ils ont cru en lui comme étant *le Messie annoncé, sauveur de leur nation,* je ne dis pas comme étant Dieu, aucun apôtre n'a cru avant la Pentecôte que Jésus était Dieu! Premier temps : vie mortelle, des hommes mortels vivant avec un homme mortel.

DEUXIÈME TEMPS : *cette foi,* réelle mais *fragile, a subi l'épreuve terrible de la mort de Jésus,* pas n'importe quelle mort mais une mort infamante. *Ce fut pour eux la fin d'un beau rêve,* l'interruption *d'une belle aventure. Ils ne croient plus en leur messie, condamné et crucifié.* Croient-ils encore en Dieu ? Ce n'est pas tellement sûr, *car Dieu a laissé condamner le juste* : un Dieu qui laisse condamner le juste existe-t-il ? *Ils sont dans un désarroi* total, *ils n'espèrent plus rien.* Dans l'épisode admirable des disciples d'Emmaüs, saint Luc a décrit ce désarroi : nous espérions mais nous n'espérons plus... et ils se dispersent. *Ils restent cependant ceux qui se sont attachés à Jésus et qui l'ont suivi pendant trois ans. C'est à partir de là que va s'engendrer leur foi pascale, par l'intervention de Jésus ressuscité.*

TROISIÈME TEMPS : quelqu'un se présente à eux. C'est un signe qui est donné : quelqu'un qui tout à coup est là sans que personne ne se soit aperçu de son approche. Ce pourrait être le jardinier (c'est ce que croit d'abord Marie-Madeleine), ce pourrait être un voyageur sur la route entre Jérusalem et Emmaüs. *Cela n'éclaire pas les apôtres, cela les perturbe au contraire.* Qu'est-ce que c'est ? Ils n'ont plus ni foi ni espérance : *comment reconnaîtraient-ils par leurs sens naturels* (leurs yeux, leurs oreilles, leurs mains) *quelqu'un qui a dépassé l'existence naturelle et qu'on ne peut donc pas reconnaître par les seuls sens naturels ?* S'ils le reconnaissaient d'emblée, Jésus serait un cadavre réanimé comme Lazare : il serait revenu à la vie mortelle. Mais Jésus est passé à la vie éternelle, la vie proprement divine. Alors *ce quelqu'un leur explique les Écritures en les appliquant à sa vie passée et surtout à sa mort. Il leur propose une lecture des Écritures qui va plus loin que ce qu'ils en avaient compris jusqu'alors. Il leur explique ce que les Prophètes avaient annoncé au sujet du Messie qui devait souffrir et mourir.* Pour les apôtres, c'est une lumière projetée sur les souffrances et la mort de Jésus, qui avaient été la cause de leur désarroi, qui avaient été pour eux les ténèbres mêmes où leur foi s'était engloutie. *Leur foi renaît,* et voici le point capital : *ils comprennent que Jésus,* justement parce qu'il était le Messie, *devait souffrir et mourir* (non pas quoique, mais parce qu'il était le Messie). Les Prophètes l'avaient dit, maintenant les apôtres le comprennent.

Et, en même temps que sa passion et sa mort, les Écritures *avaient annoncé l'exaltation du Messie. Dans l'immédiat, c'est l'Église à faire grandir. C'est pourquoi, aussitôt que les apôtres ont reconnu Jésus, se sont assurés de son identité, Jésus les tourne vers l'avenir, en leur confiant une mission :* faire l'Église, faire grandir l'Église. *Ce point de l'envoi en mission est aussi important que le retour sur le passé (l'exégèse moderne y insiste fortement).*

On entend souvent l'objection suivante : *si la résurrection du Christ avait été attestée par des hommes autres que les apôtres, neutres,* disons des païens qui n'auraient pas connu Jésus, *ou même par ses adversaires* (les pharisiens, les princes des prêtres), un tel témoignage ne serait-il pas plus probant ? N'y a-t-il pas un motif de doute dans le fait que *les apôtres étaient en situation privilégiée par rapport à une éventuelle résurrection ?* Ce serait beaucoup moins suspect, entend-on couramment, si Judas avait été le témoin de la résurrection...

Prendre au sérieux une telle objection, c'est imaginer la résurrection comme la réanimation d'un cadavre, comme le retour de Jésus à une vie naturelle. C'est concevoir la résurrection comme un prodige qui dispenserait d'un acte de foi (il n'y a pas eu besoin de faire un acte de foi pour reconnaître Lazare sortant du tombeau!), *un prodige qui pourrait « frapper de terreur n'importe qui et le contraindre en quelque sorte à la foi »*[4]. Imaginez Judas témoin de la résurrection : il ne serait pas allé se pendre, il aurait bien été obligé de croire! Mais c'est contradictoire, car si l'on est contraint à la foi, la foi n'est plus la foi. Une résurrection qui ne serait qu'un prodige frappant n'importe qui et contraignant à la foi, ce ne serait pas sérieux!

Le vrai, c'est que, *si des adversaires de Jésus s'étaient trouvés avec les apôtres sur le chemin d'Emmaüs, ils auraient peut-être vu un « inconnu », ils n'auraient certainement pas reconnu celui qu'ils avaient crucifié.* Je dis : peut-être, car vous savez comment l'on pose la question, et des enfants la posent déjà à huit-neuf ans! Un brave homme aurait été là fumant sa

4. RAMSEY, *La Résurrection du Christ,* p. 43.

pipe sur le pas de sa porte donnant sur la route d'Emmaüs : aurait-il vu deux ou trois voyageurs ? Je n'en sais rien. Tout dépend précisément de ce que l'on pense : apparition extérieure ou purement intérieure, en tout cas certainement objective. Aussi aurait-il vu peut-être un « inconnu » mais il n'aurait certainement pas reconnu celui qu'il avait crucifié, à supposer que ce brave homme soit l'un des bourreaux qui ont cloué Jésus à la croix.

Il faut ajouter ceci : les apparitions sont un signe qui disparaîtra. L'Ascension en sera le dernier et la fête de l'Ascension est la fête de l'ultime apparition. *La foi parfaite implique en effet le dépassement de tout signe particulier, la liberté par rapport aux signes. La foi* parfaite est la foi selon l'Esprit. *C'est la Pentecôte qui inaugure cette foi. Au-delà des apparitions, et bien plus qu'elles, ce sera l'expansion de l'Église qui sera la pleine manifestation de Jésus ressuscité.*

Les tentations de l'incroyant et du croyant

Qu'en est-il de la résurrection du Christ pour l'incroyant ? L'incroyant moderne est un peu dans la situation des apôtres avant qu'ils n'aient reconnu Jésus dans un acte de foi. *Les signes* (tombeau vide et apparitions), *s'ils sont privés de leur sens, tendent à s'effriter. Pour les apôtres, Jésus qui se manifeste provoque d'abord l'effroi : ils le prennent pour un fantôme. Pour l'historien, tant qu'il reste en deçà de la foi, les signes sont fragiles et même sujets à caution. La foi réagit sur les signes en révélant, en éclairant leur cohérence et leur solidité. Mais l'incroyance aussi réagit sur les signes en les disloquant en quelque sorte et en les dissolvant.*

Pour l'historien incroyant, il y a bien une donnée littéraire du tombeau vide et des apparitions : c'est écrit ! *Mais cette donnée littéraire, si elle est séparée de son sens, tend à se vider d'elle-même en sorte qu'elle ne parvient même plus à constituer une problématique : l'incroyant, d'une part, tend à supprimer la donnée du tombeau vide comme fait historique* (il dira que les premiers chrétiens ont inventé ce fait pour les besoins de la cause, ou bien, si l'étude sérieuse des textes conclut au caractère vraiment historique du tombeau vide, il trouvera une issue à la question posée par le fait historique dans la légende juive que rapporte Matthieu 27, 64 et 28, 13 selon laquelle « les disciples de Jésus sont venus pendant la nuit et ont dérobé le corps afin de pouvoir dire au peuple : il est ressuscité des morts »). Et, *pour ce qui est des apparitions, l'incroyant aura tendance à les interpréter comme des phénomènes d'autosuggestion ou d'hallucination collective.* Le point important, c'est ceci : quand on méconnaît le sens du fait, on en vient à dissoudre le fait; la méconnaissance du sens tend à refluer sur le fait et à le dissoudre.

Mais *prenons bien garde, inversement, à ne pas majorer la donnée historique.* C'est la tentation du croyant : *il nous arrive de raisonner comme si le sens était immédiatement perceptible dans la donnée historique. Comme si le tombeau vide était par lui-même une preuve de la résurrection. Comme si les apparitions permettaient d'identifier Jésus instantanément, sans qu'il y ait à faire un acte de foi.* Comme si Jésus était Lazare revenu à la vie. Prenons garde : s'il en était ainsi, il faudrait dire que *la résurrection de Jésus tombe tout d'un bloc sous les prises des sens et de l'histoire.* Il faudrait alors conclure que l'incroyant est un imbécile ou un ignorant, qu'il ne connaît pas les textes ou qu'il est incapable de les lire correctement ou encore qu'il est de mauvaise foi (Dieu sait qu'on ne s'est pas privé de traiter les incroyants d'imbéciles ou de gens de mauvaise foi). Mais c'est malhonnête et nous n'en avons absolument pas le droit : ne majorons pas la donnée historique; la résurrection de Jésus n'est pas purement et simplement un fait historique comme la bataille d'Austerlitz. La foi est libre, sans quoi ce n'est pas la foi !

Non un prodige mais une série de signes

De grands peintres se sont essayés à mettre en scène Jésus sortant du tombeau dans l'éclat de sa victoire, par exemple tel tableau du Pérugin où le Christ sort du tombeau avec une petite bannière ! Ils ont peut-être réalisé des chefs-d'œuvre mais ils nous ont rendu un mauvais service. Aucun témoin n'a jamais vu pareille chose. Jésus ne s'est pas montré ressuscitant : il a appris aux siens à le reconnaître ressuscité. S'il y avait eu une sortie spectaculaire du tombeau, le mystère aurait été ravalé au niveau du mythe; on aurait eu affaire à un merveilleux purement humain et fermé sur l'humain.

J'aimerais que vous réfléchissiez à la question suivante (c'est en effet avec des questions comme celle-là qu'on peut mesurer la qualité de la foi car il y a des gens qui se disent croyants et qui, en fait, sont tout simplement avides de ce qu'on appelle le merveilleux; ce merveilleux qui permet de tripler le tirage de *Paris-Match*, quand il raconte l'histoire d'une Vierge en bronze qui se met à pleurer ou d'une hostie sanglante !) : que penseriez-vous d'une religion fondée sur un dieu mort qui prend sa revanche en nous éblouissant par une victoire en force ? Une telle victoire serait trop semblable à cette sorte de revanche dont il nous arrive de rêver quand nous voudrions que l'Église « prenne sa revanche » sur tous ces « méchants loups de communistes et de francs-maçons, etc. ». Nous rêvons tous d'un Christ plus ou moins triomphal.

S'imaginer Jésus sortant spectaculairement du tombeau, c'est glisser au plan des mythologies païennes; c'est faire Dieu à notre image; c'est introduire Dieu, non pas dans notre histoire véritable qui est l'histoire de nos décisions mais dans ce que nous voudrions que soit notre histoire, pour nous en évader. Ce serait le triomphe du folklore et ce n'est pas le moment de donner à confondre la sublimité de la foi chrétienne avec je ne sais quel succédané des folklores païens!

La résurrection ne peut pas être un prodige arrachant l'évidence; elle ne peut être qu'une série de signes sollicitant la foi. Il faut bien remarquer ceci : ce sont ceux qui ont constaté du plus près le prodige qui ont refusé la foi, je veux dire les chefs juifs qui avaient fait garder le tombeau. Rappelez-vous : ils n'avaient pas contesté la résurrection de Lazare comme fait, car, pour le coup, c'était incontestable! Ils avaient simplement conclu à l'urgence de supprimer Jésus : c'était là pour eux le sens du fait : puisque cet homme fait de tels prodiges, tous vont croire en lui et les Romains viendront détruire notre nation. Ils avaient ainsi illustré la réponse d'Abraham au mauvais riche de la parabole : « S'ils n'écoutent pas Moïse et les Prophètes, ils ne croiront pas davantage un mort ressuscité » (Lc 16, 31).

Au vrai, il n'y a nulle part dans l'Évangile des prodiges qui soient uniquement des prodiges : Jésus les refuse catégoriquement. Il ne voudrait pas qu'on croie à cause du prodige : quelle qualité aurait une telle foi? Au désert, il n'a pas changé des cailloux en pains; quand on lui demande un signe dans le ciel, il répond que le grand signe sera sa mort (Mt 12, 40). La multiplication des pains n'est pas une surproduction de victuailles qui, à elle seule, ne pourrait que refermer le désir des hommes sur les commodités terrestres : un pur merveilleux mythologique par conséquent! Le vrai signe est pour orienter l'espérance et la foi vers les réalités définitives, à savoir que l'homme ne vit pas seulement de pain. C'est pourquoi le discours sur le pain de vie, l'eucharistie, fait corps avec la multiplication des pains (Jn 6).

Le danger, c'est de vouloir chercher à reconstituer ce qui a bien pu se passer au juste et de nous détourner de ce que les évangélistes veulent dire. Or ce qu'ils veulent nous dire, ce n'est pas ce qui s'est passé au juste, heure par heure ou jour par jour mais c'est nous introduire à une expérience, celle de *la présence réelle nouvelle de Jésus*. Cette présence nouvelle n'est pas enregistrable : il ne peut plus être reconnu par le témoignage des sens. Il est tout autre. Non pas un autre, mais le même devenu tout autre.

Comme l'écrit le Père X. Léon-Dufour[5], nous avons deux séries de textes évangéliques :

— Une série qui insiste sur le fait que Jésus ressuscité n'est pas un fantôme, un esprit (les juifs croyaient facilement aux fantômes et aux esprits) ; il est bien précisé : « Touchez-moi et rendez-vous compte qu'un esprit n'a ni chair, ni os, comme vous voyez que j'en ai » (c'est en toutes lettres dans Lc 24, 39 !) ; une série pour bien affirmer que Jésus est réellement ressuscité dans son corps.

— Une autre série de textes pour affirmer que ce corps n'est plus le même : le Ressuscité apparaît, disparaît, traverse les portes fermées, son corps échappe aux déterminismes de l'espace et du temps. Il est le même (première série), mais le même devenu tout autre (seconde série). Il y a donc deux séries de textes pour nous permettre de viser — le mot est important — ce qui ne peut pas être l'objet d'une représentation précise, à savoir « un corps spirituel », comme le dit saint Paul.

Parmi les signes qui sont donnés, un seul peut faire l'objet d'un constat : le tombeau vide. Pour les apparitions, c'est autre chose. Nous pouvons être sûrs que les disciples d'Emmaüs, Marie de Magdala et les disciples, isolément ou en groupe, ont été seuls à voir et à entendre Celui qui se manifestait. S'ils avaient disposé de caméras ou de magnétophones, ils n'auraient rien pu enregistrer ni photographier. Ce qui leur est demandé, c'est de témoigner.

On ne saurait trop insister sur cette différence entre le témoignage et le reportage. Beaucoup seraient tentés de voir dans le reportage pourvu de tous les moyens d'enregistrement le sommet de la vérité historique. Ils ne voient pas que les caméras et les magnétophones ne peuvent fixer que des apparences extérieures. Pour enregistrer une expérience profonde, le seul instrument valable est le cœur au sens biblique du mot, c'est-à-dire la conscience. Ce qui conduit à poser la question : pourquoi croyez-vous ? Quel est le motif de votre foi ? Autrement dit, quel est le sens que la résurrection de Jésus donne à votre vie ? Non pas seulement le fait mais le sens du fait.

Si l'on veut garder un mot que la photographie utilise, je dirai que ce qui est « impressionné » par l'expérience de Jésus ressuscité est le fond de l'être, notre existence même. Quand les apôtres disent : « Nous en sommes les témoins » (Ac 5, 32), cela ne signifie pas : nous

5. X. Léon-Dufour, *Résurrection de Jésus et message pascal*, Seuil, 1971, p. 216-218 et 273.

l'avons vu sortir du tombeau. Cela veut dire : nous sommes absolument certains que Jésus est vivant; il a ouvert une fois pour toutes, en sa personne, les portes de la Vie véritable, c'est-à-dire qu'il est, Lui, la Résurrection. Et de cette certitude qui est plus qu'humaine, le don que nous faisons de nos vies jusqu'au martyre est le garant. C'est le témoignage!

Conclusion : la résurrection du Christ est une question posée à l'histoire

Pour l'historien qui n'est qu'historien, la résurrection du Christ pose une question insoluble avec les moyens propres à l'historien, une question dont on ne peut se débarrasser avec des explications d'ordre empirique. C'est une question à la fois insoluble et inévacuable : on ne peut pas l'évacuer et, au plan purement historique, on ne peut pas la résoudre.

Il ne s'agit pas seulement d'une énigme historique, comme l'identité du Masque de fer ou la naissance de Weygand. Il s'agit d'une question qui dépasse toute possibilité de solution (j'entends bien : au plan purement historique). Non seulement elle n'est pas résolue mais elle n'est pas soluble. La résurrection, à ce plan historique, ne peut pas être affirmée comme fait historique; mais elle ne peut pas ne pas rester une question historique, une question objectivement posée. En tant qu'historien, il est impossible d'aller plus loin.

Mais aucun historien n'est purement historien, pas plus qu'aucun savant n'est purement savant. Un savant est un homme, un historien est aussi un homme qui peut être marié, avoir des enfants, être musicien, être croyant... Or, parce qu'il est un homme, l'historien ne peut pas se cantonner dans l'étude d'un objet soigneusement limité et considéré avec l'indifférence de la science qui n'est que science. L'historien ne peut pas ne pas se sentir lui-même engagé dans l'histoire : il faut bien qu'il laisse parler en lui l'homme qui est confronté au sens de cette histoire.

Aujourd'hui il ne peut pas ne pas sentir la question posée par vingt siècles de christianisme, il ne peut pas ne pas s'interroger sur le sens divin possible de l'histoire humaine. Le fait parfaitement original de la résurrection du Christ (disons pour ne rien préjuger : le fait parfaitement original du témoignage des apôtres sur la résurrection du Christ) ne peut pas ne pas lui poser la question d'une « dimension transcendante » de l'histoire. Il peut donc admettre raisonnablement que le « doigt de Dieu » est là, il peut l'admettre en tant qu'homme qui se pose des questions sur le sens de l'existence humaine.

Faut-il aller plus loin, et ajouter que c'est même la seule issue raisonnable à la question inévacuable? Seulement cela exige qu'il admette les limites radicales de la raison humaine en tant qu'elle explique l'enchaînement des phénomènes. Il faut aussi, s'il veut être vraiment sérieux, creuser une philosophie du corps, pour comprendre que la disparition du cadavre de Jésus n'est pas une volatilisation de matière mais une assomption transfigurante de cette matière en Dieu.

Ce jugement, il lui sera toujours loisible de le refuser, mais alors il demeure enfermé dans la considération d'un fait dépourvu de sens. Seul l'acte de foi ouvre au sens. Ce sens est que la mort est vaincue, ou que l'amour est plus fort que la mort. Mon exigence la plus profonde est la vie : je veux vivre à jamais. Si vous me dites que vous n'y tenez pas tellement, je suis obligé de rompre le dialogue, je n'y peux rien. Tout ce que je peux dire, c'est que je ne suis pas fait comme vous. Mais moi, je veux vivre à jamais. La résurrection me dit : tu vivras à jamais. C'est le sens. C'est pour cela que je crois.

Quand Marc Oraison était chirurgien à Bordeaux, il voyait quotidiennement les hommes mourir, cesser de vivre. Il décida d'être prêtre pour qu'au sein de l'universelle mortalité la messe soit dite, et, par la messe, que la Résurrection soit rendue présente au cœur même d'un univers où tout est mortel. Il le dit longuement à plusieurs reprises dans ses livres. La résurrection est, en effet, au-delà de toute mort, la Vie, la brèche dans le cercle de l'universelle mortalité, où, sans elle, nous sommes bel et bien enfermés.

*Le Christ est ressuscité des morts et monté aux cieux**

La résurrection

Nous allons étudier le sens, la signification du Mystère. Une phrase suffit, je pense, à dire l'essentiel : « L'amour est plus fort que la mort, à condition qu'il soit d'abord plus fort que la vie. » L'amour plus fort que la vie, c'est le sacrifice et c'est la mort; l'amour plus fort que la mort, c'est la résurrection. En d'autres termes, le sacrifice, qui est une mort partielle, et la mort qui est le sacrifice total transforment la vie selon la chair et le sang en vie selon l'esprit. Le mystère pascal — mort et résurrection ensemble — est un mystère de transformation, la transformation de l'homme charnel en homme spirituel et même proprement divin par participation.

* *Manuscrit* : « Résurrection - Ascension - Jugement », nº 6 de la série sur la première partie du Credo rédigée en 1977-1978. — *Polycopie :* aucune correspondant à ce manuscrit; j'ai toutefois tenu compte d'une polycopie de Belleville : « S'expliquer sur les changements dans l'Église : ressusciter, cela veut dire quoi ? » (8 avril 1973).

L'amour est un désir d'immortalité

Pour comprendre cela, il faut, comme toujours, partir de l'expérience et réfléchir sur l'expérience éclairée par la foi. C'est bien l'expérience que nous avons de l'amour qui nous persuade qu'il y a dans l'homme un incoercible désir d'immortalité.

Je ne sais pas si l'immortalité de l'âme peut être établie par un argument philosophique. On peut en douter. Naguère les philosophes chrétiens, disons plutôt les chrétiens professeurs de philosophie (au moins dans l'enseignement secondaire) n'en doutaient pas. Ils enseignaient ceci : ce qui est spirituel est incorruptible; or l'âme est spirituelle; donc l'âme est incorruptible, c'est-à-dire immortelle. C'était tout simple. Aujourd'hui nous allons moins vite en besogne, et nous récusons la trop commode dualité de l'âme et du corps. Nous pensons que Gabriel Marcel a raison de nous mettre en garde contre la formule : « J'ai un corps » à laquelle il faut préférer, dit-il, la formule : « Je suis mon corps. » Ce qui veut dire que le corps et l'âme ne sont pas deux réalités dissociables : l'âme n'est rien sans le corps. C'est pourquoi l'athéisme nie toute immortalité.

Mais le même Gabriel Marcel, qui est chrétien et qui a écrit des pages admirables sur l'espérance, pose autrement la question de l'immortalité. Comme le faisait déjà saint Augustin dans ses *Confessions*, il affirme l'immortalité à partir de l'expérience de la mort d'un être aimé. Il faut bien accepter, dit-il, la mort de l'être qui nous est cher, époux ou épouse, enfant ou frère ou ami, mais en son fond cette mort est inacceptable.

Il précise : non pas inacceptable par revendication du cœur, non pas à cause de la souffrance, mais par protestation de l'esprit. Le cœur souffre, mais il dit oui. Ou s'il dit non, c'est qu'il se révolte; mais il se révolte en vain. Tandis que l'esprit ne peut pas ne pas dire non. Pourquoi ? Parce que dire à quelqu'un : « Je t'aime », c'est équivalemment lui dire : « Tu ne mourras pas. » Dans le « Je t'aime » authentique (et certes il faut souligner « authentique », car nous savons assez que « je t'aime » est bien souvent prononcé à la légère, au niveau des fibres les plus superficielles de l'être), est inscrit d'une écriture énigmatique un « Tu ne mourras pas » qui résiste mystérieusement au désespoir de la perte et à l'évidence sensible de la mort.

Comme le dit Étienne Borne, Gabriel Marcel donne ses lettres de noblesse philosophique au fameux « Salut en l'immortalité » que Baudelaire, dans *Les Fleurs du mal*, adresse « à la très chère, à la très belle ». On connaît l'admirable poème intitulé *Hymne* :

A la très chère, à la très belle,
Qui remplit mon cœur de clarté,
A l'ange, à l'idole immortelle,
Salut en l'immortalité !

Elle se répand dans ma vie
Comme un air imprégné de sel,
Et dans mon âme inassouvie
Verse le goût de l'éternel.

Comment, amour incorruptible,
T'exprimer avec vérité ?
Grain de musc qui gis, invisible,
Au fond de mon éternité !

A la très bonne, à la très belle,
Qui fait ma joie et ma santé,
A l'ange, à l'idole immortelle,
Salut en l'immortalité !

Les jeunes gens, qui aiment Baudelaire et qui souvent sont amoureux très tôt, devraient bien recueillir la leçon que leur donne le poète, leçon d'authenticité dans l'amour : l'amour authentique est incorruptible, *indestructible*; il exige de l'être; il est comme un *appel d'infini* (au sens où l'on parle d'un appel d'air). Mais si l'amour exige l'infini, il ne peut le donner. Il dit à l'être aimé : « Tu ne mourras pas », mais l'être aimé meurt. *Il prétend à l'éternité* (comme dit Baudelaire, il verse en nous le goût de l'éternel), *mais, en réalité, il fait partie du monde de la mort*, il est enfermé comme nous dans le cercle de la mortalité, *avec sa solitude et sa puissance de destruction*[1]. Le paradoxe est violent.

Survivre par soi ou en un autre ?

C'est à partir de ce paradoxe que nous vivons tous plus ou moins, que nous pouvons comprendre ce que signifie le mystère chrétien de la résurrection. *C'est le triomphe de l'amour sur la mort :* c'est l'amour plus fort que la mort. Mais comment l'amour peut-il être plus fort que la mort ? Qu'est-ce qui peut me rendre immortel ? Car enfin il est certain que je tomberai en poussière; rien ne peut faire que je ne sois

1. J. Ratzinger, *Foi chrétienne hier et aujourd'hui*, p. 213-216.

voué à la mort. Je ne peux survivre qu'en un autre, un autre qui subsiste encore quand moi je ne subsiste plus.

Il faut bien comprendre pourquoi la Bible lie étroitement le péché et la mort, pourquoi saint Paul par exemple affirme que « la mort est le salaire du péché ». Le péché, en son essence, est une affirmation d'autarcie; le pécheur est celui qui veut être « comme Dieu », c'est-à-dire *subsister éternellement en lui-même et par lui-même*. Or l'homme ne peut pas subsister en soi et par soi : vouloir cela, aspirer à cela, c'est en réalité se livrer à la mort.

Mais comment subsister en un autre, ou en d'autres ? Il y a plusieurs voies possibles. L'homme les a toutes essayées. Il y en a surtout deux.

D'abord on veut survivre en ses enfants, se prolonger, comme on dit, dans ses enfants et petits-enfants. C'est bien pourquoi les peuples primitifs ont toujours considéré le célibat et la stérilité comme une malédiction : n'avoir pas d'enfant, c'est l'impossibilité de survivre; et avoir beaucoup d'enfants, c'est avoir plus de chance de survivre, c'est une bénédiction.

Ensuite on cherche à survivre dans la mémoire des hommes, on aspire à la gloire. Et l'on dit bien, en effet, quand on entend Mozart ou quand on contemple Rembrandt, qu'ils sont toujours vivants parmi nous. Manière de parler, certes ! Nul ne s'y trompe : ni Rembrandt ni Mozart ne sont eux-mêmes vivants ; et moi, qui les écoute ou les contemple, je ne les écouterai ni ne les contemplerai toujours ; je les rejoindrai dans une des innombrables nécropoles qui couvrent la terre.

Au vrai, je ne puis survivre en un autre que s'il existe un Autre qui soit lui-même éternel, et qui m'aime assez pour m'accueillir en Lui. On ne peut être immortel qu'en Dieu, si Dieu est Amour. Seul un Dieu qui m'aime a la puissance, non pas de m'empêcher de mourir, mais de me ressusciter. Seul l'amour est plus fort que la mort.

Encore faut-il qu'en moi l'amour ait été plus fort que la vie. Le mot est dans l'Évangile sous la forme suivante : « Il n'y a pas de plus grand amour que de donner sa vie pour ceux qu'on aime » (Jn 15, 13). C'est la définition même de la liberté. Être libre, c'est n'être pas esclave (c'est une vérité de La Palice !). Mais de quoi l'homme fait de chair et de sang est-il le plus esclave, sinon d'un vouloir-vivre selon la chair et le sang ? Nous savons bien qu'être lâche, c'est toujours, d'une manière ou d'une autre, dans les petites comme dans les grandes circonstances, avoir le souci prédominant de préserver son bien-être, sa fortune, ses privilèges, sa position en ce monde, sa santé, en un mot ce qu'on appelle la vie. On est esclave quand on se cramponne à ce qu'on est et à ce qu'on a.

En Jésus seul, l'amour est plus fort que la vie

Platon disait : « Seul est digne d'exister celui qui est digne d'être aimé. » Ce que Platon ne savait pas, et que nous, chrétiens, nous croyons de toute notre âme, c'est que seul est digne d'être aimé celui qui aime. Donc seul est digne d'exister celui qui aime. Car celui-là seul est libre, celui-là seul est un homme.

Mais, dans l'histoire de l'humanité, un seul fut absolument libre, parce qu'un seul a parfaitement aimé. Un seul est homme en plénitude. Nous, nous nous efforçons d'aimer; nous construisons péniblement, à longueur de jours et d'années, notre liberté; nous demeurons esclaves de beaucoup de choses et en bien des manières; nous nous accrochons à notre avoir et à tout ce que nous savons bien qui doit mourir; nous collons à la vie en forme d'esclavage et donc de mortalité. Nous sommes attachés plus que détachés. En nous la vie, la vie présente, la vie biologique, la vie mortelle est plus forte que l'amour.

En Jésus seul (je laisse de côté le cas de Marie sa mère), l'amour a été plus fort que la vie. Sa mort est la mort d'un homme absolument libre, absolument détaché de soi et de tout, totalement aimant. Comment Dieu ne l'accueillerait-il pas en Lui, afin qu'il vive éternellement en Lui ? Le Christ n'a vécu que par le Père et pour le Père, donc en un Autre plus qu'en soi. C'est cela, l'amour : vivre en un autre. Mais vivre en un autre, c'est bien mourir à soi. Dire que Jésus est ressuscité, ou que le Père a ressuscité Jésus, c'est donc dire que, pour cet homme pleinement homme en qui l'amour a été plus fort que la vie, l'amour est pour toujours plus fort que la mort. Il est ressuscité, il est Vivant.

Nous sommes donc en mesure de comprendre cette proposition qui tout à l'heure nous a peut-être semblé quelque peu sibylinne : l'amour est plus fort que la mort, à condition qu'il soit d'abord plus fort que la vie.

Le Christ ressuscité fonde notre immortalité

Pour nous qui sommes pécheurs, qui aimons peu et mal parce que nous tenons très fort à la chair et au sang, pour nous qui ne préférons les autres à nous-mêmes que très partiellement, et en nous faisant beaucoup d'illusions, il est clair que, si nous étions laissés à nous-mêmes, nous ne pourrions pas ressusciter. Et finalement l'existence humaine serait absurde, car le « Tu ne mourras pas » que nous disons implicitement à ceux que nous aimons serait un vœu à jamais inexaucé.

Mais le Christ ressuscité nous dit, Lui : « Tu ne mourras pas. » Il nous le dit, puisqu'il nous dit : « Je t'aime. »

Pourvu que nous ne soyons pas totalement enfermés dans notre égoïsme — ce qui est éventuellement le cas des damnés —, il y a en nous, enfoui peut-être au plus profond de notre être, et caché à tous les yeux sauf aux siens, quelque chose qui est digne d'être aimé, donc d'exister éternellement. C'est ce point mystérieux de nous-mêmes, dont nous pouvons espérer qu'il existait en Judas, en Hitler, en Staline, que le Christ rejoint dans sa Toute-Puissance de pardon. Pardonner, ce n'est pas passer l'éponge. Pardonner, c'est recréer, refaire, ressusciter. En nous pardonnant le Christ nous ressuscite, nous rend, en dépit de notre monstrueuse médiocrité, capables de vie divine éternelle. Il faut s'efforcer d'entendre, dans le recueillement priant, dans le silence attentif de la foi, le Christ qui nous dit : « Tu ne mourras pas. » C'est lui, et lui seul, qui fonde notre immortalité.

La vie ressuscitée est une vie transformée, ou, si l'on préfère, transfigurée. « La figure de ce monde passe », dit saint Paul (1 Co 7, 31). La figure seulement. « Il est surprenant, écrivait le Père Teilhard de Chardin, que si peu d'esprits parviennent... à saisir la notion de transformation. Tantôt la chose transformée leur paraît être la chose ancienne inchangée, tantôt ils n'y perçoivent que de l'entièrement nouveau. »

Au ciel, nous demeurerons nous-mêmes; c'est bien moi, et non un autre que moi, qui verrai Dieu dans sa gloire et qui vivrai de sa vie, aimant comme Il aime. Nous ne serons pas absorbés, annihilés, mais portés à un état tout autre, refondus, métamorphosés, transfigurés. Je ne serai pas un autre, je serai bien moi, mais devenu tout autre.

« Notre corps, dit le Père de Lubac, n'est pas destiné, par l'effet de la résurrection qui nous est promise, à un recommencement sans fin de son existence terrestre et charnelle, plus ou moins sublimée seulement par des propriétés miraculeuses; notre corps est promis, non à une quelconque réanimation, mais à une totale métamorphose, qui doit faire de lui, comme dit saint Paul, un « corps spirituel ». Or ce qui est vrai de notre corps individuel n'est pas moins vrai de ce vaste corps collectif que l'humanité se construit à travers les générations. Sa forme actuelle (sa « figure » actuelle) est provisoire... L'Univers est promis, lui aussi, dans l'Esprit Saint, à la grande Métamorphose » (le Père Teilhard écrivait « Métamorphose » avec une majuscule, tant le mot avait pour lui d'importance).

L'Ascension

Le Credo dit ensuite : « Est monté au ciel et est assis à la droite du Père. » Dans quelle mesure nos contemporains sont-ils dupes des images, des trois images réunies dans cette petite phrase ? Franchement, je n'en sais rien. Le problème se pose certainement dans l'éducation des enfants : que veut dire « monter » (le Christ est monté) ? Que veut dire « assis » ? Que veut dire « droite » (à la droite de Dieu le Père) ?

Images et réalités

C'est sans doute pour aider les éducateurs que des théologiens, dans des livres récents, insistent sur la nécessité de dépasser les images pour en déchiffrer le sens. A titre d'exemple, voici ce que je lis dans un de ces livres : « Ascension. Le mot évoque le mont Blanc, l'Everest ou le pic Lénine. Et tout l'attirail de l'alpiniste... Ascension : l'image exprime en termes divers les aspirations fondamentales des hommes : la « montée » des peuples sous-développés, la « hausse du niveau de vie », la « promotion sur l'échelle sociale », la jubilation de celui qui voit « monter » son or, ses dollars ou ses actions, « grimper » sa cote et sa popularité. Ces expressions symboliques, ces déplacements sur la verticale n'abusent personne : nous jouons avec des images comme un organiste joue du Bach avec des tuyaux. Les tuyaux ne sont que des tuyaux, les images ne sont que des images[2]. » Soit, je veux bien ! C'est sans doute ainsi qu'il faut insister avec les enfants.

Je suis tout de même frappé de voir le cardinal Ratzinger, dont le livre est écrit pour des personnes cultivées, insister tout autant. Il se pourrait donc que ce soit nécessaire. « Parler d'ascension au ciel ou de descente aux enfers (et même, dans le Credo de Nicée, de la descente du Verbe éternel sur terre : “ Pour nous les hommes et pour notre salut il descendit du ciel ”) reflète, aux yeux de notre génération éveillée à la critique par Bultmann, cette image du monde à trois étages que nous appelons mythique et que nous considérons comme définitivement périmée. Que ce soit “ en haut ” ou “ en bas ”, le monde est partout et toujours monde; il est régi par les mêmes lois

2. Th. Rey-Mermet, *Croire*, Droguet & Ardant, 1976, I, p. 267.

physiques, il peut être exploré partout par les mêmes méthodes, fondamentalement. Il n'y a pas d'étages... La conception d'un monde à trois étages, au sens local, a disparu. Mais est-ce bien cette conception que voulaient affirmer les articles de foi sur la descente aux enfers et l'ascension du Seigneur ? Elle a certainement fourni les images par lesquelles la foi s'est représenté ces mystères, mais il est tout aussi certain qu'elle ne constituait pas l'essentiel de la réalité affirmée[3]. » Il n'y a pas trois étages cosmiques, il y a plutôt trois dimensions métaphysiques de l'existence humaine.

Que dit le *Dictionnaire du Nouveau Testament* au mot « Ascension » ? Il dit ceci : « Scène rapportée par Luc, et signalée dans la finale de Marc. Deux aspects la caractérisent. En tant que séparation, elle dit la cessation d'un certain mode de relation entre le Christ et ses disciples, jusqu'à la Parousie. En tant qu'élévation jusqu'en haut, ou montée au ciel, elle symbolise l'exaltation, la glorification ou la Seigneurie du Christ présent à l'univers entier[4]. »

Exaltation : il vaut la peine de chercher dans le même *Dictionnaire* ce qui est dit à ce mot : « Pour dire que Jésus-Christ est Seigneur dans la gloire, vivant pour toujours après sa mort, il existe un langage primitif autre que celui de la Résurrection : celui de l'Exaltation. Il s'inscrit dans la tradition juive selon laquelle Dieu élève celui qui a été abaissé et préserve le juste de la mort en l'enlevant au ciel (par exemple Élie). Ce langage présuppose une théologie élaborée à partir d'une cosmologie à trois étages : le ciel, en haut, où siège le Très-Haut; la terre, en bas, où vivent les hommes; les enfers, en dessous, où se trouvent les morts... D'autres textes ne conservent pas l'image de la montée : Jésus est « entré (non pas monté) dans le ciel » (He 9, 24), " il s'en est allé d'ici " (Ac 1, 10)[5]. »

Je lis enfin ce qui est dit dans le même *Dictionnaire* au mot « Droite » (le Christ est assis à la droite de Dieu) : « Qualification dénotant le côté plus noble de l'homme (main ou joue). La droite désigne aussi la Puissance divine[6]. » Le Christ siège à la droite de la Puissance de Dieu : cela veut dire qu'il participe à cette Puissance, qu'il est égal à Dieu en Puissance, qu'il est Tout-Puissant comme Dieu, finalement qu'il est Dieu.

Il y a encore un mot à expliquer, qui n'est pas dans le Credo mais dans saint Luc : c'est le mot « nuée ». Le théologien qui nous parlait

3. J. Ratzinger, *op. cit.*, p. 221.
4. X. Léon-Dufour, *Dictionnaire du Nouveau Testament*, Seuil, 1975, p. 130.
5. Id., p. 248.
6. Id., p. 216.

de mont Blanc, de sac et de piolet, nous parle ici de météorologie : « Faut-il rabâcher, dit-il : cette Nuée fut et sera sans rapport avec la météorologie[7]. » « Ce n'est pas le nuage qui annonce la pluie ou procure de l'ombre. La nuée dans la Bible est ce qui manifeste Dieu présent sans en dévoiler le mystère, ce qui tout à la fois le désigne et le cache[8]. » La nuée qui, selon saint Luc, dérobe le Christ au regard des apôtres, est la même nuée qui conduisait les Hébreux dans le désert et reposait sur l'arche d'alliance, la même nuée d'où s'éleva la voix du Père au moment du baptême de Jésus, la nuée de la transfiguration sur le Thabor, et la nuée sur laquelle le Christ reviendra à la fin de l'histoire pour juger les vivants et les morts. La nuée biblique est à la fois opaque et lumineuse : c'est un élément essentiel du langage des manifestations de Dieu.

Ciel : rencontre intime de Dieu et de l'homme

Ceci dit, le ciel, ou les cieux, où « monte » Jésus, c'est, très exactement, l'intimité de Dieu. Ce que les chrétiens appellent « ciel », ce n'est pas un lieu éternel, supra-terrestre, un domaine métaphysique. Ce n'est pas Dieu seul. *Le ciel est le contact de l'être de l'homme avec l'être de Dieu, la rencontre intime de Dieu et de l'homme.*

Guardini a un mot qui donne à penser : « Le christianisme seul a osé situer un corps d'homme dans la profondeur de Dieu. » Évidemment, cela ne saurait être imaginé. Plus que jamais, ici, il faut mortifier sévèrement l'imagination. Un homme est au cœur de la Trinité. Un homme est l'égal du Père et de l'Esprit.

Et si nous nous souvenons de la parole de Jésus, dans saint Jean, le soir du Jeudi saint : « Je vais vous préparer une place » (Jn 14, 2), ou de cette autre parole : « Je veux que là où je suis, vous soyez avec moi » (Jn 14, 3), nous devons conclure : le ciel est l'avenir de l'homme, l'avenir de l'humanité. S'il y a un homme glorifié au cœur de la Trinité, c'est afin que toute l'humanité soit éternellement en cet homme, Jésus Christ, au cœur de la Trinité. L'Ascension est le signe qui inaugure le ciel, disons en rigueur de terme, qui le fait exister.

L'Ascension est aussi, en un sens qu'il faut comprendre, le départ nécessaire du Christ. Un départ qui est bien plutôt un nouveau mode

7. Th. Rey-Mermet, *ibid.*, p. 272.
8. X. Léon-Dufour, *Dictionnaire du Nouveau Testament*, p. 391.

de présence, non plus extérieure et localisée, mais intérieure et universelle. La vraie présence, sur le mode de l'absence. Si Jésus n'était pas « monté » au ciel, il serait encore parmi nous, au milieu de nous, mais à côté de nous, extérieur à nous, comme je vous suis extérieur et comme vous m'êtes extérieurs. Mais, dit saint Paul, il est monté au ciel « afin de tout remplir » (Ép 4, 10).

L'Ascension du Christ est le respect de notre liberté

Et pourtant l'Ascension est un départ du Christ, en ce sens qu'il ne nous est plus possible, au moment où nous avons des décisions à prendre, de l'interroger pour qu'il nous dise ce qu'il faut faire. Certes nous pouvons, et même nous devons interroger dans la prière Celui qui est en nous plus nous-mêmes que nous. Mais il ne nous répond pas en nous ôtant la responsabilité de nos décisions et de nos actes. Une phrase de Jésus, dans le Discours après la Cène, est extrêmement éclairante : « Il vous est utile que je m'en aille, car si je ne m'en vais pas, le Saint Esprit ne viendra pas » (Jn 16, 7).

Le Saint Esprit, en effet, n'est pas celui qui dicte des décisions, il est Celui qui les inspire. Dieu refusera toujours d'écrire lui-même notre histoire. S'il le faisait, nous ne pourrions pas dire qu'il nous aime, car il consentirait à ce que nous restions des enfants, des mineurs, osons dire des gamins. On s'exprime mal quand on dit que Dieu a un projet sur l'homme. Après tout ma dignité d'homme m'interdit d'accepter que quelqu'un ait un projet sur moi (ce Quelqu'un fût-il Dieu !). Il y a là pour beaucoup un motif profond d'athéisme. Le vrai, ce n'est pas que Dieu a un projet sur l'homme, c'est que l'homme est le projet de Dieu. C'est tout différent.

Dieu nous veut hommes, c'est-à-dire adultes responsables, construisant nous-mêmes notre liberté, écrivant nous-mêmes notre histoire. Le départ du Christ — son Ascension — est essentiellement de sa part le respect de notre liberté. Impossible désormais de compter sur lui pour qu'il nous dicte l'action à entreprendre ou la décision à prendre. Claudel traduit très bien, à sa manière, la phrase de Jésus : « Il vous est utile que je m'en aille, car si je ne m'en vais pas, le Saint Esprit ne viendra pas » en écrivant : « Il faut que je vous soustraie mon visage pour que vous ayez mon âme. »

Quand le Christ a disparu dans la nuée, les apôtres, nous dit saint Luc, continuent à tenir les yeux levés au ciel. Mais il n'y a plus rien à voir, il n'y a plus de visage. Alors les anges leur disent : « Hommes de Galilée, pourquoi restez-vous ainsi à regarder le ciel ? » (Ac 1, 9). Sous-entendu : ne perdez pas votre temps. Vous avez une tâche à accomplir. Et pour accomplir cette tâche, il vous faudra faire preuve d'intelligence et de courage. Vous êtes des hommes : vous avez une raison et un cœur. Avec cette intelligence et ce cœur, enfoncez-vous en plein monde.

Or le monde est très complexe, et il est aussi méchant. Il y a des loups, et votre Maître vous envoie comme des brebis au milieu des loups. Ou encore, autre image qu'employait Jésus : « Soyez candides comme des colombes, mais prudents comme des serpents » (Mt 10, 16). Autrement dit, vous ne pouvez vous dispenser d'analyser aussi correctement que possible les situations — morales, culturelles, économiques, politiques — à partir desquelles vous aurez à décider ce qu'il faut faire. Vous êtes des hommes adultes. Comptez sur l'Esprit Saint qui est en vous pour vous garder une âme de brebis ou de colombe, mais ne comptez pas sur lui pour vous proposer des solutions toutes faites. Les chrétiens ne sont pas dispensés d'être des hommes. On n'est pas homme en se bornant à exécuter des consignes. Dieu, qui aime les hommes, ne leur donne pas de consignes. Jésus dit : « Il vous est utile que je m'en aille. » Et il s'en va.

C'est ainsi qu'il nous est le plus profondément présent. Notre imagination divague quand elle voudrait nous persuader que si le Christ ressuscité « est assis à la droite de Dieu le Père Tout-Puissant », autrement dit s'il est au ciel, il n'est plus sur la terre; s'il est en haut, il n'est plus en bas. Certes nous croyons qu'il descend sur l'autel pour s'y rendre présent dans l'Hostie consacrée. On employait volontiers naguère ce verbe « descendre » qui ne fait que renforcer l'illusion.

Nous disions : le ciel est le contact de l'être de l'homme avec l'être de Dieu, la rencontre intime de l'homme et de Dieu. Donc là où est Dieu, là est le Christ. Le Christ avec son corps et son âme d'homme est, comme Dieu, partout présent. Or c'est exactement là que notre imagination risque de nous jouer de mauvais tours. On se laisse aller à imaginer un corps semblable à notre corps terrestre, biologique, agrandi aux dimensions du monde. Un peu comme, à l'inverse, on se laisse aller à se représenter le corps du Christ comme « miniaturisé » — réduit à l'infiniment petit — dans une parcelle d'hostie consacrée. C'est absurde, et comme on sent bien tout de même que c'est absurde, on se laisse aller, ce qui est pire, à imaginer un Christ qui n'a plus de corps.

Comme l'écrit plaisamment le Père Rey-Mermet : « Il n'a pas largué son corps comme un module lunaire devenu inutile! Autant imaginer qu'un Rubinstein va mettre son piano à la casse[9] ! » On peut apprécier diversement ce genre d'humour, on peut même en être horripilé. Soit ! mais alors soyons très fermes sur ceci, que le même théologien énonce en termes excellents : « Si Dieu s'est fait homme, ce n'est pas pour rejeter précisément ce qui l'a « fait homme », ce qui a construit sa « personnalité » d'homme. Ce sans quoi il ne serait plus un homme... Le Seigneur ressuscité est donc libéré, non de la matière, mais des limitations terrestres de la matière. Ici-bas son corps, par où passait toute rencontre, était aussi entrave et barrière. Ressuscité, ce corps n'est plus que merveilleux moyen de communication avec tous ses frères en humanité, totalement proche de tous à la fois et de chacun comme s'il était seul. »

C'est à nous qu'il appartient, en pleine responsabilité, je le répète, de prendre les décisions qui conviennent pour l'avènement d'un monde plus humain, mais le Christ est présent dans chacune de ces décisions humanisantes pour leur donner une dimension divine. Le Christ est présent et actif pour diviniser ce que nous humanisons. Pour nous faire passer, non pas demain, mais aujourd'hui, jour après jour, décision après décision (je dis « passer », car le mot « Pâques » signifie probablement « passage ») de la terre au ciel (le ciel étant l'intimité de Dieu). C'est là l'essentiel de la foi.

9. Th. Rey-Mermet, *ibid.*, p. 279.

DEUXIÈME PARTIE

L'accueil du don de Dieu

*La Vierge Marie**

Nous affirmons, dans notre Credo, que Jésus, né de Marie Vierge, a été conçu du Saint Esprit. C'est une affirmation scandaleuse pour la raison, incontestablement. Comment ne serait-on pas offusqué par cette idée qu'un petit homme a été conçu sans l'intervention d'un élément mâle ? Comment une femme a-t-elle été à la fois vierge et mère ? C'est pourtant ce que les chrétiens osent affirmer tranquillement comme un point substantiel de leur foi.

La conception virginale du Christ est un événement

Il n'y a pas lieu de s'étonner qu'on ait cherché de tout temps *à minimiser sur ce point le témoignage* de l'Évangile, à en réduire la portée. On a voulu distinguer *différentes couches littéraires* dans la rédaction des textes de saint Matthieu et de saint Luc. On a rappelé avec insistance que les anciens étaient absolument dépourvus d'esprit critique ou *scientifique*. On a tenté de *réduire* l'événement à un symbole : parler de

* *Manuscrit :* « Conçu du Saint Esprit, né de la Vierge Marie », n° 4 de la série sur la première partie du Credo rédigée en 1977-1978. Le Père VARILLON s'appuie sur J. RATZINGER, *Foi chrétienne hier et aujourd'hui*, p. 189 à 196. — *Polycopie :* aucune; mais j'ai tenu compte d'une polycopie intitulée « La Vierge Marie, mythe ou réalité ? » et réalisée à Annecy (18 novembre 1971).

conception virginale, a-t-on dit, peut avoir une signification magnifique, mais à condition de refuser que ce soit un événement historique.

Là-dessus, je veux citer tout de suite deux théologiens lyonnais : le Père Duquoc, dominicain, et le Père George, mariste. Le premier écrit : « Il faut maintenir qu'on ne saurait sauvegarder le sens de la conception virginale indépendamment de son historicité. C'est l'événement qui donne à penser, et non la doctrine qui invente un symbole. Les confessions de foi l'ont toujours comprise ainsi. Il n'existe pas de raison sérieuse de les mettre en doute[1]. » Voilà qui est ferme et net.

Quant au Père George, il précise : « Que signifie au juste un " événement historique " ? C'est un événement que nous connaissons à travers des témoignages dont nous pouvons critiquement établir la valeur. L'existence de Napoléon, la bataille de Waterloo sont en ce sens des événements historiques, parce que sérieusement attestés. La mort du Christ, au temps de Tibère, sous le procurateur Pilate, est aussi un fait historique critiquement attesté par des croyants et des incroyants, par les apôtres, mais aussi par la tradition juive et par l'historien Tacite dans ses *Annales*.

« La résurrection de Jésus est-elle un fait du même ordre ? Affirmer que Jésus est ressuscité, c'est dire qu'il est sorti des conditions générales de l'histoire, qu'il échappe à l'espace et au temps dans l'éternel aujourd'hui de Dieu. Affirmer la résurrection du Christ ne peut être que le fait du croyant qui entre par cette affirmation dans l'ordre de la foi où l'on atteint des réalités qui transcendent l'ordre historique pur.

« C'est aussi le cas de l'Annonciation qui se présente comme une expérience surnaturelle et intérieure. Une apparition angélique, dans la théologie la plus stricte, est un phénomène spirituel, tout intérieur. Ce qui ne veut pas dire irréel. Mais il s'agit d'un ordre de réalités qui relève d'une autre sorte de connaissance, et, par conséquent, d'une autre forme de témoignage.

« Seule Marie peut savoir que son enfant a été conçu virginalement. En lui-même, ce fait ne peut relever de la vérification historique, et il ne peut avoir été connu que par Marie elle-même. D'après ce que rapporte saint Matthieu, Marie n'a rien dit à Joseph au début, et cela paraît très vraisemblable. Mais saint Luc, qui nous rapporte l'Annonciation, nous dit aussi, dans le livre des Actes des apôtres (1, 14), que Marie était présente à l'Église naissante après l'Ascension, qu'elle priait avec les premiers fidèles. Il est vraisemblable qu'une fois Jésus ressuscité et reconnu comme Dieu, on ait interrogé Marie. Il est

1. C. Duquoc, *Christologie I*, Cerf, 1968, p. 35.

vraisemblable qu'on lui ait demandé son expérience, alors que l'Esprit Saint était donné à l'Église.

« Nulle part, il est vrai, le Nouveau Testament ne dit que Marie a parlé de la conception virginale. Mais il y a des indices. Par exemple ceci : saint Luc nous dit par deux fois : " Marie conservait ces choses en son cœur en les méditant " (2, 19 et 51). Or c'est là une formule employée plusieurs fois dans le livre de Daniel lorsqu'il s'agit d'une révélation que l'on doit garder en réserve pour l'avenir, d'un message que l'on ne doit transmettre que plus tard. Dans la composition de son évangile, saint Luc s'est beaucoup inspiré de Daniel. Quand il nous dit que " Marie conservait et méditait ces choses dans son cœur ", c'est sans doute pour nous faire comprendre qu'elle n'a pas parlé tout de suite. Du vivant de Jésus, elle s'est tue. C'était à lui de parler, s'il le jugeait bon. Mais quand Jésus est ressuscité et que l'Église vit de l'Esprit Saint, il est normal qu'on se soit tourné vers Marie pour lui demander ses souvenirs. » Et elle, qui les a précisément gardés pour ce temps-là, les confie à Luc.

On a cherché aussi *à faire entrer* le témoignage de l'Évangile *dans le cadre de l'histoire des religions, afin de présenter la conception virginale comme la variante d'un mythe* universel. C'est un fait que *le mythe de la naissance miraculeuse de l'enfant-sauveur est très largement répandu.* De nos jours il a été renouvelé par Freud et la psychanalyse. *Il exprime une nostalgie de l'humanité : la vierge intacte personnifie la fraîcheur et la pureté, la maternité rassurante et bonne.* L'Évangile a-t-il fait autre chose que reprendre à son compte les aspirations obscures de l'humanité vers la « vierge-mère » ?

Une étude approfondie montrerait[2] que les récits de saint Matthieu et de saint Luc ne s'enracinent pas dans l'histoire des religions, mais dans l'Ancien Testament. Soulignons surtout, avec le cardinal Ratzinger, qu'il y a une différence radicale entre l'Évangile et les récits païens concernant le mythe de la naissance miraculeuse. *Dans les récits païens,* c'est *en un sens physique,* proprement biologique, *que le dieu est père de l'enfant-sauveur ;* le dieu a une activité en quelque manière sexuelle, il procrée, il féconde, de telle sorte que l'être engendré est un demi-dieu, moitié dieu, moitié homme.

Il n'y a rien de tel dans le mystère de l'Incarnation. *Dieu n'est pas le père de Jésus au sens biologique,* comme si l'Esprit Saint avait déposé une semence dans le sein de Marie. *La virginité de Marie n'est pas le fondement*

2. Le Père VARILLON indique les livres suivants : J. DANIÉLOU, *Les évangiles de l'enfance,* Seuil, 1967 ; X. LÉON-DUFOUR, *Dictionnaire du Nouveau Testament,* Seuil, 1975 ; Th. REY-MERMET, *Croire,* I, Droguet & Ardant, 1976, ainsi que des notes de cours du Père St. LYONNET.

de la filiation divine de Jésus. Jésus n'est pas moitié Dieu moitié homme. Il est vrai Dieu et vrai homme, c'est-à-dire *tout entier Dieu et tout entier homme.*

Ratzinger pense, pour sa part (mais tous les théologiens ne partagent pas son opinion), *que la doctrine de la divinité de Jésus ne serait pas mise en cause si Jésus était issu d'un mariage normal*, s'il avait été conçu, comme nous le sommes tous, par la conjonction sexuelle d'un homme et d'une femme. Ratzinger a certainement raison en ce sens que les apôtres ont cru en la divinité de Jésus grâce à la résurrection, donc indépendamment de la conception virginale. Mais, chez les Pères de l'Église, quand ils argumentent contre les hérétiques en faveur de la divinité du Christ, la conception virginale joue tout de même un rôle important.

Quoi qu'il en soit, *la conception virginale ne signifie pas, pour la foi chrétienne, que c'est un nouveau Dieu-fils* qui va naître. C'est le Fils éternel de Dieu, donc Dieu lui-même, qui devient homme. Ce n'est donc pas dans le cadre de l'histoire des religions que l'on parviendra à réduire l'Évangile à n'être que la variante d'un mythe.

Le fond des choses, c'est que Dieu est le Père de Jésus, Dieu seul. Le Christ n'est pas un fruit de l'histoire de l'humanité, ce n'est pas l'humanité qui l'engendre. *Il est le Don d'En-Haut. Il ne procède pas du propre fonds de l'humanité, mais de l'Esprit de Dieu. Il est, comme dit saint Paul, le « Nouvel Adam »* (I Co 15, 47). Adam, c'est l'humanité. Avec le Christ, *c'est une nouvelle humanité qui commence.*

Ratzinger fait remarquer que si l'on donne à la conception virginale un sens purement symbolique, *si l'on supprime l'événement*, comme beaucoup ont tendance à le faire aujourd'hui, *il n'y a plus que discours vides, et il y a, à la lettre, un manque d'honnêteté.*

Chaleur et sobriété de la foi de l'Église

Le Credo est d'une remarquable sobriété. Nous devrions, nous aussi, être très sobres, surtout quand nous parlons de Marie. L'outrance et l'intempérance de la parole aboutissent toujours à rabaisser ce que l'on voudrait exalter. Avec les meilleures intentions du monde, on donne libre cours à l'imagination, à la sensibilité, à la curiosité même. Et l'on risque d'oublier que l'Évangile impose de mortifier devant le mystère de Dieu la curiosité, l'imagination et la sensibilité qui se déploient trop souvent au niveau de l'épiderme et aux dépens de la profondeur.

La sobriété n'exclut pas la chaleur. La véritable intimité n'est ni sèche ni froide. Il y a une louange merveilleuse dans le silence aimant. Louer quelqu'un en effet, c'est lui faire savoir qu'il est digne d'être aimé. Or cela, on le signifie plus éloquemment par un simple regard qu'avec la profusion des mots.

Chaleur et sobriété : c'est toute la vie profonde de l'Église. L'une ne va jamais sans l'autre. La chaleur se traduit par le jaillissement spontané et ininterrompu de la prière dans le peuple de Dieu. La sobriété est l'apanage des définitions dogmatiques : quand l'Église le juge nécessaire, elle formule brièvement et nettement ce qui doit être affirmé pour que la lumière qui vient du Christ soit correctement accueillie. Si la piété n'était pas éclairée par le dogme, elle aurait bien du mal à éviter l'excès, l'outrance et donc la déviation. Mais si la formulation dogmatique n'était pas vivifiée par l'élan chaleureux du cœur, elle serait sèche comme un théorème, abstraite et finalement stérile. Pour les âmes affamées, elle serait comme de la pierre, alors qu'elle doit être comme du pain.

Depuis le début de son histoire, l'Église réfléchit sur le mystère du Christ vrai Dieu et vrai homme. L'Incarnation est le centre de tout, le cœur du Réel, la Réalité même. Non pas un mystère parmi les mystères, mais le Mystère.

Toutefois il ne se peut pas que la réflexion sur Marie n'accompagne la réflexion sur le Christ. Accompagnement : le mot a été prononcé, paraît-il, par des observateurs de l'Orient chrétien au dernier concile. Il est très éclairant. Il y a la mélodie, et il y a son accompagnement. C'est la mélodie qui importe, et si l'accompagnement importe aussi, c'est de façon subordonnée et en fonction de la mélodie. Un accompagnement musical n'est pas entendu pour lui-même et indépendamment de la mélodie, mais uniquement dans sa relation avec celle-ci.

C'est bien ainsi que l'Église a toujours compris les choses. Elle a prié Marie, elle a formulé dogmatiquement la grandeur de Marie, mais toujours uniquement comme un accompagnement de sa prière au Christ et de sa réflexion sur le Christ. Un accompagnement, non point arbitraire, mais nécessaire. Comme l'écrit le cardinal Ratzinger, *la dévotion mariale ne peut reposer sur une mariologie qui serait une espèce de deuxième édition réduite de la christologie ; on n'a ni droit ni motif d'établir cette sorte de duplicata.* Les Pères de l'Église ont toujours vu en *Marie la figure de l'Église, la figure de l'homme croyant qui ne peut arriver à la réalisation plénière de lui-même que par le don de l'amour*, ce que la théologie appelle la Grâce. Le Christ est le Don donné; Marie, le Don accueilli.

*L'Église, visibilité du don de Dieu**

S'il y a tant de nos contemporains, notamment parmi les jeunes mais aussi parmi les aînés, qui posent la question : « Ne serait-il pas possible d'adhérer au Christ sans passer par l'Église ? », c'est bien que l'Église apparaît comme un obstacle à la foi. Ils voudraient bien aimer le Christ et son Évangile mais sans ce qu'ils appellent le « système », entendez par là toutes les institutions pontificales, diocésaines, juridiques, morales, sacramentelles, etc., qui pèsent sur les épaules de beaucoup comme un carcan ou une chape de plomb.

* *Manuscrit* composé de notes diverses plutôt anciennes et d'un texte rédigé en 1969 sous le titre « Triple origine »; il y a aussi toute une série de notes datant de 1968-1969 sur le thème « Autorité et liberté dans l'Église » et se référant au nº 500 des *Cahiers d'Action religieuse et sociale*. — *Polycopies :* Belleville : « Ne puis-je aller à Dieu sans passer par l'Église ? » (17 mars 1968); Mâcon : « Mystère de l'Église » (22 janvier 1970); Auteuil : « Mystère de l'Église » (16 novembre 1970); Belleville : « Une, sainte, catholique et apostolique » (octobre 1976 à février 1977); Montauban : « L'Église » (six résumés de conférences d'octobre 1977 à mars 1978).

Visibilité du don de Dieu

On ne va pas à Dieu, c'est Dieu qui vient vers nous

Est-il possible d'aller à Dieu sans passer par l'Église ? Cette question cache un piège. Dans les religions autres que le christianisme, il est question en effet d'aller à Dieu : de tout temps, on a pressenti qu'il y a, au-delà du monde, un être transcendant, tout-puissant, et les religions ont cherché à élever l'homme pour qu'il aille à ce (ou ces) dieu. On peut bien essayer de s'élever vers Dieu, un peu comme on s'élève vers un idéal. Les artistes ont un idéal esthétique, les savants un idéal scientifique, les hommes politiques un idéal politique. De même, dans ces religions, on a un idéal religieux.

Mais, s'il est question de la divinisation de l'humanité, si tel est l'objet de notre foi et l'originalité même du christianisme, il n'est pas question d'aller à Dieu. On ne va pas se diviniser soi-même, cela n'a absolument aucun sens. C'est Dieu qui vient. Il n'y a pas de chemin de l'homme à Dieu. Où voulez-vous aller ? Où voulez-vous grimper avec une échelle de corde ? Il y a un chemin de Dieu à l'homme, il s'appelle l'Église. L'Église est le chemin que Dieu prend pour nous rejoindre. Il ne veut pas diviniser les individus isolément les uns des autres mais l'humanité tout entière. Dieu se donne, l'Église est la visibilité de ce don de Dieu dans l'histoire, elle est la portion d'humanité qui accueille visiblement le don de Dieu. Notez que Marie, à elle seule, est toute l'Église quand elle dit « oui » à Dieu. Avant d'être une institution, l'Église est accueil de Jésus Christ et communion de ceux qui accueillent Jésus Christ.

Ceci est capital. Dans le discours après la Cène (Jn 13, 17), Jésus ne dit jamais : « Montez vers Dieu » mais : « Le Père et moi, nous viendrons, nous établirons en vous notre demeure. » L'habitation de Dieu est au milieu des hommes. Aimer l'Église, c'est aimer le mouvement de Dieu vers nous; c'est aimer la hâte avec laquelle le Seigneur accourt vers nous (cf. la parabole de l'enfant prodigue) pour nous prendre avec lui et nous faire vivre de sa vie. Évidemment, nous pouvons faire obstacle à cette venue de Dieu, nous pouvons nous enfermer dans des « imperméables » tels que Dieu ne passera pas (Péguy a des pages charmantes sur ce qu'il appelle « la mouillature » de la grâce divine). Il reste que c'est Dieu qui vient. Il n'est pas immobile, figé dans son éternité, il est vivant. Or la vie est mouvement;

la vie de Dieu est son mouvement vers nous. Nous ne devrions jamais nous le représenter autrement que les bras tendus vers nous et courant pour nous rejoindre.

Appartenance invisible à l'Église

Qu'en est-il donc pour ceux qui ne connaissent pas l'Église ? Sont-ils sauvés ? La question est de savoir pour quelles raisons ils refusent l'Église. Il est plus que probable que la plupart d'entre eux refusent l'Église pour de bonnes raisons : ils n'y voient pas la manifestation visible de Jésus Christ mais une organisation qui leur paraît décadente; ils ont l'impression que l'Église est le lieu de toutes les superstitions; ils estiment (ils n'ont pas toujours tort d'ailleurs) qu'elle est l'alliée des puissances de ce monde, etc., bref, ils ne voient dans l'Église qu'une caricature. Je sais bien que souvent nous donnons prise à la caricature, et nous devons faire notre *mea culpa*.

Il est bien certain que des millions d'hommes qui ne connaissent pas l'Église ou qui, la connaissant, ne veulent pas en entendre parler pour les raisons que je viens de dire, appartiennent invisiblement à l'Église, c'est-à-dire sont sauvés, divinisés, auront une éternité comme nous espérons l'avoir (la participation à la vie même de Dieu), dans la mesure où ils obéissent à leur conscience. Dieu seul peut savoir si quelqu'un appartient ou non à l'Église invisiblement; moi, je n'en suis absolument pas juge. Comme le disait saint Augustin : « Il y en a qui se croient dedans et qui sont dehors; il y en a qui se croient dehors et qui sont dedans. » La question est de savoir si tous ces hommes que nous appelons des incroyants, à supposer que l'Église puisse leur être présentée telle qu'elle est, sans caricature, c'est-à-dire comme le signe historique de notre divinisation, y adhéreraient ou non.

Il vaut mieux donc ne pas dire qu'il y a une Église visible et une Église invisible. Il n'y a qu'une Église et elle est visible. Comment voulez-vous qu'elle ne soit pas visible, puisqu'elle est le signe de notre divinisation ? Un signe est évidemment visible. L'on peut dire que des gens appartiennent visiblement à l'Église et que d'autres lui appartiennent invisiblement. Les neuf cents millions de Chinois sont sauvés, c'est-à-dire divinisés, par l'Église qu'ils ne connaissent pas, à condition que leur activité soit vraiment humanisante. En d'autres termes, s'il n'y avait pas d'Église, il n'y aurait pas de salut.

L'Église n'est pas une institution qui va régir de l'extérieur la vie des chrétiens, comme une organisation qui a ses règles, ses lois, son programme auxquels il s'agirait de souscrire avant d'entrer. L'Église est ce qui nous transmet la vie divine, ce qui nous la communique aussi bien que ce qui la règle. Notre vie a besoin d'être à la fois animée, dynamisée et réglée. S'il n'y a pas de règles, le dynamisme pur risque de conduire aux pires aberrations. A l'inverse, là où il n'y a que règles, lois, disciplines, sans aucune vie, aucun élan, c'est du pur juridisme qui ne répond à aucun de nos besoins profonds. L'essentiel, c'est la vie, c'est la source.

Or la source est le Christ. On ne communique avec Dieu que par le Christ et on ne communique avec le Christ que par l'Église. C'est bien joli de vouloir lâcher l'Église, de vouloir aller à Jésus Christ sans passer par l'Église mais c'est tout de même de « notre mère l'Église » que nous apprenons qui est Jésus Christ. Qu'est-ce que c'est cette histoire de monter sur les épaules de celle qui a été notre nourrice pour lui taper dessus ? Elle a ses défauts et ses fautes qui font souffrir, comme on souffre des imperfections d'une mère. Mais, sans l'Église, comment saurions-nous que Dieu est amour et s'est incarné ? Supprimez l'Église : dans vingt ans, plus personne ne saura que Dieu se donne, plus personne ne saura que le sens de la vie est de partager éternellement la vie même de Dieu. Certes il y a dans l'Église des pédagogies souvent périmées, des structures à modifier, peut-être même de fond en comble[1]. L'Église est toujours à réformer, selon l'adage traditionnel. Il n'empêche que l'enseignement sur le fond des choses, à savoir qu'il y a un homme-Dieu et qu'en lui nous sommes pleinement humanisés et divinisés, c'est l'Église qui nous le donne; et non seulement l'enseignement mais la vie même du Christ par les sacrements.

L'Église n'est donc pas, comme certains le penseraient volontiers, une nécessité pédagogique transitoire, comparable à l'autorité des parents dont on se détache à mesure qu'on avance dans la vie. Au contraire, plus on avance dans la vie, plus l'Église est proche, car c'est par elle qu'on avance, c'est elle qui fait avancer. Je prendrai une comparaison : l'homme est polarisé ou aimanté par Dieu qui vient et nous attire à lui. La force d'aimantation, c'est l'Église ; quitter l'Église, c'est quitter le champ magnétique.

Par conséquent, l'Église n'est pas du tout, comme certains le lui reprochent, une sorte d'intermédiaire entre l'homme et Dieu, empêchant qu'il y ait un contact direct. Elle n'est pas médiatrice, au sens où une nation est médiatrice entre deux autres dont les points de vue

1. Dans *Beauté du monde et souffrance des hommes*, chap. 11 : « Interrogations dans l'Église », le Père VARILLON précise sa pensée sur quelques problèmes actuels de l'Église.

sont opposés, afin de les rapprocher et d'aboutir à une conciliation. L'Église ne se tient pas dans un juste milieu entre l'homme et Dieu ; c'est elle, au contraire, qui met le contact. Elle est, en quelque sorte, la lumière grâce à laquelle il y a communication directe entre l'homme et Dieu dans le Christ. Pour approfondir cette intelligence de l'Église, il faut en connaître la triple origine.

Triple origine de l'Église

L'origine historique

L'Église est née de la foi en la résurrection de Jésus et de la fidélité des croyants au dynamisme provoqué par cette résurrection. La conviction première dont vit l'Église primitive est celle-ci : le Christ est ressuscité, il est à jamais vivant. Progressivement, tous ceux qui partagent cette conviction en dégagent les conséquences : un dépassement radical des possibilités humaines a été manifesté en Jésus. Il est Seigneur universel, il est celui dont on peut dire ce que l'on disait de Yahvé : « le Saint », il est celui par qui et en qui nous avons une relation avec l'Absolu vivant. Le fait historique que nul ne peut éluder est le témoignage des apôtres lié à la naissance de l'Église.

Celle-ci est la volonté de maintenir ce témoignage dans une communauté qui s'organise. En plein milieu juif, le fait chrétien est le surgissement d'une nouveauté absolue. Pour une mentalité juive, la distance entre Dieu et l'homme était infranchissable; le juif était comme écrasé par la transcendance de Dieu. Or voici qu'un culte est rendu à Jésus de Nazareth. Ceux qui l'ont connu disent de lui qu'il est « Seigneur et Messie » (Ac 2, 36; 4, 26) ; « Chef de la Vie » (Ac 3, 15) ; « Chef et Sauveur » (Ac 5, 31) ; « Seigneur de tous » (Ac 10, 36) ; « Juge des vivants et des morts » (Ac 10, 42); « Lumière des nations » (Ac 13, 47).

« Il s'est trouvé des gens, la veille encore incrédules et désemparés, pour témoigner sur place, le lendemain ou presque de l'événement, en faveur d'un homme, Jésus, que tout le monde avait vu mort sur le gibet infamant de la croix; pour en témoigner devant ses propres juges, dont la colère était toujours à craindre, et pour affirmer que ce mort était encore et toujours vivant, et qu'il est le Seigneur de la gloire de Dieu » (P. Moingt). Les apôtres n'ont pas pu ne pas porter ce témoignage : « Nous ne pouvons pas ne pas dire ce que nous avons vu et entendu » (Ac 4, 20). Les membres de cette communauté découvrent (ce sont les Actes des Apôtres) que la transcendance de Dieu qui s'est manifestée en Jésus implique l'universalité absolue de son message. Tous les hommes sont donc appelés à constituer le Peuple de Dieu.

L'origine de l'Église en Dieu

Le mot commencement a deux sens : origine et émergence. Il est important de bien les distinguer : l'origine d'un enfant est sa conception; son émergence est le jour de sa naissance. L'origine est le commencement premier, originel, caché, non observable. L'émergence est le commencement observable, explicite, la manifestation visible. Nous venons de réfléchir à l'émergence de l'Église. De même que chacun dit : je suis né dans telle ville, tel jour, à telle heure, l'Église nous dit : je suis née à Pâques et à Pentecôte mais mon origine (ma conception) est en Dieu, dans le « mystère caché en Dieu » (Ép 3, 9).

Dieu s'est fait Christ pour que le Christ se fasse Église. Autrement dit, l'Incarnation ne se termine pas à la personne du Christ. Si le Christ existe, c'est afin que toute l'humanité soit christifiée. Ce que Dieu vise dans son éternité, c'est l'union avec l'humanité tout entière, c'est cette union que nous appelons l'Église.

Remarquons-le, l'ordre d'exécution est inverse de l'ordre d'intention. L'intention éternelle de Dieu est la communauté de tous les hommes divinisés, ce que Teilhard appelle « le point oméga ». D'où l'émergence d'une réalisation progressive : création de la matière, de la vie (végétale puis animale), de l'homme, avènement du Christ, développement de l'Église qui est la visibilité du don de Dieu ou de la vocation de l'homme à accueillir le don de Dieu.

Prenons garde de dire aux hommes droits qui ne sont pas chrétiens : « Vous êtes chrétiens sans le savoir. » Rien de tel pour les agacer. C'est jouer sur les mots. Précisons donc qu'il y a trois sens au mot « Église » :

— ce qui est premier dans le dessein de Dieu : le rassemblement communautaire final (éternel) dans le Christ;
— l'appartenance invisible à l'Église visible;
— l'Église visible elle-même.

Les deux premiers sens ne peuvent être compris que des croyants. Parlons donc, en ces deux premiers sens, plutôt du Royaume. Le troisième sens est celui qui suscite des griefs, des incompréhensions, dans toute la mesure où l'Église apparaît comme écran et non comme signe.

L'origine de l'Église en l'homme

Il y a une correspondance profonde entre ce que l'Église veut signifier et ce qu'est l'homme au plus intime de son être. Ce que l'Église propose existe dans le cœur de l'homme comme un vœu essentiel. Si l'Église était, en quelque manière, étrangère à l'homme, si elle ne donnait pas corps au désir le plus profond de l'homme, elle ne serait qu'une pièce rapportée, parachutée, sans intérêt! L'homme, en effet, est un être relationnel à deux dimensions, l'une horizontale, l'autre verticale. La relation au monde et à autrui lui est essentielle; sans elle, il n'existerait pas : que peut être un enfant sans ses parents ? Autrui m'est essentiel. Sans autrui, je ne suis rien. L'homme cherche éperdument la communion (camaraderie, amitié, fraternité, amour, etc.).

Mais la relation à Dieu ne lui est pas moins essentielle. Chacun, en réfléchissant, ne peut pas ne pas être d'accord sur ceci : « Je ne suis pas ma source, je ne suis pas le centre unificateur de toutes les consciences, je ne peux pas être l'auteur de la communion universelle à quoi tous les hommes aspirent, consciemment ou non; il faut que la communion fraternelle des hommes soit fondée, comme mon existence. » Plus profondément que toute « preuve » de Dieu au plan intellectuel, l'homme « éprouve » que le sens de sa vie, tout en étant de lui (il est créateur), est d'un Autre, l'Absolu vivant qui fonde son existence.

L'Église (non pas la caricature d'elle-même mais telle que le Christ la veut) se présente comme la réalisation de cette double dimension : l'union de l'homme à Dieu, l'union des hommes entre eux. Elle nous dit : tu es divinisable, tu es attiré par Dieu au plus intime de ton être, ton itinéraire personnel vers Dieu marche de pair avec ton union aux hommes. Le « vertical » ne va pas sans l' « horizontal ». Celui-ci s'enracine dans celui-là. L'Église est la figure historique de la nature même de l'homme.

Défigurée par toutes les infidélités des chrétiens, elle provoque la déception dans la mesure où elle n'est pas signe du Christ. Cela explique les errances par lesquelles tant d'hommes cherchent le Christ ailleurs que dans l'Église telle qu'ils la perçoivent. Car l'homme, qui ne peut pas se passer d'Église sans renier ce qui le constitue fondamentalement, va créer des ersatz d'Église, en faisant du sexe, de l'argent, de la drogue ou des « paradis artificiels » un absolu et un moyen de rassemblement. Mais les chaos de l'histoire provoquent l'Église à ces renaissances dont sa fidélité sort renouvelée, présentant au monde, de manière plus authentique, le visage du Christ.

Mystère d'amour

Pour pénétrer le mystère de l'Église jusqu'à sa réalité profonde qui est donc le Christ ressuscité nous donnant son Esprit d'amour, nous devons nous rendre compte qu'il n'y a pas de différence entre la phrase fondamentale de Jésus : « A ceci, tous vous reconnaîtront pour mes disciples : à cet amour que vous aurez les uns pour les autres » (Jn 13, 35) et ce que nous disons dans le Credo : « Je crois à l'Église une, sainte, catholique et apostolique. » Car l'amour est un mot très vague, facilement superficiel, sentimental. On peut toujours se tromper sur ce qu'est le véritable amour. Ce sont les quatre notes ou caractéristiques de l'Église qui nous disent comment elle doit être animée par l'amour et comment elle doit travailler à rassembler les hommes dans l'amour. Dire que l'Église est une, sainte, catholique et apostolique, c'est dire qu'elle est un mystère d'amour.

Une

L'amour seul unit et unifie. Il faut toujours commencer par la justice, car l'amour est chimérique s'il ne s'épanouit pas sur le fondement de la justice. Mais la justice peut maintenir séparés; il y aura respect mutuel mais il n'y aura pas communication ou communion réciproque. Il n'y a pas de communauté authentique si le ciment n'en est pas l'amour.

Lorsque le Christ nous dit : « Aimez-vous les uns les autres comme je vous ai aimés », il n'utilise pas une simple comparaison : de même que je vous ai aimés, aimez-vous, mais il veut dire : aimez-vous du même amour dont, moi, je vous aime. Or cet amour n'est pas un sentiment mais une personne vivante, le Saint Esprit qui, dans la Trinité, fait l'unité du Père et du Fils, est leur lien d'amour. Il nous est donné au baptême et dans chacune de nos communions eucharistiques pour que nous ayons en nous la force ou l'énergie de renverser les obstacles qui s'opposent à l'amour. Seulement nous lui résistons, nous ne nous laissons pas arracher facilement à l'égoïsme qui sépare et divise. Voilà pouquoi l'unité de l'Église est très imparfaite.

Cette communauté idéale que serait l'Église dans un monde sans péché n'existe pas, elle est en marche vers l'unité. Le dessein de Dieu est que le monde entier soit à l'image de la Trinité, que les hommes soient un dans l'amour, à l'image de l'unité de la Trinité. L'unité n'est pas faite, elle est à faire.

Cette unité n'empêche pas une certaine diversité de fonctions, d'écoles théologiques, de spiritualités, etc. Car, comme dans la Trinité, la véritable unité n'est pas l'uniformité. La fidélité à l'unité de la mode n'aboutit pas à ce que toutes les femmes soient en uniforme : imaginez-les ainsi, ce ne serait pas beau à voir! Ce n'est pas parce que l'homme est différent de la femme et que la femme est différente de l'homme qu'il n'y a pas d'unité dans le foyer; il y a bien unité et elle est le fruit de l'amour! Voilà pourquoi il faut se garder de l'esprit sectaire. L'unité n'est rompue que lorsque les différences deviennent des oppositions dans le refus du dialogue.

Sainte

Le mot « saint » ne signifie pas d'abord la sainteté des personnes humaines mais celle du Christ. L'Église est sainte parce que le Christ est saint. Le Christ est celui qui apporte, dans un monde de péché, la sainteté de Dieu, ou, ce qui revient au même, l'Amour pur. Dans l'Ancien Testament, le mot « saint » est appliqué à Dieu seul (ainsi le cantique d'Isaïe 6, 3 : Saint, saint, saint est le Seigneur; le Magnificat proclame : Saint est son nom). Dieu est « Le Saint ». Aussi, lorsqu'on a qualifié Jésus de saint, ce fut un beau scandale, parce que c'était la première fois en Israël que l'on osait appeler un homme de ce nom réservé à Dieu. Par la suite, les chrétiens ont aussi été appelés « saints », ce qui est devenu un article du Credo : je crois à la communion des saints.

Il faut donc comprendre que saint n'est pas synonyme de parfait, de sage ou de héros qui, à la faveur de circonstances exceptionnelles, manifeste beaucoup de courage. Les saints sont les vivants de vie divine. Car tel est le cœur de notre foi : tous les hommes sont appelés à partager éternellement la vie même de Dieu, à aimer comme il aime. Il y a donc une communion mystérieuse des sanctifiables sanctifiés ou des divinisables divinisés; je dis : mystérieuse, car la question reste ouverte de savoir qui est divinisé et dans quelle mesure on l'est.

La sainteté de l'Église est la puissance de sanctification ou de divinisation que Dieu exerce malgré les péchés des hommes. Karl Rahner parle de la « sainte Église des pécheurs ». Dire que l'Église est sainte, c'est dire qu'il y a, en elle, à la fois la fidélité de Dieu et l'infidélité des hommes et que Dieu reste fidèle en dépit de notre infidélité. Ce qu'il y a d'inouï quand on réfléchit, c'est que Dieu choisit comme réceptacle de sa présence et de son action des « mains sales », en reprenant le titre de la pièce de Jean-Paul Sartre.

Il n'y a pas contradiction entre la sainteté de l'Église et notre médiocrité. Au contraire, la sainteté de l'Église éclate en ceci qu'elle ne redoute pas d'être souillée par le contact des pécheurs que nous sommes. D'un bout à l'autre de sa vie publique, Jésus a fréquenté les « pécheurs », mangeait avec eux, était à l'aise dans leur compagnie. Il n'y avait chez lui aucune attitude raide et tranchante : « Je ne suis pas venu appeler les justes mais les pécheurs » (Mt 9, 13) ; « je suis venu chercher et sauver ce qui était perdu » (Lc 19, 10). Si l'Église excluait de son sein les tièdes, les médiocres et les pécheurs, en se voulant un ghetto de purs, c'est pour le coup qu'elle ne serait pas sainte ! Imaginez une Église qui serait la société des parfaits, comment pourrait-elle demeurer humble ? Une Église gangrenée par l'orgueil ne pourrait pas être signe d'un Dieu qui est infiniment humble. Il n'est pas pire imperfection que de s'imaginer qu'on est parfait.

C'est à nous qu'il appartient de fournir de la sainteté à l'Église, car qu'est-ce que l'Église, sinon nous tous ? Si nous disons que l'Église n'est pas sainte, cela veut dire tout simplement que nous ne sommes pas saints. A moins que vous n'en soyez encore à confondre, comme il y a quelques années, l'Église avec sa hiérarchie. Celle-ci est une fonction dans l'Église, les laïcs représentent une autre fonction : la sainteté est requise de part et d'autre !

Catholique

Ce mot signifie universel. Comment pourrait-il en être autrement si c'est l'Église qui est chargée de rendre visible l'amour de Dieu ? Le don de Dieu ne peut pas être particulier, il est pour tous les hommes de tous les temps et de tous les pays. De même que le Christ est le sacrement de Dieu, c'est-à-dire Dieu lui-même rendu visible, de même, l'Église est le sacrement du Christ pour tous les hommes.

N'allons pas croire que l'universalité de l'Église soit géographique. L'Église est catholique en ce sens autrement profond qu'elle est capable d'unir en Jésus Christ toutes les nations, les races, les cultures et les civilisations. « L'Église était déjà catholique au matin de la Pentecôte, alors que tous ses membres tenaient dans une petite salle, elle l'était au temps où les vagues ariennes paraissaient la submerger, elle le serait encore demain si des apostasies massives lui faisaient perdre presque tous ses fidèles[2]. »

L'Église est catholique parce qu'elle seule peut révéler aux hommes le sens de leur vie. C'est une capacité, qui vient du Saint Esprit, de répondre aux besoins vrais de tous les hommes, quels qu'ils soient. Pour appartenir à l'Église, un homme n'a à renoncer à rien d'essentiel, mais, en pratique hélas! les choses apparaissent bien différentes. J'ai circulé au Cameroun, au Tchad, dans la République centre-africaine : si vous saviez comme il est triste de voir les églises bâties en style européen, alors qu'il y a un art nègre magnifique!

Vous connaissez l'histoire des jésuites en Chine au XVIIe siècle, avec le Père Ricci : astronomes, ils ont immédiatement compris les lettrés chinois; ils ont aussi été parfaitement accueillis par les couches populaires, car ils parlaient la langue du pays. Ils se sont bien gardés d'imposer aux Chinois les rites occidentaux. Malheureusement, une telle manière de faire a été condamnée par Rome pour diverses raisons. Or, s'il y a dans l'âme des Chinois, comme de tous les hommes, une pierre d'attente pour le Christ, il n'y en a aucune pour la culture occidentale. Pourquoi voulez-vous que les Chinois abandonnent leur politesse exquise, leur art, leur musique ? Il y a eu blocage entre un certain style de vie et l'Évangile; de même, au siècle dernier, par rapport à la culture « bourgeoise ». Pour devenir chrétien, on n'a pas à renier une richesse humaine authentique. Bien au contraire! L'Église est catholique, c'est-à-dire capable, malgré ses erreurs et ses fautes, d'accueillir toutes les richesses humaines, afin qu'elles soient divinisées par le Christ.

Apostolique

Quand nous disons que l'Église est apostolique, nous voulons dire qu'en dépit des différences qui sont souvent considérables, au plan des formes et des modalités extérieures, l'Église d'aujourd'hui est la même que l'Église des apôtres. Elle est fidèle au Christ qui l'a fondée, à travers toutes les vicissitudes et tous les changements de l'histoire. C'est la continuité, depuis les apôtres jusqu'à nos jours, d'un service de l'humanité qui est l'éducation à l'amour. Les douze apôtres (chiffre symbolique correspondant aux douze tribus d'Israël, c'est-à-dire au peuple de Dieu tout entier) étaient déjà l'Église. Depuis l'Ascension,

2. H. de LUBAC, *Catholicisme*, 5e éd., 1952, p. 26.

le Christ est invisible mais il demeure présent et agissant. Il nous atteint aujourd'hui invisiblement par son Esprit, et visiblement par les successeurs des apôtres et les sacrements.

Il faudrait que l'Église soit une communauté uniquement régie par l'amour, où il n'y aurait aucune fonction d'autorité. Ce serait en effet l'idéal et c'est bien ainsi que sera l'Église dans le Royaume de Dieu. Au ciel, il n'y aura plus de hiérarchie, il n'y aura plus ni pape ni évêques. Mais nous sommes dans un monde de péché : l'Église est donc une communauté d'amour qui a nécessairement des aspects de société. Il y a en effet trois degrés de groupements humains :

— la foule ou le troupeau : ce qui domine, c'est la force, la loi de la jungle;
— quand la foule s'organise, elle devient société : le droit se substitue à la force; il faut une autorité pour faire respecter ce droit ou cet ordre juridique;
— la communauté enfin, où règne l'amour qui fonde la communion fraternelle.

N'oublions pas que la force n'est pas abolie quand on opère le passage au droit, ni celui-ci quand on opère le passage à l'amour. Autrement, ce serait s'imaginer que nous sommes déjà au paradis! Aucune vie n'est possible, si l'on ne tient pas compte de ces rapports de forces qui subsistent.

Dans l'Église telle qu'elle est, il est inévitable qu'il y ait un droit, une autorité, un gouvernement, etc., ou alors nous sommes en plein rêve! Mais tous les débats actuels risquent d'être faussés si l'on envisage l'Église uniquement comme une société ou une institution ordinaire. Les problèmes de structures, qui sont réels et qu'il faut étudier de très près, doivent être envisagés dans leur rapport à l'Absolu de l'Amour, dont l'Église est la visibilité dans l'histoire.

TROISIÈME PARTIE

Le Christ,
vrai Dieu, vrai homme,
révèle
qui est Dieu et qui est l'homme

*Introduction**

Les chrétiens prennent le risque d'affirmer Jésus Christ vrai Dieu et vrai homme, et cette affirmation constitue l'essentiel de leur foi. On est parfois tenté de poser d'abord en termes conceptuels la question de savoir comment il peut se faire que Dieu soit un homme et qu'un homme soit Dieu. Il faut résister à la tentation, car qu'est-ce que l'homme et qui est Dieu ? Nous ne le savons que par l'Homme-Dieu : c'est lui qui nous le révèle. Il faut donc renoncer à élaborer dans un premier temps les concepts d'humain et de divin, pour tenter dans un second temps de les harmoniser en vue de rendre compte de la possibilité d'un Homme-Dieu. C'est pourtant là une méthode de réflexion familière à beaucoup. Rien d'étonnant à ce qu'elle conduise à des impasses. Certes les sciences humaines nous disent quelque chose de l'homme, et le discours philosophique nous dit quelque chose de Dieu. Mais c'est l'existence même de l'Homme-Dieu qui conduit à tenir pour exempte de contradiction la possibilité pour l'Être absolu de prendre figure dans le monde du relatif (notre monde) sans cesser d'être l'Absolu, la possibilité pour Dieu de devenir homme sans cesser d'être Dieu. On ne peut pas construire une science du Christ à partir d'une science de Dieu et d'une science de l'homme qui lui seraient

* Extraits du manuscrit *Jésus Christ Fils unique de Dieu*, n° 3 de la première série du Credo rédigée en 1977-1978.

préalables. La théologie (science de Dieu) et l'anthropologie (science de l'homme) doivent au contraire trouver leur origine dans la christologie (science du Christ).

L'Être de Jésus Christ est Ouverture totale. Il est tout entier Fils. Nous disons équivalemment Fils et Verbe. Verbe veut dire Parole. Il est tout entier Parole. La parole ne subsiste jamais en elle-même, elle vient de quelqu'un, elle est la parole de quelqu'un. Ainsi le Fils est fils de quelqu'un, existe par quelqu'un, le Père. La parole est dite pour être entendue, elle est ordonnée à d'autres. Ainsi le Verbe est proféré pour être livré aux hommes. Dire que l'être de Jésus Christ est Ouverture totale, c'est dire qu'il est tout entier « à partir du Père » et « pour les hommes ». C'est dire qu'il est Amour. Car aimer, c'est en quelque sorte être suspendu entre deux pôles, le pôle de l'accueil et le pôle du don. Accueillir, c'est « être par » l'autre; donner, c'est « être pour » l'autre ou les autres. Il ne faut donc pas dire qu'en Jésus Christ il y a de l'amour, il faut dire qu'il est amour. Mais Dieu seul est amour. Si Jésus est amour, il faut confesser qu'il est Dieu. Dieu comme Fils parfaitement fils. Fils unique de Dieu. Vrai Dieu.

Mais vrai Homme aussi. Si Jésus est tout entier ce qu'il fait, s'il est tout entier en ce qu'il dit, s'il est ce qu'il dit, s'il est tout entier pour les autres, il est le plus humain des hommes, il est la plénitude de l'humain. En vérité le seul homme pleinement et absolument homme. Celui près de qui nous sommes des commencements d'homme, des hommes en devenir d'humanité. Il est ce que nous avons à devenir. Vrai homme.

Pour nous, comme dit le poète René Char en un raccourci fulgurant, « l'aigle est au futur ». L'aigle ? Traduise en prose vulgaire qui pourra! Il s'agit de l'homme tel qu'il doit être. Le Christ est cet homme. C'est pourquoi saint Paul l'appelle « le nouvel Adam » ou le « dernier Adam » (1 Co 15, 45), c'est-à-dire l'homme type, l'homme exemplaire. L'homme est d'autant plus homme qu'il est moins replié sur lui-même, moins limité. Le passage de l'animal à l'homme, ou le passage de la vie à l'esprit, s'est accompli lorsqu'un être de terre et de poussière a pu porter son regard au-delà de lui-même et de son environnement, et dire « tu » à Dieu. Ce qui fait l'homme, c'est l'ouverture au Tout, à l'Infini. Mais l'homme est pleinement homme quand, non seulement il entre en contact avec l'Infini, mais quand il est un avec Lui. Jésus Christ, c'est l'Homme qui est un avec Dieu.

Il faut ajouter ceci : s'il y a un homme qui est un avec Dieu, c'est que tous les hommes peuvent le devenir. Devenir ce qu'est Jésus Christ, c'est la vocation de tout homme. Jésus Christ n'est pas dans l'humanité une exception, au sens de curiosité éminente en qui Dieu nous montrerait tout ce qui est possible à sa Puissance. L'existence de l'Homme-Dieu concerne l'humanité tout entière. Dans la Bible, le mot « Adam » exprime l'unité de toute la réalité humaine. Si saint Paul appelle le Christ le « nouvel Adam », c'est pour dire qu'en Lui toute l'humanité est rassemblée. Il est la Tête d'un Corps dont nous sommes les membres. Ou, pour parler comme les Anglais, il est une *corporate personnality*, une « personnalité corporative ». Ou, en termes teilhardiens : le maximum de complexité dans la plus parfaite unité.

*Dieu-Trinité : l'intimité d'un Dieu qui n'est qu'amour**

L'abbé Bockel, curé de la cathédrale de Strasbourg, ami d'André Malraux, écrit qu'il avait reçu un coup à l'estomac, au cours d'une conférence que j'avais faite à Strasbourg, parce que j'avais brutalement posé la question : « Si, par impossible, l'Église vous disait que Dieu est une seule personne et non plus Trinité, qu'est-ce que cela changerait à vos existences[1] ? » L'abbé Bockel dit qu'il a compris, à ce moment-là, que le christianisme n'est pas une philosophie, un ensemble de vérités à croire qui formeraient entre elles comme un système comparable à celui de Kant ou Bergson mais que tous les dogmes ont un impact pratique.

Je pense que, si Dieu n'était pas Trinité, je serais probablement athée. Je n'en suis pas absolument sûr, parce qu'il m'est très difficile de me mettre dans cette hypothèse. En tout cas, si Dieu n'est pas Trinité, je ne comprends plus rien à rien.

* *Manuscrits :* un ensemble de notes anciennes intitulées « Le mystère d'un seul Dieu en trois personnes »; un article rédigé (en 1970 ?) pour une revue (?) et repris dans *L'humilité de Dieu*, p. 103-109; « Je crois en Dieu le Père Tout-Puissant », nº 1 de la série sur la première partie du Credo rédigée en 1977-1978. — *Polycopies :* Boulogne : « La Trinité » (18 novembre 1969); Auteuil : « Le Saint Esprit » (19 octobre 1970); Lyon-Sainte-Hélène : « Dieu le Père Tout-Puissant » (6 octobre 1977).

1. P. BOCKEL, *L'enfant du rire*, Grasset, 1973, p. 95.

La puissance de Dieu est la puissance de l'amour

Nous, chrétiens, affirmons-nous tranquillement, comme si cela allait de soi, que Dieu est tout-puissant, ou, au contraire, éprouvons-nous un malaise en prononçant ces mots ? Je pense que, pour beaucoup, cela ne souffre pas difficulté : en effet, si Dieu est Dieu, on voit mal comment il ne serait pas tout-puissant. Pour d'autres, cependant, de plus en plus nombreux en cette période de crise que nous traversons, l'affirmation d'une toute-puissance de Dieu est le motif le plus sérieux de ne pas croire.

Gardons-nous de prendre à la légère la position de ces hommes : au fond, ils jugent plus digne de l'homme, par conséquent plus vrai, de préférer un ciel vide au fantasme d'un Empereur du monde, potentat, despote, dramaturge suprême qui manœuvre les marionnettes de la tragi-comédie humaine en figeant, en pétrifiant ou en court-circuitant les libertés que, par ailleurs, il est censé créer. Il y a, je le veux bien, des athées qui sont athées, parce que le concept d'Absolu ou de Transcendant leur paraît contradictoire. Mais je pense que les athées les plus nombreux sont ceux qui refusent une toute-puissance qui serait négatrice ou destructrice de notre liberté. De toutes les flèches qui visent la foi chrétienne ou même le déisme, celle qui prétend atteindre Dieu en sa toute-puissance fait le plus sûrement mouche.

Or, si je réfléchis à ce que je crois (et je vous invite à réfléchir, de votre côté, à ce que vous croyez), je vois très clairement ceci : il me serait radicalement impossible de me fier à Dieu, de m'abandonner à Lui dans la confiance, si je ne savais rien de la nature de sa puissance. Il est tout-puissant, mais puissant de quelle puissance ? Devant un être très puissant, il est recommandé d'être prudent. La plus élémentaire sagesse est de se méfier. Avant tout, rester libre, sauvegarder son indépendance. Mieux vaut le nihilisme (du latin *nihil* : rien) que l'esclavage. Le nihilisme est la grande tentation du siècle, car le goût du néant, si amer soit-il, l'est cependant moins que celui de la servitude. Entre n'être pas et être esclave de la puissance de Hitler, je choisis délibérément de n'être pas.

Je sais bien que le nihilisme n'est qu'un rêve, puisqu'en fait j'existe. Mais je puis au moins me laisser glisser sur la pente qui conduit au suicide. Il est moins fou de se suicider que d'être aux mains de quelqu'un qui menace notre liberté. Je ne puis donc affirmer que je crois en un Dieu tout-puissant que si j'ai la certitude qu'il s'agit d'une puissance qui ne menace pas ma liberté.

En d'autres termes (ici je pèse mes mots, car il y va de tout, il y va de l'essentiel de ma foi), si je ne croyais pas que Dieu n'est puissant qu'à aimer et à aller jusqu'au bout de l'amour, c'est-à-dire la mort (mourir pour ceux qu'on aime) et le pardon (pardonner à ceux qui vous assassinent), si je ne croyais pas que la puissance de Dieu est une Sur-puissance dont la nature est de renoncer par amour à l'emploi des moyens de puissance à l'égard des créatures, je comprendrais tout à fait qu'on cède à la pente du rêve nihiliste, et je me garderais bien d'accuser mes contemporains que ce rêve fascine.

Mais tout change si la toute-puissance de Dieu est la toute-puissance de l'amour. Entre une toute-puissance et un amour tout-puissant, il y a une différence du tout au tout; il y a, à la lettre, un abîme. Le chrétien ne dit pas qu'il croit que Dieu est tout-puissant, il dit qu'il croit en un Dieu Père tout-puissant. Importance décisive de la préposition « en » suivie d'un nom de personne! Dans le Credo, l'affirmation de Dieu et de sa toute-puissance est prise et comprise dans un mouvement de confiance et d'amour qu'exprime précisément cette petite préposition. Dire : je crois en toi, c'est dire : je sais que ta puissance n'est pas un danger pour ma liberté, mais qu'elle est, tout au contraire, au service de ma liberté. « Croire en », tout est là.

Le fiancé qui dit à la fiancée qu'il croit en elle — ce sont des mots lourds de sens — ne dit pas : je constate ton existence et tes qualités; je crois que tu es ceci ou cela; je crois les renseignements qu'on m'a donnés sur toi; je crois toutes les vérités qui te concernent. Il dit exactement ceci : je te donne ma foi; je m'engage à fond vis-à-vis de toi, tu seras désormais le centre de ma vie; je me décentre afin que désormais le centre de mon existence ne soit plus moi, mais toi; je te confie par un acte de donation de moi-même le soin de mon bonheur; tu es digne d'être aimée et je t'aime, je veux dépendre de toi. Aimer, c'est consentir à dépendre de l'amour. Le vieux mot français « fiance », qui est tombé en désuétude, a survécu dans « confiance » et dans « fiancé ». La confiance est la « fiance » réciproque où amour, foi et joie ne font qu'un.

C'est ainsi que la foi est l'élan de tout l'être vers Dieu, l'engagement du plus profond de soi; autrement, ce n'est pas la foi. Cet élan serait du délire, de la folie si l'on n'était pas sûr que Dieu n'est puissant qu'à aimer, que c'est l'amour et non la puissance qui est l'essence de Dieu, que la puissance est un attribut de l'amour. Se confier sans réserve à une puissance qui pourrait être dangereuse pour ma liberté, c'est de la folie. S'abandonner à un être sans puissance, c'est également de la folie. Et l'idée d'un amour dépourvu de puissance ou d'énergie est une idée folle, insensée. Mais ce qui, au contraire, est magnifiquement chargé de sens, c'est l'accueil de l'Énergie d'aimer. Or l'Esprit Saint est cela : c'est une énergie divine d'aimer, qui nous est donnée.

Au vrai, il n'y a rien de plus traditionnel, de plus constant chez les Pères de l'Église que le soulignement de la préposition « en » et de son importance doctrinale quand elle est suivie d'un nom de personne. C'est un solécisme, c'est-à-dire une incorrection grammaticale. Mais précisément les écrivains chrétiens, à commencer par saint Jean, n'ont pas craint d'être grammaticalement incorrects pour mieux exprimer le mystère de la foi. « L'œuvre de Dieu, dit Jésus, c'est que vous croyiez en celui qu'il a envoyé » (Jn 6, 29).

Croire à la toute-puissance de Dieu, croire que Dieu est tout-puissant, sans croire en lui, rien de tel pour fausser la vie religieuse à la racine. Rien de tel pour engendrer une mentalité magique. L'histoire des religions montre que la mentalité et les pratiques magiques ont foisonné dans l'histoire et foisonnent encore de nos jours, même en milieu chrétien, en dépit de la bienséance ecclésiale du vocabulaire. Il ne faut pas être dupe des mots. Ce qui joue trop souvent à l'égard de Dieu, c'est l'intérêt et la peur. C'est l'intérêt qui commande qu'on cherche à utiliser la toute-puissance à son bénéfice; et c'est la peur qui exige qu'on trouve les moyens de se préserver du danger qu'elle recèle. Tout cela n'a rien à voir avec la foi. C'est de la magie. Si l'on pouvait psychanalyser ce qu'il y a dans l'esprit d'un certain nombre de chrétiens mal éduqués, on s'apercevrait qu'ils se disent tout bas : « Qu'est-ce que Dieu mijote là-haut dans son ciel ? Qu'est-ce qu'il me prépare ? Du bonheur ou du malheur ? De la santé ou de la maladie ? Du succès ou de l'échec ? Par intérêt et par peur, je vais donc le prier de ne rien mijoter de désagréable pour moi. »

Jusqu'au jour où la tentation surgit d'exorciser radicalement la menace en disant tout simplement : il n'y a pas de Dieu tout-puissant. C'est alors l'athéisme qui apparaît à la conscience adulte comme l'attitude la plus rationnelle. Ce qui n'est pas absolument faux. Seulement n'oublions pas le mot de Pascal : « Athéisme, marque de force d'esprit, mais jusqu'à un certain degré seulement. » Car, sous le ciel devenu désert, vidé d'un tout-puissant suprême, d'autres puissances prennent naissance et prolifèrent, des puissances qu'on ne craindra pas d'absolutiser allégrement sur tous les plans de la vie individuelle et collec, tive. Ces puissances, nous les connaissons bien : argent, sexe, race. parti, etc. Rien de plus sacral qu'un monde prétendument désacralisé Tout y peut devenir puissance de domination, d'oppression, de destruction. Toute mutation de civilisation est, en quelque manière, une mutation d'idolâtrie.

Tout cela — magie superstitieuse ou athéisme négateur (au choix) — est inévitable, si la puissance de Dieu n'est pas comprise comme la puissance de l'amour. Le chrétien croit en la toute-puissance de l'amour. La foi est un acte intime de sa liberté qui l'engage au plus profond de soi et le met en mouvement vers un Amour qui ne sait qu'aimer. Le chrétien ne dit pas qu'il croit en Dieu tout-puissant; il dit qu'il croit en Dieu Père tout-puissant. Ce qu'il proclame, ce qu'il chante, c'est la puissance d'une Paternité. La structure du Credo est trinitaire[2]. Je ne crois pas, les chrétiens ne croient pas que Dieu est un Narcisse éternel qui se contemple lui-même, qui s'admire lui-même, qui se saisit de lui-même, qui s'absorbe en lui-même, qui s'enchante de lui-même. Croire en un tel Dieu serait manifestement absurde. Je pourrais tout au plus penser que ce Dieu narcissique existe. Et encore! Mais croire en lui, certainement pas.

Si la préposition « en » est essentielle à l'acte de foi, Celui en qui je crois ne peut être que Père. Et si je nomme le Père, cela exige que, dans un même élan de pensée et d'amour, je nomme aussi le Fils et l'Esprit. Dire que Dieu est Amour et dire qu'il est Trinité, c'est exactement la même chose.

Progression de la découverte d'un Dieu un et trine

Pour contempler le mystère de la Trinité, il nous faut réfléchir comme l'Église historiquement a réfléchi. Le chrétien ne réfléchit pas à la manière d'un philosophe qui invente, en quelque sorte, sa vérité et la propose à d'autres hommes. Le chrétien n'invente pas la vérité, il la reçoit. Il réfléchit, bien entendu, sur cette vérité qu'il accueille mais, d'abord, en reprenant l'expérience séculaire de l'Église. Or l'Église a réfléchi à partir de la Révélation de Jésus Christ.

Qui est cet homme ? Les apôtres n'ont affirmé leur foi en la divinité proprement dite de Jésus qu'au terme d'une longue genèse. Ils ont d'abord entendu Jésus dire « Père » à Dieu, en usant d'un mot *Abba* qui veut dire, en fait, « petit papa chéri » et signifie l'abandon filial à la racine même de l'être. Dans ma prière, j'essaie de me représenter

2. Pour le développement de cette affirmation, se reporter à H. de Lubac, *La foi chrétienne, essai sur la structure du Symbole des Apôtres*, chapitre second : « Symbole trinitaire », Aubier, 2e éd., 1970, p. 61-99.

la stupéfaction des apôtres en entendant Jésus dire : Abba, Père. Ils ont vu Jésus agir selon une expérience de Dieu et de l'homme également immédiate. Il leur est apparu comme quelqu'un qui serait à la fois Dieu regardant l'homme et l'homme regardant Dieu. Ils ont été témoins de cette intimité entre un homme et Dieu absolument unique, vécue non seulement devant eux, mais pour eux, puisque Jésus les invite à la partager : « Dites comme moi : Abba, Père » (Mt 6, 9).

Intimité maintenue dans la souffrance la plus extrême, quand le Père se tait, semble absent et que les hommes sont excessivement cruels : « Père, je remets mon esprit entre tes mains... Pardonne-leur. » Quand Jésus est ressuscité, il est manifeste que Dieu est avec cet homme. Mais la question se pose encore de savoir si cet homme est Dieu. Dieu et Jésus sont-ils deux ou un ?

A la Pentecôte, les apôtres sont envahis par l'Esprit de Jésus. Ils ont désormais en eux Celui que Jésus avait en lui, Celui par qui Jésus était ce qu'il était. Il les conduit aux mêmes actes — les Actes des Apôtres —, à l'affrontement des mêmes risques, au même courage dans la mort. C'est bien l'Esprit de Jésus mais il ne peut pas être autre que l'Esprit de Dieu, car Dieu seul peut donner son Esprit. Nous, nous ne pouvons pas donner notre esprit, car il est ce qui nous est absolument personnel. Je puis donner de ma science, de ma culture mais donner mon esprit est absolument impensable. Donc, mais à la Pentecôte seulement, les apôtres affirment Jésus est Dieu. Or cet homme, qui est Dieu, dit : « tu » à Dieu. Dieu parle à Dieu. Dieu se dit « envoyé de Dieu ». Dieu a « pour nourriture de faire la volonté de Dieu ». Il y a donc une dualité en Dieu. Et l'Esprit, dont il a parlé ? Il est Dieu, lui aussi, il est donc le troisième.

Voilà comment l'Église, placée devant ce paradoxe d'un Dieu un et trine, a très vite compris que, s'il n'était pas maintenu en rigueur, c'en était fait de l'espérance humaine. « Si l'Incarnation, dit Cyrille de Jérusalem, fut une pure imagination, le salut aussi sera une pure imagination[3]. » Si Dieu ne s'est pas fait homme, comment l'homme pourrait-il être divinisé ? Et comment un Dieu qui ne serait qu'une personne pourrait-il s'incarner ? Un tel homme-Dieu ne connaîtrait pas d'autre Dieu que lui-même, il ne pourrait pas s'adresser à un Autre, il serait l'Adorateur de soi. Comment dès lors pourrait-il être l'homme en plénitude, s'il est vrai que l'homme ne peut être défini que par sa relation à un Autre ?

L'Église a mené un combat passionné pendant les premiers siècles

3. Quatrième catéchèse, cité par H. de LUBAC, *op. cit.*, p. 106.

de son histoire pour que la profondeur du mystère ne soit pas abolie au profit d'une compréhension immédiate. C'est la tentation d'impatience, plus actuelle aujourd'hui que jamais : abolir les choses, parce qu'on veut comprendre tout de suite. Quand il s'agit de la vérité, le Saint Esprit, en dépit de nos tentations de médiocres compromis, maintient toujours l'exigence d'une compréhension supérieure qui ne s'obtient que lentement et de façon besogneuse. L'Église a obéi à une rigoureuse logique qui lui commandait de ne jamais séparer, dans l'unité de sa foi, la triple croyance en la divinisation de l'humanité, en la divinité de Jésus Christ, en la Trinité. Car, si Dieu n'est pas Trinité, l'Incarnation est un mythe, et, si l'Incarnation est un mythe, il n'est pas question pour l'homme d'être divinisé. Tout se tient.

La Trinité réalise parfaitement le vœu de l'amour

C'est d'amour qu'il s'agit. On risque d'errer quand on cherche l'intelligence du mystère de Dieu par d'autres voies que celles de l'amour. Il nous faut réfléchir à partir de l'expérience humaine de l'amour et à partir de la déception que, tous, plus ou moins, nous expérimentons dans l'amour.

En effet, quel est le vœu profond de l'amour que nous vivons dans le mariage, l'amour fraternel ou filial, l'amitié ou la vie de communauté ? Le vœu de l'amour est de devenir l'autre, tout en restant moi, de telle sorte que l'autre et moi, nous ne soyons pas seulement unis mais que nous soyons véritablement un. L'expérience humaine de l'amour est joie et souffrance mêlées. Joie prodigieuse de dire à celui ou à celle que l'on aime : toi et moi, nous ne sommes pas deux, mais un. Souffrance d'être obligé de reconnaître qu'en disant cela, on dit, non pas ce qui est, mais ce que l'on voudrait qui soit et qui ne peut pas être. Car si l'aimant et l'aimé n'étaient plus deux, il n'y aurait plus d'autre, et, du coup, l'amour serait aboli. Comme disent les braves gens, pour aimer, il faut être deux.

Écoutez dialoguer deux personnages de Gabriel Marcel dans *Le cœur des autres* : « Toi et moi, dit Daniel à sa femme, nous ne sommes pas deux. » Sa femme, qui est une fine mouche, répond : « C'est justement ce qui m'effraie quelquefois; tu n'as jamais l'air de me considérer comme quelqu'un d'autre. Quand on n'est plus qu'un seul... comment t'expliquer cela ? On ne se donne plus rien... Et c'est terrible, parce que cela peut devenir un prétexte pour ne penser plus qu'à soi. » Si toi et moi, nous ne faisons qu'un, nous nous aimons nous-mêmes. Mais l'amour de soi n'est pas l'amour, il est complaisance en soi, il n'est pas don ni accueil.

L'amour veut à la fois la distinction et l'unité. Dans la condition humaine, ce vœu profond : être non seulement uni à l'autre mais un avec lui, tout en restant soi, est incoercible et irréalisable. C'est pourquoi nul n'entre sans souffrance au royaume de l'amour. Mais, en Dieu, le vœu de l'amour est éternellement exaucé : c'est le mystère même de la Trinité. Le Père, le Fils et le Saint Esprit se distinguent réellement l'un de l'autre, de telle sorte qu'aucune confusion ne soit possible : le Père ne disparaît pas dans le Fils, le Fils ne disparaît pas dans le Père, le Père et le Fils ne disparaissent pas dans le Saint Esprit. Ils sont un, tout en étant parfaitement distincts.

La Trinité, ce n'est pas trois personnes juxtaposées mais trois générosités qui se donnent l'une à l'autre en plénitude. Chacune des Trois Personnes n'est pour elle-même qu'en étant pour les deux autres. Le Père n'existe comme Père distinct du Fils qu'en se donnant tout entier au Fils; le Fils n'existe comme Fils distinct du Père qu'en étant tout entier élan d'amour pour le Père. Le Père n'existe pas d'abord comme personne constituée en elle-même et pour elle-même : c'est l'acte d'engendrer le Fils qui le constitue personne. S'il n'y avait pas le Fils, il ne serait pas Père, c'est bien évident. Chaque personne n'est soi qu'en étant hors de soi. Elle est posée dans l'être en étant posée dans l'autre. Dans le Père, dans le Fils, dans le Saint Esprit, il y a impossibilité absolue du moindre repliement sur soi. Dieu ne fait pas « attention à soi », comme l'écrivait Maurice Zundel.

Trois personnes en un seul Dieu

Pourquoi trois personnes (et non pas quatre ou dix, comme le demandait le philosophe Kant) ? On peut proposer deux approches du mystère de l'Esprit Saint. La première à partir de l'exigence de réciprocité, essentielle à la perfection de l'amour. Dans l'amour humain, cette réciprocité, nous ne la percevons que par le truchement des signes; en elle-même, elle échappe à ceux qui s'aiment. « Je t'aime, toi, ma femme et je vois que tu m'aimes par les mots que tu me dis, par les gestes que tu fais, par ton comportement envers moi. Mais je ne vois pas ton amour lui-même. D'où cette souffrance, cette tentation du doute, à certaines heures, quand ces mots, ces gestes, ce comportement semblent moins ardents, moins spontanés. Si je voyais l'amour, ces fluctuations n'existeraient pas, mais je ne vois que les signes. C'est pour cela qu'il y a en moi ce violent désir de connaître ton amour autrement que par ces signes, dont la présence m'enchante et fait tout mon bonheur, mais dont la diminution me meurtrit et dont l'absence me désespère. » Saint Augustin a écrit là-dessus une de ces phrases amies de la mémoire dont il avait le génie : « Elle le voit, il la voit, personne ne voit l'amour. »

Dans la Trinité, où la réciprocité est parfaite, l'Amour lui-même est une personne, le Saint Esprit : Amour du Père pour le Fils, Amour du Fils pour le Père. Baiser commun, si l'on veut. La réciprocité de l'amour faite personne, au sens où nous pourrions dire : Mozart est la musique faite homme. L'amour est vécu en plénitude : il y a l'Aimant, l'Aimé et l'Amour. L'Aimant est aimé, l'Aimé est aimant et l'Amour est le dynamisme de cet élan par lequel les deux ne sont qu'un, tout en étant distincts.

Une autre approche de ce mystère de la troisième personne peut être tentée à partir de l'exigence de pureté, essentielle elle aussi, à la perfection de l'amour. J'entends par pureté l'exclusion de tout égoïsme, de tout avoir. En Dieu, il n'y a pas trace de propriété de soi-même, car l'amour ne peut pas être propriétaire. S'il n'y avait pas de troisième personne, le Père trouverait dans le Fils, et le Fils dans le Père, une possession de soi. L'autre serait pour chacun une projection de soi, une extension de soi. Un peu comme un père de famille qui vraiment se serait sacrifié pour son fils, lui aurait tout donné; quand il contemple son fils, il se retrouve, lui : je suis celui qui ai tout donné à mon fils. Le Père se retrouverait lui-même dans le Fils; et, également, le Fils dans le Père. Mais si l'amour réciproque du Père et du Fils s'ouvre sur un troisième, il y a exclusion absolue de toute forme d'avoir, de tout regard sur soi. C'est la pureté absolue de l'amour. La Pauvreté de Dieu.

Vivre, c'est aimer

Aimer, c'est être et vivre pour l'autre et par l'autre, pour les autres et par les autres, jamais par soi et pour soi. Chacune des trois personnes divines n'est elle-même qu'en étant par et pour les deux autres. Pour l'autre : c'est le don; par l'autre : c'est l'accueil. Accueillir et donner, c'est aimer. Dieu est une Puissance infinie, c'est-à-dire sans limite, de renoncement à être pour soi et par soi. Remplacez « puissance » par « énergie » qui traduit, peut-être mieux, en tout cas de façon moins ambiguë, le mot grec *dunamis*. Ou encore « dynamisme ».

Je crois en un Dieu dont l'énergie d'amour, dont le dynamisme d'amour est infini. Je crois en une Énergie sans limite de renoncement à être pour soi et par soi. Je crois en l'Énergie éternelle d'une Volonté sans limite d'être pour l'autre et par l'autre. Ou encore : je crois que Dieu est une Impuissance absolue à se replier sur soi, à se recourber sur soi.

Ce qui nous est ainsi révélé, c'est que la relation d'amour est la forme originelle de l'être. Ou, ce qui revient au même, que le fond de l'être est amour ou communion. Le mystère trinitaire éclaire toutes les avenues de l'existence humaine.

Parce que nous savons qui est Dieu, bien que ce soit très mystérieux, nous savons ce que nous devons être. Certes, comme le disait le catéchisme d'avant-guerre, Dieu est infini et pur esprit mais, lorsque saint Paul me dit qu'il faut « imiter Dieu » (Ep 5, 1) et que toute ma vie consiste à ressembler à Dieu, je ne vois pas bien comment je pourrais ressembler à un pur esprit infini. Dans cette définition-là, il s'agit d'attributs de Dieu que je ne peux absolument pas imiter. Tandis que, si l'essentiel de la Révélation chrétienne est que Dieu est amour, je comprends que je dois m'efforcer vraiment d'aimer et que toute la vie doit se ramener à aimer.

Qu'est-ce qu'une personne humaine ? C'est l'être qui se réalise en donnant et qui, ne se cherchant pas lui-même, se trouve dans un autre. La vie nous est donnée pour que nous tendions vers les autres, afin de nous donner à eux comme font entre elles les trois personnes divines. Tendre à eux, non pas pour les conquérir, les posséder ou les annexer mais pour les enrichir et les grandir. Saint Augustin disait : « Nous ne devons pas aimer les hommes comme les gourmets aiment les grives, car ce n'est pas aimer les hommes que de vouloir les assimiler. » Il ne faut pas les aimer pour soi mais pour eux.

Pour aimer comme s'aiment les trois personnes divines, il faut être soi-même, le plus profondément et le plus consciemment possible. Il faut vouloir que les autres soient, le plus profondément et consciemment possible. Et non seulement le vouloir en pensée, en désir mais agir pour qu'ils le soient. Je veux que tu sois toi et je me consacre tout entier à ce que tu sois pleinement toi. Ce qui est vrai pour les individus est vrai pour les patries, les races et les civilisations.

La véritable unité n'est pas l'unicité mais la richesse d'un pluralisme soudé par l'amour. Une symphonie est faite d'une pluralité de notes qui ne valent que dans les rapports qu'elles soutiennent les unes avec les autres. Mais chaque note doit rester elle-même et vouloir que les autres soient elles-mêmes, car, si elle disparaissait, l'accord ne serait pas plus un mais plus pauvre. L'idéal de l'orchestre n'est pas qu'il n'y ait que des violons. Le violon doit vouloir que le violoncelle soit pleinement violoncelle, que la flûte soit pleinement flûte et que cette différenciation, cette richesse et cette diversité des instruments constituent un orchestre véritablement un.

L'amour trinitaire nous oblige à exclure la volonté de puissance et le désir d'annexion, mais aussi la « volonté de faiblesse » et la lâcheté des êtres annexés.

Qu'il s'agisse de notre vie personnelle la plus intime ou de l'exercice de notre liberté aux différents niveaux de la famille, de la profession, de l'État ou de la société internationale, tout revient à ne pas s'abuser sur l'amour. Pour apprendre aux hommes ce que veut dire aimer, quelles sont les conditions, les conséquences et les implications de l'amour, quelles en peuvent être aussi les falsifications et les illusions, l'Église interroge au long des siècles l'Esprit Saint qui lui a été donné. Lui seul connaît le secret de Dieu. Il nous donne l'Énergie de vivre comme Dieu vit, d'aimer comme Dieu aime. Telle est la plus haute forme d'existence à laquelle nous croyons qu'il est possible à l'homme d'accéder, si, du moins, il l'accueille comme un don (car, en elle-même, elle est inaccessible) et s'il n'en refuse pas, comme aimait à dire Maurice Blondel, le « péage » qui est le don mortifiant de soi.

*Dieu crée l'homme créateur**

Le mystère de la Création est peut-être de tous les mystères chrétiens le plus difficile, le plus mystérieux des mystères. Il faut essayer tout de même d'en dire quelque chose, s'il est vrai que c'est bien sur ce mystère de la Création que se joue actuellement l'athéisme. Au fond, ce qui est nié par les athées, ce n'est pas tellement la transcendance en tant que telle, c'est un Dieu créateur parce que, disent-ils, si Dieu nous crée, il n'est pas possible que nous soyons vraiment des hommes libres. Nous serions, en quelque sorte, des objets entre les mains du Créateur, « des poupées entre les mains des dieux », comme le dit un personnage de Platon. Ce qui est évidemment contraire à la dignité de l'homme. Nous sommes donc en présence d'un sujet fondamental. Et quand bien même nous ne parviendrions pas à dire des choses très positives, il est déjà important d'évacuer un certain nombre d'imaginations qui ne peuvent que rebuter l'incroyant ou l'athée.

* *Manuscrits :* « Les récits de la création dans la Genèse » et « Le sens chrétien de la création », nos 1 et 2 de la série rédigée en 1975-1976 (le no 2 reprend une conférence donnée à Grenoble en décembre 1972); « Créateur du ciel et de la terre », no 2 de la série sur la première partie du Credo rédigée en 1977-1978. — *Polycopies :* Boulogne (18 novembre 1969); Auteuil (13 octobre et 10 novembre 1975); Lyon-Sainte-Hélène (6 novembre 1975); Pau (octobre 1975); Carcassonne : « Des dogmes, pour quoi faire ? » (26 janvier 1978).

Remarques préliminaires

Quand on aborde un tel sujet, il faut à tout prix renoncer à toute imagination. Je sais bien que c'est très difficile, étant donné que nous sommes plus prompts à imaginer les choses qu'à les concevoir; et, lorsque nous ne parvenons pas à imaginer, nous déclarons que nous ne comprenons pas. Il y a donc un effort sérieux à accomplir pour mortifier absolument l'imagination. Pas plus qu'on ne peut imaginer Dieu, on ne peut imaginer son action créatrice, l'acte par lequel il crée le monde.

Il faut également mortifier notre curiosité, même intellectuelle, car la Révélation ne porte pas sur des vérités propres à satisfaire la curiosité des hommes sur Dieu. Le christianisme n'est pas une philosophie, la Révélation ne se situe pas au plan de l'explication des choses, elle éclaire notre marche vers Dieu, ce qui est tout à fait différent. La Révélation nous dit quelque chose de Dieu et quelque chose de l'homme dans la mesure où cela est nécessaire à la vérité de notre relation vivante, réelle avec Dieu.

Il est donc absolument indispensable de bien comprendre la *différence entre explication et signification*. Car la foi ne se situe jamais au plan de l'explication scientifique et philosophique, mais toujours au plan de la signification, c'est-à-dire du sens de notre existence. Cette distinction est absolument essentielle et le tort de beaucoup est de demander à la religion des renseignements qui relèvent de la science. Ce n'est pas la religion qui vous dit que l'eau gèle à 0° ou que la somme des angles d'un triangle est égale à 180°. J'imagine un homme, véritable super-cerveau, compétent en beaucoup de disciplines, qui a l'explication du monde autant qu'il est possible à un homme de l'avoir. Si sa femme vient à le trahir, ce savant est capable de se suicider parce que, pour lui, la vie n'a plus de signification, n'a plus de sens; il n'a plus de raison de vivre. Le sens de sa vie n'était pas l'explication qu'il trouvait dans les sciences mais l'amour de sa femme. Le christianisme n'est pas fait pour expliquer le monde.

L'expérience d'un amour libérateur, d'un dynamisme de libération[1]

Ce qui est révélé en premier lieu dans la Bible, ce n'est pas le Dieu créateur mais le Dieu libérateur. Ce qui est au cœur de la Bible, c'est l'Exode, c'est-à-dire le mystère de la libération d'Israël. Et ce qui est au cœur de notre foi chrétienne, c'est notre accès à la liberté même de Dieu, ce que nous avons appelé notre divinisation, avec la phrase clé que je répète : nous sommes sur terre pour devenir par participation ce que Dieu est par nature. Dans la Bible, nous n'entendons pas Dieu dire d'abord au peuple hébreu : « C'est moi qui t'ai créé » mais bien : « C'est moi qui t'ai libéré, c'est moi qui t'ai fait sortir de l'esclavage de la maison d'Égypte. » Ce n'est que très tardivement que les juifs se sont posé la question de la création.

Aussi faut-il lire la Bible non pas en commençant par le commencement du livre mais par le commencement de l'expérience qui a donné naissance au livre et qui est celle du peuple d'Israël. Je dis bien et j'insiste : l'expérience, le vécu, le concret, le réel par opposition au notionnel, au conceptuel, à l'abstrait. Faire l'expérience d'une poire ou d'une pomme, c'est la manger, ce n'est pas la décrire avec des mots. On peut essayer de décrire avec des mots la saveur d'un fruit mais finalement on dira : mangez-le donc. On peut essayer de décrire le parfum d'une rose mais finalement il apparaît que les narines sont un instrument plus efficace pour la connaissance que le vocabulaire. On peut aussi essayer de décrire les sentiments de l'amour, il y a des romanciers pour cela. Mais si vous n'avez aucune expérience de l'amour, toute description sera pour vous lettre à peu près morte, comme si vous lisiez du chinois!

A combien plus forte raison quand il s'agit de la création de l'homme et du monde par Dieu. On n'a pas d'abord l'expérience de l'origine. Comme dit le P. Ganne, avec le sens des mots élémentaires qui le caractérise (car il a la conviction très ferme que ce que l'homme voit le moins clairement, c'est ce qui est le plus élémentaire et il a parfaitement raison), l'enfant qui est sur la poitrine de sa mère ne se demande pas d'abord s'il est l'héritier de Vercingétorix et des Gaulois. Ce qu'il cherche, c'est d'être libéré de ses tiraillements d'estomac, et

1. Dans cette première partie, le Père Varillon utilise le cahier n° 21-22, *La création* des Éditions Cultures et Foi, p. 53 ss., des Pères P. Ganne et F. Fournier.

sa mère lui apparaît d'abord, non pas comme celle qui l'a mis au monde, mais comme celle qui le libère maintenant de sa souffrance, de sa faim. Ce n'est que peu à peu que, prenant du recul par rapport au sein de sa mère, l'enfant qui devient adulte se pose la question de son origine et de sa fin; mais ce n'est pas immédiat, ce n'est pas premier.

De même, les Israélites n'ont pas dit d'abord Adam. *Une conscience concrète*, réelle, vivante *ne part jamais des origines mais elle y remonte* à partir de ce qu'elle vit concrètement dans son présent. Ces remarques banales expriment une vérité toute simple mais il arrive qu'on l'oublie et, du même coup, toute la catéchèse est faussée radicalement : « *La foi d'Israël n'est pas allée de la doctrine à la vie mais de la vie à la doctrine et l'expérience initiale d'Israël, ce qu'on appelle l'expérience fondatrice, est la libération de la servitude d'Égypte.* » Je rappelle que cette libération — l'Exode — qui a eu lieu au XIIIe siècle avant le Christ est antérieure d'au moins cinq siècles au second récit de la création (Gn 2 et 3) qui est le plus ancien et date probablement du VIIIe siècle; et antérieure de sept siècles au premier récit (Gn 1) qui est le plus récent et date du VIe siècle[2].

Mettons-nous, si j'ose dire, dans la peau des Israélites du VIe siècle, et essayons de vivre ce qu'ils vivent. *Ils sont déportés à Babylone* depuis le début du siècle. Il y a donc là des hommes qui sont nés en exil, *loin de la terre des ancêtres, et qui se demandent si tout ce que leur ont dit leurs pères est bien vrai.* Ils savent qu'à Jérusalem *il n'y a plus de temple, plus de fêtes* par conséquent. Politiquement le peuple juif est rayé de l'histoire. On ne sait pas combien de temps durera l'exil. Il n'y a aucun indice, aucun signe de libération. *Comment ne pas croire que Dieu a abandonné son peuple ?* L'Alliance avec Moïse, qui était le cœur de la religion juive, n'est-elle pas détruite ? Il nous est facile d'imaginer les moqueries des païens, *d'autant plus que la religion babylonienne est florissante : il y a des fêtes, des processions brillantes ; on adore des idoles, on fait de l'astrologie.* Comment n'être pas tenté, séduit ? D'autre part, il y a certainement des aventures sentimentales entre Juifs et Babyloniennes, entre Juives et Babyloniens.

Que fait Yahvé ? Apparemment rien. En réalité, il parle par les prophètes (comme le dit notre Credo). Que disent les Prophètes ? *Ils disent que Dieu n'a pas abandonné son peuple.* Le Dieu des Juifs est

2. Pour l'étude détaillée des premiers chapitres du livre de la Genèse, le Père VARILLON se réfère à des notes de cours du Père P. BEAUCHAMP; et, pour la notion de création dans la Bible, il renvoie aux livres de Cl. TRESMONTANT édités au Seuil, ainsi qu'au vocabulaire de théologie biblique déjà cité.

fidèle, sa Parole est un Rocher. Donc le désert refleurira, Jérusalem resurgira de ses ruines. Dieu n'est-il pas une Énergie libératrice ? Que les Juifs ne l'oublient pas ! Ils ont été esclaves en Égypte vers l'an 1250, et Dieu les a libérés. Il y a de cela sept siècles, mais les peuples ont une mémoire collective. Alors, pour se redonner du courage, pour lutter contre le découragement et le scepticisme, pour faire bonne figure devant les moqueries des Babyloniens, pour retenir ceux qui glissent déjà sur la pente de l'apostasie, les Juifs se racontent les hauts faits de l'Exode. *Ce que Dieu a fait une fois, il le fera une deuxième fois. Il y aura un nouvel Exode, un renouvellement de l'Alliance.*

Je vous suggère de commencer la lecture de la Bible par le second Isaïe, c'est-à-dire l'auteur des chapitres 40 à 56 du Livre d'Isaïe, prophète du VIe siècle. Vous y verrez comment le « vécu » religieux d'Israël est une relation avec un Dieu qui n'est pas l'Auteur de la Nature, la Cause première du monde, mais un Amour libérateur.

Mais l'Exode n'est pas le commencement. *Que s'était-il passé avant Moïse ?* Nous disions qu'une conscience concrète ne part jamais des origines mais qu'elle y remonte. Le bébé ne parle pas d'abord de Vercingétorix, mais, en grandissant, il se posera la question de l'origine de la France qui est sa patrie.

Eh bien, vers l'an 2000, Abraham a fait, lui aussi, une expérience de libération. *A la lumière de l'Exode, les Juifs interprètent la migration du clan d'Abraham comme un signe de la présence de Dieu.* Il y a déjà une Alliance de Dieu avec Abraham. Après avoir lu le second Isaïe et le livre de l'Exode, il faut lire, dans le livre de la Genèse, l'histoire d'Abraham. *Et avant Abraham ?* C'est pour les juifs la pré-histoire. Vont-ils s'arrêter à ce seuil ? Non, car ils croient que leur Dieu est le seul vrai Dieu (les autres dieux sont des idoles). Si le Dieu d'Israël est le seul vrai Dieu, il n'est pas seulement le Dieu des Juifs, il est le Dieu de toute l'humanité. Le Dieu qui a fait alliance avec Abraham et Moïse a fait alliance avec toute l'humanité. *C'est ce qu'affirme le cycle de Noé, où les auteurs utilisent de vieux mythes pour exprimer l'universalité de l'Alliance.* Et avant Noé ? C'est Adam, c'est-à-dire l'homme, l'humanité entière (tel est le sens du mot Adam).

Cette introduction est capitale, si l'on ne veut pas faire de graves contresens sur les premiers chapitres de la Bible : l'amour libérateur (il va de soi que l'Amour est libérateur, sans quoi il n'est pas Amour; l'amour qui rendrait esclave ou qui maintiendrait esclave, c'est une contradiction dans les termes) ou la Puissance de libération qui est à l'origine de l'histoire des Hébreux est aussi à la source de tout ce qui existe. Le Dieu dont Israël a expérimenté l'amour libérateur tout au long de son histoire, c'est ce Dieu-là qui est le Créateur du monde.

Aucun risque, par conséquent, que Dieu apparaisse comme une Puissance de domination ou comme un Fabricateur. A l'origine de tout, il y a le même Amour que celui dont Israël a fait l'expérience au cours de son histoire. Vous trouverez une confirmation de ce que j'avance en lisant attentivement ceci : « *Ainsi parle Yahvé ton Libérateur, celui qui t'a formé dès le sein maternel : c'est moi, Yahvé, qui ai tout fait, qui, seul, ai déployé les cieux* » *(Is 44, 24)*. C'est aussi net que possible : celui qui a libéré Israël est celui qui a tout fait, le Créateur est le Libérateur. La liaison éclate entre création et libération. Il y a beaucoup d'autres passages semblables.

Il faut d'ailleurs être bien persuadé qu'on ne peut saisir le commencement de rien. Essayez de saisir le moment où vous vous endormez, le moment où vous ne pouvez dire ni « je dors » ni « je ne dors pas ». Craignez alors de ne jamais vous endormir. De même pour le réveil : à quel moment pouvez-vous dire : « Je suis en train de m'éveiller » ? Ce sera certainement le moment où vous êtes déjà réveillé. Pouvez-vous parler de votre propre naissance, de sorte que, sans témoin vivant qui vous l'ait racontée, vous puissiez dire : voici comment elle s'est passée ? Votre naissance fut sûrement un événement, mais non un événement pour votre conscience. Nous ne pouvons pas davantage saisir le commencement de l'histoire. La saisie du commencement du monde est absolument impossible, parce qu'il est impensable que soit resté un quelconque témoignage d'une personne ayant conscience d'être le commencement absolu de l'humanité. On n'écrira jamais le chapitre premier de l'histoire de l'humanité, j'entends sur un plan strictement historique. La seule saisie possible est la réflexion fondée sur une expérience actuelle.

Soulignons avec le Père Ganne : « *C'est l'Alliance qui donne son sens à la Création : la foi au Créateur est la reconnaissance d'une Puissance de libération remontant jusqu'aux origines, et qui est co-extensive à l'univers entier*[3]. »

Éliminer trois mots dangereux

Il importe d'éliminer de notre esprit, avec toute la vigueur dont nous sommes capables, un certain nombre d'imaginations fallacieuses et redoutables, qui sont cristallisées dans un certain nombre de mots

3. P. Ganne et Fr. Fournier, *loc. cit.*, p. 59.

que nous employons à la légère et qu'il nous faut énergiquement critiquer : émanation, fabrication, commencement. Je vous propose de remplacer :

— émanation par distinction ou altérité (existence d'un Autre);
— fabrication par genèse;
— commencement par dépendance radicale (de l'homme par rapport à Dieu).

1) ÉMANATION : on se représente parfois la création comme une émanation, comme si le monde émanait de Dieu comme le fleuve émane de la source ou la nappe de lumière d'un foyer lumineux. Ce n'est pas l'idée judéo-chrétienne : le monde n'est pas une émanation de Dieu. Si le monde était une émanation de Dieu, il faudrait dire qu'il est nécessaire. En effet, dès qu'il y a source, il y a flot qui émane nécessairement; dès qu'il y a foyer lumineux, il y a rayons et nappe de lumière. La question est importante, parce que, dans d'autres religions, orientales par exemple, le monde est en effet compris comme étant une émanation nécessaire de Dieu.

Si le monde émane de Dieu comme le fleuve émane de la source, il n'y a pas de distinction radicale entre l'homme et Dieu : le fleuve n'est pas radicalement autre que la source, et le rayon n'est pas radicalement autre que le foyer lumineux. Il n'y a donc pas altérité, et s'il n'y a pas altérité, il n'y a pas amour possible : on ne peut aimer qu'un autre, on n'aime pas le fond de soi.

Dans la Bible, puisque, d'un bout à l'autre, il s'agit de révéler un Dieu qui n'est qu'Amour, il ne saurait en être ainsi. Il nous est affirmé : Dieu existe, Dieu est personnel, Dieu veut que le monde soit et le monde est une réalité distincte de Dieu. Dieu crée le monde autre que lui. C'est pourquoi je vous ai dit : nous biffons émanation et nous remplaçons ce mot par distinction ou altérité.

Nous devons nous méfier de ces images, qui sont très dangereuses, où l'on dirait que le monde existe par rapport à Dieu comme le fleuve par rapport à la source. Je veux bien qu'il y ait une manière de comprendre Dieu comme source qui n'est pas fausse. Mais si l'on glisse de cette idée à celle d'une émanation nécessaire, nous ne sommes pas dans le droit fil de la Révélation chrétienne.

2) FABRICATION : la création n'est pas une fabrication. Dieu ne fabrique rien. Car une fabrication aboutit à un objet tout-fait. Dieu est tout-puissant bien sûr mais c'est l'amour qui est tout-puissant. Il ne s'agit pas de n'importe quelle puissance. Dieu ne peut que ce que

peut l'amour. Il ne faut pas dire : Dieu peut tout, c'est absolument faux. Dieu ne peut pas détruire, l'amour ne peut pas détruire. C'est bien pour cela que je crois à la vie éternelle, celui qui me crée ne me détruira pas. Dieu ne peut pas fabriquer, l'amour ne fabrique pas. L'amour engendre, ce qui est très différent.

L'amour ne peut créer que des créateurs. Nous sommes des créatures, certes, mais des créatures créatrices. Et l'univers matériel n'est que le conditionnement de notre liberté, ce à partir de quoi nous avons à nous créer nous-mêmes. Car nous ne sommes pas Dieu, Lui seul est inconditionné; nous, nous sommes conditionnés. Je suis, par exemple, conditionné par mon sexe qui est masculin et, par conséquent, mon projet de vie ne peut pas être un projet féminin. Ce conditionnement va très loin, il enveloppe toutes les galaxies mais il n'a de sens que pour la liberté de l'homme. Dieu, puisqu'il est amour, n'aurait jamais créé des créatures qui ne seraient pas créatrices.

Il faut donc critiquer certaines expressions que nous trouvons dans la Bible (c'est normal, puisque la Bible est une pédagogie, et une pédagogie progressive). C'est ainsi que, dans le deuxième récit de la création, le plus ancien, Dieu est comparé à un potier qui façonne l'argile. Dans le premier récit, celui qui est le plus récent, l'image du potier est abandonnée; le verbe « façonner » est supprimé et remplacé par un verbe nouveau qui signifie proprement « créer » et qui est le fruit d'une réflexion approfondie du peuple juif.

Dieu ne fabrique pas le plus petit élément du monde, pas le plus mince atome. On ne fabrique pas des libertés, car le propre de la liberté est précisément de n'être pas fabriquée et de ne pas pouvoir l'être, elle n'est pas un objet. La liberté n'est liberté que si elle se crée elle-même.

Dans la mesure où ils s'imaginent un dieu fabricant, des athées ont beau jeu de protester au nom de la dignité de l'homme. Il serait contraire à notre dignité d'avoir été fabriqués par un éternel potier. Nous éliminons donc cette idée absurde autant que dangereuse d'un monde qui serait fabriqué par Dieu. Nous ne sommes pas fabriqués par Dieu, « comme l'artisan fabrique un coupe-papier » selon l'expression de J.-P. Sartre.

3) Commencement : on imagine parfois la création comme une sorte de chiquenaude initiale par laquelle Dieu aurait mis en branle tout un processus de développement. Victor Hugo, en un jour d'inspiration très faible, a comparé la création à un magistral coup de pied envoyé dans un ballon, l'énorme ballon du monde, à la suite de quoi,

étant donné la vigueur divine du coup de pied, vigueur proprement infinie, le monde continue à tourner tout seul et à être conservé dans son existence et dans son mouvement. C'est proprement absurde!

L'acte créateur n'est pas un commencement chronologique mais ontologique, une « dépendance radicale dans l'être », l'expression étant de saint Thomas d'Aquin. Quand nous disons : Dieu crée le monde, nous ne disons pas qu'il l'a créé. Il ne faut jamais mettre le verbe créer au passé. C'est maintenant que Dieu crée. Il ne faut pas imaginer la création comme étant un acte du passé, Dieu crée le monde aujourd'hui et autant aujourd'hui qu'au commencement. L'acte créateur est le même maintenant qu'à l'origine du monde, il est co-extensif à toute l'histoire du monde.

Si la création était une fabrication, nous ne pourrions pas dire cela. Pour un objet fabriqué, comme cette table sur laquelle je pose mes coudes, il n'y a pas d'acte actuel du menuisier, ce n'est pas maintenant que le fabricant fabrique la table. Tandis que pour la création, c'est maintenant que Dieu crée.

Réfléchissez à ceci : créer pour Dieu est un acte simple, et prenez ce mot en son sens le plus strict, le plus étymologique. Simple, c'est ce qui n'est pas composé. Un acte simple est un acte qu'on ne peut pas diviser en opérations successives. Dans une fabrication, il y a des opérations successives (pardonnez-moi de dire des choses aussi élémentaires, mais je crois qu'il vaut mieux tout de même les préciser). Pensez à la fabrication d'une robe : il y a d'abord le découpage du tissu, ensuite le fait de coudre, d'orner, de broder, etc. Quand il s'agit de la création, c'est un acte simple, sans composition, sans succession, on ne peut pas le diviser. Tout ce qui n'est pas Dieu est en quelque manière composé. Dieu seul est absolument simple.

Dire que l'acte créateur est un acte simple, c'est dire que l'énergie divine qui crée est simultanément présente dans le tout de son acte, ce qui veut dire que, pour Dieu, le commencement coïncide avec la fin. Une personne âgée de quatre-vingt-quinze ans est actuellement créée par lui autant que lorsqu'elle se trouvait dans le ventre de sa mère. Sinon il faudrait dire que l'acte créateur est une sorte de processus opératoire, comme l'acte de fabrication d'une couturière ou d'une métallurgiste. On est en plein infantilisme!

Approches possibles du mystère de la création

La création ne relève pas du domaine de la science

C'est un prélude nécessaire : la doctrine chrétienne de la création ne répond pas à des questions posées par la science. Je prévois que vous me poserez des questions auxquelles je serai obligé de répondre : « Là-dessus, interrogez les savants et non pas les théologiens. » Ce qui se passe dans notre univers physique relève du physicien, et le physicien, en tant que physicien (je le souligne), n'a pas à recourir à l'hypothèse d'un créateur. Pas davantage le chimiste en tant que chimiste, ni le biologiste en tant que biologiste.

Je me rappelle que, quelques mois après les événements de Mai 68, on avait organisé à Lyon une conférence pour les élèves des classes terminales de toute la ville. Ils étaient là trois à quatre cents jeunes gens et jeunes filles de dix-sept, dix-huit ans. Le sujet traité était la Création. L'on avait demandé deux orateurs, un physicien, professeur à la Faculté des Sciences, et votre serviteur. C'est le professeur de physique qui, le premier, a pris la parole. Il a expliqué qu'en tant que physicien il n'avait absolument pas besoin de l'hypothèse d'un Dieu Créateur, et même que cette hypothèse était plutôt gênante, à la limite, pour qu'il puisse honnêtement exercer son métier de physicien. Certains adultes qui étaient dans la salle se sont enfuis avec horreur en disant : « Imaginez-vous ce que l'on dit maintenant à nos élèves : on n'a pas besoin d'un Dieu Créateur ! » Quand le professeur eut terminé, certains élèves l'interrogèrent en disant : « Mais vous, Monsieur, que croyez-vous ? » Il a répondu : « Ah ! si vous me demandez ce que je crois : je crois en un Dieu Créateur et je dis le Credo chrétien. » Les élèves comprenaient très mal. La parole m'a ensuite été donnée et j'ai dit pour commencer : « Je suis complètement d'accord avec tout ce qui vient d'être dit. » Pour certains, le scandale atteignit alors son comble !

La science s'interroge sur la manière dont se produisent les phénomènes de notre monde : la foudre, le vent, les tremblements de terre, l'évolution biologique des espèces, etc. La science n'a pas à s'interroger sur l'origine première des êtres pas plus que sur leur sens ultime. Je dis origine, je ne dis pas commencement. Saisissez-vous la différence ? Une personne de quatre-vingts ans peut se demander quelle est son origine, maintenant qu'elle a quatre-vingts ans. C'est tout autre chose que son commencement, celui-ci a eu lieu il y a quatre-vingts ans. Mais elle peut se poser maintenant la question de son origine, du fondement de son existence, comme elle pouvait se la poser à trente ou à cinquante ans.

La science n'a à envisager que les transformations qui se produisent au sein d'un univers donné. Cela ne veut pas dire d'ailleurs qu'aucune question de commencement premier ni de fin ultime ne se pose au niveau de la science physique. Par exemple : qu'en sera-t-il à la fin ? Y a-t-il une fin ? Qu'est-ce que la dégradation de l'énergie ? Mais ces questions scientifiques sont une tout autre affaire que le Credo chrétien, ce sont des problèmes de thermo-dynamique. Ce n'est donc pas du côté de la science qu'il faut chercher des approches du mystère de la création.

La création artistique

Dans notre expérience, il y a, me semble-t-il, deux approches possibles du mystère de la création. Disons quelques mots de la création artistique mais nous insisterons davantage sur l'amour (l'amour qui, de soi, est créateur) car nous ne sommes pas tous des génies créateurs, peintres, musiciens ou poètes mais nous avons tous, d'une manière ou d'une autre, l'expérience de l'amour.

Pensez à un musicien ou à un peintre que vous aimez, Rembrandt, Beethoven, Mozart, Chopin, peu importe. La création artistique n'est pas une production, il y a une invention qui est toute gratuite. Vous êtes-vous posé la question de savoir comment il est possible que telle phrase de Mozart ait pu jaillir dans un cerveau humain ? C'est prodigieux et l'on reste béat d'admiration. Ce n'est tout de même pas de la fabrication, c'est de l'invention, c'est la marque même du génie.

Seulement, dans l'œuvre d'art, il est vrai qu'il y a une part de fabrication, il est impossible qu'il en soit autrement. Il faut bien que cette idée gratuite, le thème de la fugue, le leitmotiv s'exprime à travers des notes musicales ou des mots, du marbre, des couleurs. Il faut bien que l'artiste qui est proprement créateur, inventeur au sens latin du mot, donne corps à son idée, en transformant la matière. La Vénus de Milo était d'abord un bloc et il a bien fallu que ce bloc soit taillé. Là, il y a un élément de production, c'est vrai. C'est par un processus continu que le sculpteur taille la pierre, que l'écrivain lutte avec le matériau linguistique; par ce côté-là, la création artistique s'apparente à une fabrication. Mais, à l'origine, il y a une création proprement dite, il y a une discontinuité entre la matière préexistante (marbre, couleurs, pierres, sons, mots) et l'œuvre d'art elle-même.

Si l'on s'oriente vers l'image de la création artistique, sans oublier que, dans l'œuvre d'art, il y a une part de fabrication, on s'oriente de façon correcte vers l'acte créateur de Dieu.

L'amour re-créateur

L'expérience de l'amour est encore beaucoup plus appropriée. Je suis frappé personnellement par la possibilité que nous avons, nous autres, hommes, de recréer. Recréer un gangster, un clochard, un blouson noir, un pauvre type dont l'existence est à peine une existence car il n'est pas aimé dans la vie et qui, précisément parce qu'il n'est pas aimé, se dirige vers une existence qui ressemble au néant.

Nous sommes bien obligés de poser la question : certains êtres existent-ils ? Ils existent bien sûr, en ce sens qu'ils mangent, boivent, respirent. Mais n'appelons pas cela l'existence au sens fort, ils sont semblables à un néant, ils s'en approchent, si l'on peut dire, en se dégradant progressivement. Eh bien! j'ai le pouvoir inouï de recréer un tel être. Simplement en le regardant avec amour, en m'intéressant à lui, en faisant attention à lui. A partir du moment où il voit un regard d'amour se poser sur lui, il se retourne vers l'existence, alors qu'il était en marche vers le néant et il peut devenir, ou redevenir, authentiquement un homme.

Il y a quelques années, des prêtres et des laïcs de la paroisse Saint-Séverin de Paris avaient organisé des repas avec des blousons noirs. Les prêtres m'ont dit : c'était comme si l'on assistait à un retournement. Ces garçons étaient en marche vers le néant; quand ils ont vu qu'on s'intéressait à eux, qu'on posait sur eux un regard d'amour ou d'amitié, ils se sont retournés vers l'existence, ils ont repris confiance en eux-mêmes, ils ont recommencé à vivre, au sens fort du mot et non pas simplement à respirer, boire et manger.

Le mystère de l'acte créateur

C'est à partir de là que, pour ma part, j'essaie de comprendre le mystère de l'acte créateur. L'amour — Dieu n'est qu'Amour, avec ce « ne que » impitoyable que je souligne si souvent — « différencie autant qu'il unifie » (Teilhard de Chardin). Il commence par différencier : l'amour veut que l'autre soit et qu'il soit vraiment autre. Non pas un reflet de soi, non pas un satellite, mais une autre liberté. Dieu veut, c'est son être même, son acte simple, éternel, que l'autre soit, que d'autres soient. Et ce vouloir est efficace, comme tout vouloir divin.

Celui qui est la lumière veut que la lumière jaillisse dans les yeux de l'être aimé. Si je t'aime, je ne peux pas vouloir que tes yeux soient ternes. Si je t'aime, je veux qu'il y ait de la lumière dans tes yeux et je veux être près de toi comme une contagion de lumière, une contagion d'existence lumineuse. Un regard d'amour ou d'amitié est un regard d'ambition pour l'autre. Je t'aime, cela veut dire : je suis ambitieux pour toi, je ne veux surtout pas te dominer et étouffer ta liberté, je veux t'éveiller. Je veux que ma liberté communie à la tienne, ce n'est possible que si la tienne existe.

La puissance divine n'est pas une puissance qui domine, elle est une puissance qui éveille. Dieu ne crée pas des objets, je vous le rappelle. Si Dieu nous dominait, nous serions des objets pour lui. Un être dominé ne peut être qu'un objet et un objet, on le fabrique. Un amour qui nous dominerait, c'est une contradiction dans les termes. Pardonnez-moi d'insister mais l'expérience me montre qu'il y a peut-être bien 80 % de gens qui se disent chrétiens et qui se représentent Dieu comme celui qui nous domine. On ne peut pas dominer des libertés, cela ne veut rien dire; on ne peut dominer que des objets, des choses. Dieu est suscitateur de sujets libres. Il ne peut nous aimer que s'il voit dans nos yeux la lumière de la liberté.

L'amour est suscitation, contagion d'existence

Dieu crée par l'influx de sa contagion éveillante. Et puisqu'il faut toujours partir de notre expérience lorsque nous réfléchissons — autrement on se meut dans l'abstrait —, j'aurai recours à notre expérience et je vous demanderai : n'avez-vous jamais accueilli la contagion de quelqu'un ? Je puis vous fournir mon propre témoignage. Dans ma vie, j'ai eu la grande chance, qui malheureusement n'est pas donnée à tout le monde, d'avoir un maître, un véritable maître près de qui j'ai vécu pendant plus de vingt ans, un homme qui était pour moi à la fois le père, le maître et l'ami, les trois ne faisant qu'un. J'accueillais la contagion de cet homme-là, je pourrais presque dire qu'il m'a créé. Il ne m'a jamais donné un ordre. Je pense même qu'il ne m'a jamais donné un conseil positif, formel, peut-être une fois ou l'autre en passant, mais si peu!

Que faisait-il cet homme près de moi ? Il existait, c'est tout. Seulement son existence était contagieuse, en ce sens que mon désir continuel était de lui ressembler, d'exister comme lui, avec la même noblesse d'âme, la même grandeur, la même culture. L'existence de cet homme était contagieuse en ce sens qu'il ne m'était pas possible de rester systématiquement médiocre à son côté. Si j'avais voulu être médiocre et me pervertir, il aurait fallu que j'échappe à sa contagion éveillante et suscitatrice. Même si vous n'avez pas eu de maître comme celui-là dans votre existence, vous avez certainement expérimenté qu'il y a des moments dans la vie où l'on se dit : si je reste en relation habituelle avec cet homme ou avec cette femme, je ne peux pas être médiocre. Être médiocre, c'est être un semi-néant; la médiocrité est un semi-néant.

L'acte créateur de Dieu est cette existence pure et simple. Au fond, Dieu ne fait rien et je pense qu'il faut s'abstenir de dire : Dieu fait ceci ou cela, car tout le monde comprendra : fabriquer; or, créer n'est pas faire quelque chose. Dieu est absolument simple. Cette simplicité est quelque chose de terrible, demandez-le aux mystiques qui en ont fait quelque expérience! Il n'y a pas en Dieu une existence et une action, comme si cela faisait deux choses. Son acte est identique à son être. Il est. C'est tout. Dieu crée en existant, rien d'autre. Mais cette existence est contagieuse, car c'est de l'amour et l'amour est une suscitation d'existence.

Acte par lequel Dieu fait que les êtres se fassent eux-mêmes

Essayons d'aller plus loin, nous approchons de l'essentiel. La création est l'acte par lequel Dieu fait que les êtres se fassent eux-mêmes, par eux-mêmes. Nous imaginons toujours que nous sommes manipulés. Dans ce cas, nous ne pourrions plus dire que Dieu est Amour. Puisque Dieu est Amour, il veut que nous nous fassions nous-mêmes, par nous-mêmes. C'est en toutes lettres dans la Bible : « Il nous remet entre les mains de notre propre conseil » (Si 16, 14).

Vous n'imaginez pas ? Moi non plus. Cependant, je me rappelle un groupe de jeunes foyers qui avaient des enfants de dix, douze ans. J'essayais de leur expliquer cela, ils étaient plus ou moins sceptiques. Tout à coup, un père de famille, du fond de la salle m'interpelle : « Ça y est, j'ai compris! L'idéal serait que mes enfants se fassent eux-mêmes par eux-mêmes, autrement dit que l'éducation ne comporte pas de coups de pouce, de consignes, de contraintes. Un véritable éducateur doit souffrir s'il a à donner des coups de pouce, même quand ils sont inévitables. » Ce père de famille commençait à comprendre que la création est l'acte qui fait que les autres se créent eux-mêmes.

Je me rappelle avoir assisté à une discussion assez vive entre un jeune prêtre très zélé et un communiste militant du parti. La discussion aurait pu durer indéfiniment. Le prêtre disait : « C'est Dieu qui a créé le monde, en mettant le verbe créer au passé. » Moi, je tremblais dans mon coin en me disant : va-t-il s'arrêter de parler au passé ? Le communiste rétorquait : « Non, c'est l'homme qui se crée lui-même. » Qu'auriez-vous fait dans cette discussion ? Je pense que certains auraient probablement pris le parti du prêtre contre le communiste, et d'autres le parti du communiste contre le prêtre. Au bout d'un moment, je suis intervenu en disant : « Vous perdez votre temps, vous avez raison tous les deux ou, ce qui revient au même, vous avez tort tous les deux. Si le monde ne se créait pas lui-même, s'il n'était pas en genèse créatrice, en cosmo-genèse, comme dit Teilhard, il faudrait dire que Dieu le fabrique. Et si nous disons que le monde se crée lui-même, nous ne sommes plus chrétiens, puisque nous affirmons au début de notre Credo : " Je crois en Dieu le Père tout-puissant créateur. " Précisément, Dieu ne serait pas créateur s'il fabriquait du tout-fait. Il n'y a pas de tout-fait, il y a du " se faisant soi-même ". »

Acte de l'humilité de Dieu

J'insiste beaucoup sur cette idée de l'acte créateur comme un renoncement de Dieu, un acte de son humilité. Dieu n'est pas quelqu'un qui aime comme vous, comme moi. Nous, nous existons d'abord et nous aimons ensuite. En Dieu, l'acte d'aimer n'est pas accessoire, adventice, il est son être même. Pour Dieu, exister et aimer, c'est exactement la même chose. Or l'amour ne va pas sans humilité, c'est-à-dire sans renoncement à soi.

J'en appelle à votre expérience : aimer, c'est vouloir l'autre pour lui-même; je ne peux pas vouloir l'autre pour lui-même et, en même temps, le vouloir pour moi. « Je te veux pour toi. » C'est très vrai que Dieu est tout mais c'est un tout qui renonce à être tout, car le renoncement est au cœur de l'amour.

Imaginez que Dieu ne soit pas Trinité, c'est-à-dire imaginez que Dieu ne soit pas amour en lui-même, l'acte créateur est sans doute inintelligible. Si le cœur de Dieu est l'amour, donc le renoncement à soi, donc l'humilité, l'acte créateur est un acte d'humilité. A ce moment-là, je peux comprendre que la création est l'acte par lequel Dieu ne renonce pas à lui-même simplement à l'intérieur de la Trinité, à l'intérieur de son être éternel mais que, en quelque sorte, il se « retire » vraiment pour n'être pas tout, qu'il se « contracte », comme disent certains spirituels orientaux, Boulgakoff par exemple, dans la grande Tradition de saint Grégoire Palamas (nous sommes malheureusement trop ignorants dans l'Occident de l'admirable spiritualité de l'Orient chrétien).

L'acte créateur est l'acte par lequel Dieu se retire, s'efface pour laisser surgir des libertés qui ne sont pas lui. On a beaucoup cité ces dernières années le mot du poète allemand Hölderlin : « Dieu a fait l'homme comme la mer a fait les continents, en s'en retirant. » Aimer, ce n'est pas s'imposer, c'est vouloir que l'autre soit. N'allons pas imaginer l'acte créateur de Dieu comme une volonté d'avoir des satellites, surtout pas ! Si Dieu ne renonçait pas à être tout, nous ne pourrions plus dire qu'il est amour. L'image de la mer qui se retire et qui crée les continents en se retirant est admirable, mais elle est un peu dangereuse parce que, quand il s'agit de Dieu, il ne se retire pas de façon spatiale, il reste présent à sa création. Les images clochent toujours, d'une manière ou d'une autre.

C'est la toute-puissance de Dieu qui crée le monde, oui. Mais quelle puissance ? Certainement pas une puissance de domination ou de fabrication, certainement pas une puissance qui va pétrifier ou figer notre liberté. La puissance créatrice est une puissance de renoncement absolu à soi telle que d'autres viennent à exister en eux-mêmes et par eux-mêmes. Quand Dieu me crée, il me donne le pouvoir d'être en moi-même et par moi-même. A ce moment-là, nous ne pouvons plus dire que Dieu est un concurrent qui menace notre liberté. Puisque Dieu se renonce et se retire pour que nous existions en nous-mêmes et par nous-mêmes, il ne risque pas d'être un tiers concurrentiel. Il n'y a rien de plus divin, de plus hautement divin que ce renoncement de Dieu, sinon le renoncement éternel que Dieu est en Lui-même, au sein de la Trinité.

Dieu n'est pas l'horloger du monde

Si Dieu n'était pas créateur en ce sens-là, s'il ne créait pas des créatures créatrices, s'il n'était qu'un fabricant du monde, nous aurions d'excellentes raisons de lui reprocher d'être un très mauvais fabricant. Beaucoup ne s'en privent pas. Que de malfaçons, en effet : les raz de marée, les cyclones, les éruptions volcaniques, les maladies, tous les non-sens qu'il y a dans l'existence humaine ! Curieux fabricant que ce fabricant-là ! Si Dieu était l'horloger qui a fabriqué une horloge comme l'imaginait Voltaire : « L'univers m'embarrasse et je ne puis songer que cette horloge existe et n'ait pas d'horloger », nous devrions lui dire : savez-vous que vous êtes un très mauvais horloger ? Votre horloge ne sonne jamais à l'heure ! Traduisez : il y a du mal partout dans le monde.

On dit parfois que le mal du monde vient du péché. Mais non ! Ce n'est quand même pas à cause du péché de l'homme qu'il y a des cyclones, des raz de marée et des éruptions volcaniques. Ce qui est vrai, c'est que le péché aggrave considérablement le mal du monde : toutes les haines, toutes les rivalités, tous les égoïsmes en conflit, toutes les guerres ! et même le progrès humain a son envers, la pollution par exemple.

Il est contradictoire de croire en Dieu et de croire qu'il fabrique le monde. Tandis que, si Dieu crée des hommes se créant eux-mêmes, si l'amour en Dieu, le plus haut amour, consiste à respecter leur liberté créatrice sans la manipuler (car l'amour ne manipule pas l'autre, il veut que l'autre soit et se fasse lui-même), nous comprenons que l'homme tâtonne, que l'histoire du monde, c'est-à-dire l'histoire de la création de l'homme par lui-même, ne se fasse pas sans des reculs, des ratés, des erreurs. A-t-on bien fait d'aller dans la lune ? Peut-être, je n'en sais rien. N'aurait-on pas mieux fait de dépenser tout cet argent dans des études pour le cancer ? Peut-être, c'est même probable, je n'en sais rien.

L'homme tâtonne. Voudriez-vous que Dieu intervienne en disant : mon pauvre ami, tu n'y comprends rien, je vais te dire comment il faut faire. Voudriez-vous un Dieu qui intervienne de cette manière-là ? Ce serait le dire interventionniste, ce qui scandalise Francis Jeanson. Où serait notre dignité d'homme ? Nous ne pourrions plus dire que nous existons en nous-mêmes et par nous-mêmes et, du coup, le don de Dieu serait quelque chose de beaucoup moins grand. Pouvez-vous imaginer un don plus grand que la possibilité d'exister en nous-mêmes et par nous-mêmes ?

Évidemment, c'est avec une incroyable lenteur que l'homme humanise son monde. Et c'est très douloureux. Mais, croyez-moi, Dieu est le premier à en souffrir. Toutefois, parce qu'il est amour, il se garde bien d'intervenir. C'est notre affaire. C'est l'homme qui est responsable de l'humanisation du monde et de l'humanité.

L'amour créateur implique le risque de la croix

Vous me direz : comment Dieu peut-il laisser l'homme souffrir ? Je crois fermement que l'acte créateur implique le risque de la croix. La croix du Christ est à l'intérieur de l'acte créateur qui est l'acte par lequel, continuellement, Dieu donne à notre liberté de pouvoir se créer elle-même, ce qui ne peut pas aller sans souffrance. Mais Dieu lui-même entre dans cette souffrance et il en meurt sur la croix. Il est écrit dans l'Apocalypse que « l'Agneau (c'est-à-dire le Fils) est immolé dès le commencement du monde »; en un sens, il est éternellement immolé au cœur de Dieu. L'acte créateur implique le sacrifice du Fils.

Si Dieu intervenait pour empêcher l'homme de souffrir, nous pourrions peut-être dire, en première approximation, qu'il nous aime en nous empêchant de souffrir. Mais si l'on va au fond des choses, reconnaissez que ce serait un amour d'enfant de chœur, ce ne serait pas sérieux. Ce qui est au cœur de l'acte créateur, c'est l'absolu respect d'une créature qui doit se créer elle-même, et qui ne le peut pas sans souffrance, quoi qu'il en soit du péché qui, évidemment, complique les choses.

J'ose distinguer en Dieu deux niveaux d'amour. C'est une manière de parler, bien sûr. Un niveau inférieur où Dieu intervient pour empêcher l'homme de souffrir. Et un niveau supérieur d'amour où il respecte absolument la créature qui doit se créer elle-même. Un philosophe me disait récemment : « Vous allez jusque-là ? » J'ai répondu : « Oui, je vais jusque-là; comprendre l'amour dans sa profondeur ultime, c'est comprendre la non-intervention de Dieu. »

Si Dieu intervient, soit dans l'Évangile par des miracles, soit dans certaines vies pour des guérisons par exemple, c'est parce qu'il est présent à nos humbles commencements[4], là où notre désir est encore charnel, où il s'agit plus de besoins que de désirs. Mais c'est toujours pour nous conduire au calvaire où il n'y a aucune intervention. Au calvaire, c'est le silence, c'est l'absence, c'est à ce moment-là que l'amour se révèle dans toute sa profondeur.

J'ose terminer sur ce paradoxe en reconnaissant que le sujet est difficile. Retenez au moins qu'il y a certaines images dangereuses qu'il faut extirper à tout prix. Et comme nous ne pouvons pas nous passer d'images, il faut leur substituer des images moins fausses que nous empruntons à l'ordre de la création artistique et à l'ordre de l'amour;

4. Cf. *L'humilité de Dieu*, p. 154.

puis, au cœur de tout cela, tenir les deux bouts de la chaîne : d'une part, c'est Dieu qui crée, d'autre part, ce qu'il crée, c'est la capacité pour l'homme de se créer lui-même, d'être en lui-même et par lui-même.

Pour l'approfondissement d'une telle réflexion, je ne peux que vous recommander la brochure extrêmement importante — que j'ai déjà citée — de mon confrère le Père Ganne sur *La Création* (nos 21 et 22 de Cultures et Foi)[5].

5. Publiée aux Éditions du Cerf en 1979 dans la collection « Dossiers libres ».

*Le péché originel : Tous les hommes sont pécheurs à la racine de leur être**

Trois remarques pour déblayer le terrain[1] :

1) *Pourquoi parler du péché originel ? Jésus n'en a jamais dit un mot* et il n'en est pas question dans l'Évangile, *au moins directement.* Quant au *Credo, il nous fait confesser « un seul baptême pour la rémission des péchés » sans mention explicite du péché originel.* Ce n'est pas étonnant, car *le centre du Credo est l'union de Dieu et de l'humanité en Jésus Christ.*

Ce qu'il faut bien comprendre, c'est qu'*un énoncé dogmatique, comme celui* du péché originel, *est* toujours *une précision de la foi sur telle ou telle visée de cette Réalité* centrale. *Tout énoncé dogmatique est un éclairage, qui vient du mystère du Christ, sur notre condition humaine. L'ensemble des dogmes est la somme des affirmations nécessaires au cours de l'histoire pour que soit correctement reçue la lumière du Christ.*

2) *En conséquence,* il ne s'agit pas d'envisager *le péché originel à partir* du seul récit *de la Genèse.* C'est du Christ qu'il faut partir. Un dogme,

* *Manuscrit :* aucun; je n'ai trouvé que des feuillets anciens et les résumés de ses trois « sources » (P. Haubtmann, P. Gibert et J. Moingt); c'est ce qui permet de comprendre que certains aspects manquent dans cette conférence, la question du baptême des enfants par exemple. — *Polycopies :* Le Péage-de-Roussillon (12 décembre 1967); Boulogne (27 janvier 1970); Lyon (25 janvier 1971); Pau (octobre 1975); Montauban (25 janvier 1977).

1. Ces trois remarques ont été faites par P. Haubtmann dans une conférence donnée à Grenoble le 11 mars 1970.

une précision de foi se situent toujours au niveau de la Nouvelle Alliance (qui éclaire l'Ancienne et l'assume). L'énoncé de la foi au sujet du péché originel tire son origine *des réflexions* de l'Église à partir de :

— *Notre expérience : il y a du péché dans* le monde, *autour de nous et en nous*, c'est un fait!

— *Du baptême* qui, traditionnellement, a été compris comme une nouvelle naissance dans le Christ.

— *Certains passages du Nouveau Testament, notamment l'épître aux Romains (5, 12 s) où saint Paul écrit :* « *De même que vous autres, juifs, vous dites que nous sommes tous solidaires en Adam*, a fortiori, *je vous déclare, moi Paul, que nous sommes tous solidaires en Jésus Christ ressuscité.* » Saint Paul appelle souvent le Christ le *nouvel Adam. Avant d'être considéré comme le premier pécheur (parce qu'il faut bien que le péché ait commencé!), Adam doit être considéré comme l'image qui prépare le Nouvel Adam,* « *figure de celui qui devait venir* » *(Rm 5, 14)*, c'est-à-dire le Christ. C'est ainsi qu'ont pensé les Pères de l'Église des premiers siècles, à commencer par *saint Irénée*, évêque de Lyon au second siècle : « *En créant l'homme, Dieu pensait au Christ.* »

3) D'où il suit qu'*on se trompe* toujours *en théologie quand on isole un dogme.* On a prétendu (par exemple, certains penseurs du XIXe siècle comme Bonald, Maistre, Veuillot, etc.) *présenter* le christianisme *à partir du seul péché originel, comme si la chute*, dont il est parlé dans le livre de la Genèse, *était le point de départ sur lequel le christianisme était bâti.*

Une certaine éducation donnait à imaginer les choses de la manière caricaturale qu'on appelle « le coup du divin plombier » : Dieu, le plombier suprême, avait fabriqué le monde avec toute une tuyauterie qui fonctionnait parfaitement bien. L'homme s'est arrangé pour démolir cette tuyauterie. D'où la décision du plombier d'envoyer son Fils réparer l'ensemble, de telle sorte que cela marche encore mieux que dans le plan primitif. Non, le christianisme est tout entier fondé sur Jésus Christ. Nous avions pris des faux plis, nous avions tendance à mettre l'accent là où il ne doit pas être mis. Il y a progrès dans l'Église, non pas quand on renie aujourd'hui ce que l'on croyait hier mais quand on efface les faux plis, quand, au-delà des déformations inévitables (passagères en droit mais tenaces, en fait, comme tous les faux plis) on retrouve la Foi la plus traditionnelle de l'Église.

Proposition de réflexions théologiques[2]

La situation d'Adam est notre situation

Il faut écarter l'idée proprement *mythique d'un temps où le premier homme aurait vécu*, avant d'avoir péché, *dans un état de béatitude et de perfection sans trouble*. Un théologien contemporain écrit ceci : « *Le dogme n'impose pas cette interprétation et, par conséquent, l'Écriture ne l'impose pas non plus. Si le récit de l'Écriture l'imposait, le dogme l'aurait aussi imposée.* »

Il faut savoir que le genre littéraire des chapitres 2 et 3 de la Genèse est le genre sapientiel (du mot latin *sapientia*, sagesse) où s'expriment la réflexion et l'expérience du « sage ». Cela sous *forme de proverbes, de sentences solennelles ou de discours, qui visent à transmettre un enseignement de portée universelle. Il y a* des proverbes *ou des* sentences énigmatiques. Par exemple : « *Sur ses gonds tourne la porte et sur son lit le paresseux* » *(Pr 26, 14). Énigme que l'on peut restituer ainsi :* « *Qui est celui qui tourne comme la porte sur ses gonds ? Réponse : c'est le paresseux sur son lit !* » Cela ressemble à une devinette. Mais, dans les écrits sapientiaux, *il n'y a pas que les énigmes de jeu ou de sagesse populaire : il y a les grandes énigmes de la vie et de la mort, du monde et de la destinée humaine.*

Nous avons donc affaire, en Genèse 2-3, non pas à un récit vraiment historique (comme l'histoire de David ou de Salomon), non pas à un récit purement mythique, non pas à une thèse de philosophie au sens occidental du mot, mais à un écrit de sagesse, dont la pointe est la résolution d'une énigme, l'énigme majeure de la condition de l'homme dans le monde et devant Dieu; et cet écrit est le fruit à la fois de l'expérience d'Israël et de la réflexion des Sages[3].

Ce que l'auteur de ces chapitres a voulu nous présenter, *c'est avant tout* la situation de l'homme tout court, aussi bien celui du XXe siècle que de n'importe quel *temps, au regard de Dieu et au regard du péché*. Étymologiquement, le mot hébreu *Adama* signifie la terre, le sol, l'argile rouge; « Adam », c'est le terreux, l'argileux, celui qui vient de la terre. Au risque de vous étonner, pourtant je l'affirme non pas comme une opinion particulière mais au nom de l'Église : si celle-ci

2. Cette première partie est constituée de notes de cours du Père J. MOINGT.

3. Pour une connaissance plus approfondie de Genèse 2-3, le Père VARILLON renvoie à P. GIBERT, *Croire aujourd'hui au péché originel*, Sénevé, 1971, et à P. BEAUCHAMP dans son cours sur le genre littéraire des récits de la Genèse.

dit que la cause du péché est Adam, elle n'a jamais défini qui est Adam. La plupart des théologiens contemporains admettent qu'Adam, c'est l'humanité tout entière. Par conséquent, *l'histoire d'Adam qui nous est racontée est aussi bien notre histoire* à nous; le péché d'Adam est notre péché.

Il est vrai que le récit nous dit qu'*Adam a été créé dans un état de sainteté et de justice.* Faut-il alors *le concevoir comme un homme d'une intelligence et d'une liberté parfaites*, une espèce de surhomme par rapport aux hommes que nous connaissons ? Cela ne correspond pas du tout à la description que la science actuelle nous donne des premiers hommes émergeant lentement de l'animalité. *Il n'est pas du tout nécessaire d'imaginer au début de l'humanité* (c'est-à-dire il y a deux ou trois millions d'années) *un surhomme* et je pense, pour ma part, *qu'il est plutôt préférable d'éviter cette imagination.*

La perfection d'Adam est la perfection d'une vocation

Ce que la Bible nous présente, *c'est la fin à laquelle Dieu a ordonné l'homme* : sa divinisation. *La perfection du premier homme, c'est qu'il n'est pas comme les autres êtres de la nature*, animaux ou végétaux mais qu'*il est appelé par Dieu*, dès *l'origine, à une fin* proprement *divine : appel à entrer dans l'amour de Dieu*, à partager éternellement la vie même de Dieu. Dès que l'esprit de l'homme s'éveille, il voit qu'il ne peut pas vivre comme les autres êtres de la terre : ceux-ci n'ont pas à devenir libres. Lui, il a à devenir ce qu'il doit être. Autrement dit, la perfection de l'homme est la perfection d'une vocation et non pas d'une situation. *C'est ce que la Bible nous enseigne en disant que l'homme est créé « à l'image et à la ressemblance de Dieu » (Gn 1, 26)*, exactement « à l'image en vue de la ressemblance de Dieu », les théologiens interprétant ressemblance au sens précis de participation à la vie divine elle-même.

Dieu donne à l'homme la capacité de devenir parfait, car il veut que l'homme soit parfait, à son image. Dieu, je le répète, n'a pas fabriqué une liberté, car c'est à l'homme créé en possibilité de liberté de se rendre libre lui-même. Dieu crée l'homme capable de se créer lui-même. C'est pourquoi je n'aime pas l'expression : Dieu a créé l'homme libre car il y a deux erreurs : on met la création au passé et l'on a le sentiment que la liberté est un cadeau, une sorte de tout-fait, alors que la liberté est essentiellement le contraire d'une chose toute faite. La liberté n'est liberté que si on la crée soi-même.

Par conséquent, *la perfection d'Adam*, dont il est question, *n'est pas un état de perfection mais le commencement d'une histoire de perfection* qui doit s'achever dans la gloire de Dieu. C'est cela que Dieu veut, il crée l'homme divinisable. C'est la définition la plus profonde qu'on puisse donner de l'homme, au-delà de tout ce que nous disent les sciences humaines. *C'est là sa vocation et elle est éminemment exigeante.*

Seulement, l'homme ne peut pas se diviniser tout seul, il faut qu'il accueille le don de Dieu, car c'est Dieu qui divinise. Ce n'est pas l'homme par lui-même qui va franchir l'abîme infini qu'il y a entre Dieu et lui, parce que son origine est terrestre, ses racines sont cosmiques. Il est « terreux ». *Peu importe la façon dont vous concevez cette origine terrestre, que ce soit, comme dit la Genèse, en étant tiré directement de la terre ou que ce soit, comme on l'admet couramment aujourd'hui, par l'intermédiaire de nombreuses échelles animales.*

Cette origine terrestre est pour l'homme une source de dissemblance à l'égard de Dieu. Car la voix de la nature fait retentir constamment en l'homme un appel à vivre non pour Dieu et les autres hommes mais *pour lui seul*, égoïstement, *comme les autres êtres* de la nature qui vivent selon leur instinct. En simplifiant les choses, on peut dire ceci : il y a en l'homme une double force :

— *une force de pesanteur* et d'inertie qui l'invite à renoncer à être un homme libre et le pousse à vivre comme les autres êtres du monde qui n'ont pas de liberté à construire (une plante, un chien, un chat) ;
— *une force ascensionnelle* qui l'invite à construire sa liberté que Dieu, par grâce, fera accéder jusqu'à sa propre liberté.

Voici donc l'*homme tiraillé* — et il ne peut pas ne pas l'être, étant donné que Dieu l'appelle à partager sa propre vie — *entre une force de pesanteur* qui le tire vers le bas *(c'est le chemin de la servitude de sa liberté) et une autre force ascensionnelle (c'est le chemin de la croissance de sa liberté).*

Le premier homme n'était pas, somme toute, dans une condition différente de la nôtre. Il est vain de chercher à se représenter ce qu'a pu être sa faute. On s'imagine souvent une faute d'une grandeur exceptionnelle, luciférienne. Mais il eût fallu pour cela qu'Adam ait été doué d'une intelligence totalement développée et d'une liberté parfaite. Encore une fois, ce n'est pas ce genre d'homme que la science nous fait rencontrer aux origines de l'humanité ! D'ailleurs qui est Adam ? Les savants nous disent que, probablement, l'humanité ne descend pas d'un couple unique (cette hypothèse s'appelle le monogénisme) mais est apparue à peu près à la même époque sur plusieurs points du globe (hypothèse du polygénisme qui recueille le plus de suffrages actuellement).

Telle est la situation de l'homme. *La faute*, c'est-à-dire l'obéissance à la force de pesanteur, *est liée à l'éveil de la conscience morale, lorsque l'homme se rend compte qu'il est un être différent des autres et qu'à ce titre*, il a le devoir de construire sa liberté en prenant appui sur ses conditionnements. *Dieu demande à l'homme de se réaliser lui-même en tendant vers Dieu, en choisissant Dieu*, en accueillant le don de Dieu. On ne peut être vraiment homme qu'en choisissant Dieu pour centre. Le péché originel, c'est l'homme, *c'est tout homme qui choisit de se réaliser lui-même en* se bouchant les oreilles pour ne pas entendre l'appel de Dieu à se créer lui-même, c'est l'homme qui choisit la servitude facile plutôt que la dure exigence de liberté.

Voilà ce qu'est la faute originelle : il ne s'agit pas d'une origine chronologique mais il s'agit de l'origine de la nature humaine, de la racine même de l'existence. C'est pourquoi le péché originel est impensable indépendamment de la vocation de l'homme à être divinisé. S'il est un scandale dans l'éducation chrétienne des enfants et des jeunes, c'est qu'on leur parle du péché originel avant d'être bien assuré qu'ils ont compris que l'essentiel de la foi, c'est de croire qu'ils sont appelés à partager la vie divine. Les dogmes chrétiens n'ont de sens que par rapport à cet essentiel! Le péché originel est la distance incommensurable entre ce qu'est l'homme livré à lui-même et ce qu'il doit être en vivant de vie divine.

Comment le péché originel se propage-t-il ou se transmet-il?

Il faut écarter l'idée que la faute du premier homme a été pour toute l'histoire le point de départ d'une chute vertigineuse. Nous faisons commencer notre histoire après le péché et nous avons l'impression que *l'état d'Adam*, avant le péché, *n'avait rien de commun avec l'état que l'homme a connu depuis. Et l'on se prend un peu naïvement à demander : si Adam n'avait pas commis cette bêtise, s'il avait été un peu plus raisonnable, un peu plus ferme avec sa femme, beaucoup de catastrophes auraient été évitées, nous aurions été dans le bonheur complet, nous nous serions trouvés établis à jamais dans la vertu.* Franchement, qu'en savez-vous? *C'est du pur imaginaire*, terrain de choix pour l'infantilisme.

A supposer que le premier homme n'ait pas péché, qu'est-ce qui nous garantit que le second ne l'aurait pas fait? Et pourquoi pas le troisième ou le quatrième? *Si la faute du premier homme a eu tant d'influence sur nous, pourquoi celle du deuxième ou du troisième n'en aurait pas eu autant?* C'est tout de même un peu curieux, tout cela! Et puis, voici l'essentiel : *on en vient à l'idée d'une humanité qui aurait pu atteindre la gloire parfaite de sa divinisation en se passant complètement de Jésus Christ. On en vient à imaginer que, si Adam n'avait pas péché, il aurait eu le pouvoir de conduire par lui seul à la divinisation toute sa descendance humaine.* Malheureusement il a fait une boulette et il a fallu que Jésus Christ vienne la réparer!

Il faut quand même réfléchir davantage! *Nous n'avons qu'à lire le Nouveau Testament pour voir qu'il n'y a qu'une seule source de divinisation qui est le Christ. Depuis le début, le Christ est voulu par Dieu et, comme le dit saint Paul, nous avons été créés en Lui (Col 1, 16). Cela veut dire que notre humanité, dès ses origines, est destinée à entrer dans la filiation divine par le Christ et en Lui.*

Certains prédicateurs donnaient l'impression que Dieu était tellement offensé par le péché du premier homme qu'il a décidé que tous les hommes, désormais, seraient asservis au péché. Il faut bien avouer que c'est une conclusion assez extraordinaire! Le souci de Dieu n'est tout de même pas d'asservir les hommes au péché *mais de les en délivrer. Ce n'est pas lui qui a décidé, par une sorte de décision de sa volonté souveraine, de nous imputer la faute du premier homme, comme s'il avait été dépité que ce premier homme ait enfreint sa loi.* Non! La liberté absolue ne peut pas vouloir autre chose que libérer!

Si le péché se transmet, c'est qu'il est de la nature de tout péché de se transmettre aux autres. Le péché ne se transmet pas comme un acte de culpabilité. Lorsque nous commettons une faute, cette faute reste la nôtre et ne passe pas à nos enfants ou à nos voisins. A cet égard, l'expression même de « péché originel » prête à équivoque. Car le péché originel se distingue du péché personnel par l'absence de consentement personnel. Le péché originel en nous n'est donc pas un acte peccamineux mais la conséquence en nous de tous les péchés commis depuis le premier. C'est une situation relativement à une vocation.

Le propre de tout péché, c'est de déclencher un train d'ondes qui perturbent les relations humaines. *Si un homme ne vivait que hanté par le désir de l'argent, sa relation aux autres en serait faussée.* Si un homme est un don Juan qui ne pense qu'à la luxure, toutes les jolies femmes du monde lui apparaîtront comme occasion de plaisir, tout est perturbé, il n'y a plus de fraternité. Le moindre de nos péchés est *une provocation au mal que nous déposons dans la conscience d'autrui. Toutes les fois que j'agis avec égoïsme, j'incite autrui à en faire autant.* Toutes les fois que je cherche ma jouissance, je provoque l'autre à agir semblablement. *Tout péché devient une voie par laquelle une tendance au péché s'infiltre dans la conscience humaine.*

L'ensemble des relations humaines constitue ce que l'on peut appeler la conscience commune de l'humanité, la volonté commune du genre humain. Les actes mauvais de tous les hommes contribuent à répandre et à propager le péché. Chaque acte mauvais que nous commettons est comme une onde qui se répand par les relais de toutes les relations humaines. C'est ainsi que tous les péchés des hommes s'agglutinent et forment entre eux comme un véritable corps de péché. L'enfant qui vient au monde entre dans une communauté de péché. Je suis pécheur dès le premier moment de mon existence, car le premier moment de mon existence est vécu dans un monde de péché. Aucun homme ne peut se former sans l'aide des autres. Mais les autres l'aident autant à se détruire qu'à se construire. *C'est ainsi que nous pouvons comprendre la propagation du péché originel.*

Noter que le monde, s'il est corps de péché, est aussi corps de grâce. Si nous pesons dans le sens du péché, nous pesons également dans le sens du bien et le bien, quel qu'il soit, est une collaboration à l'œuvre divine.

Le dogme du péché originel est essentiel à la vérité de notre relation à Dieu

Pécheurs pardonnés à la racine de notre être

Si donc l'Église tient absolument au dogme du péché originel, c'est parce qu'il est essentiel à la vérité de notre relation avec Dieu. Si je laisse tomber le péché originel, ma relation à Dieu n'est plus une relation vraie. Évidemment, cela n'apparaît pas du premier coup et il faut l'établir. C'est précisément parce que cela n'apparaît pas du premier coup que beaucoup sont tentés d'en faire bon marché en disant : après tout, qu'il y ait ou qu'il n'y ait pas un péché originel, qu'est-ce que cela changera dans ma vie ? En réalité, cela change beaucoup.

Dans *Les mots*, Jean-Paul Sartre raconte qu'étant enfant, il avait désobéi à ses parents en jouant avec des allumettes et avait brûlé un tapis; il a camouflé le dégât comme il a pu et il a sauté sur les genoux de sa maman sans rien lui dire de la faute qu'il avait commise. Et il ajoute : relation fausse, relation mensongère; ma relation d'enfant avec ma mère aurait été une relation vraie si je lui avais dit : maman, je te demande pardon, j'ai désobéi, j'ai joué avec des allumettes et j'ai brûlé le tapis, j'espère que tu voudras bien me pardonner et que tu me permettras de t'embrasser. A ce moment-là, relation vraie!

Si l'homme ne se reconnaît pas pécheur, sa relation avec Dieu est fausse. Quand l'Église nous parle du péché originel, ce qu'elle veut nous faire entendre, c'est qu'à la racine même de notre être, nous sommes non seulement des créatures finies, mais aussi des créatures pécheresses. Il y a, à notre racine, une orientation qui n'est pas une orientation vers Dieu.

Le fond des choses (je pense que c'est très sensible dans les Exercices de trente jours où certains sont parfois étonnés qu'on passe toute une semaine sur le péché), c'est que, si je ne me connais pas esclave, je ne peux pas savoir ce qu'est la liberté et je ne peux pas me mettre en route vers un libérateur. Le pire des esclavages est de ne pas se connaître lui-même. Mais c'est uniquement en fonction de la liberté qu'il est urgent de se savoir esclave, sinon cela n'a aucun intérêt. Et c'est le Christ Sauveur, Libérateur qui nous délivre, non seulement de la finitude (nous sommes des êtres finis, et si nous sommes divinisés, il faut que nous soyons libérés de cette finitude qui nous enserre de toutes parts) mais aussi de l'esclavage du péché qui est un redoublement de finitude. C'est une libération qui doit nous faire accéder à la liberté même de Dieu.

Ainsi la véritable relation avec Dieu, la relation de vérité entre l'homme et Dieu est une relation de pécheur pardonné à un infini d'amour et de pardon. Dire que l'homme est une créature et que Dieu est créateur, c'est vrai mais ce n'est pas le fond des choses. La distance entre ce que nous sommes et le Dieu d'amour qui nous divinise est infiniment plus grande : elle est entre un infini d'amour qui pardonne et une créature qui n'est pas seulement finie mais qui est à la fois pécheresse et pardonnée. A l'exception de la seule Vierge Marie, il est impossible à l'homme de se présenter devant Dieu la tête haute. Si je me présente devant Dieu la tête haute, comme un innocent, ma relation à lui est une relation fausse et, du même coup, je méconnais ce qu'il est, lui, par rapport à moi, c'est-à-dire non seulement celui qui nous crée, mais celui qui nous divinise et nous pardonne.

La grande réalité n'est pas le péché mais le pardon. Dieu ne se révèle en plénitude que lorsqu'il révèle qu'il est une puissance infinie de pardon. Je ne sais si vous avez l'expérience du pardon; personnellement, je ne l'ai pas tellement car je n'ai pas conscience d'avoir été gravement offensé au cours de ma vie. Je l'ai été dans de petites choses, mais je n'ai pas le sentiment d'avoir eu l'occasion de révéler la gratuité totale de mon amour en par-donnant, c'est-à-dire en donnant à fond. Ce que l'on peut dire de plus profond sur Dieu, c'est qu'il est une puissance infinie de pardon. Imaginez que nous ne soyons pas pécheurs, nous connaîtrions un Dieu qui donne, mais nous ne le connaîtrions pas comme celui qui donne jusqu'à pardonner et nous pourrions toujours nous demander si Dieu continuerait à nous donner au cas où nous l'offenserions. Autrement dit, nous ne connaîtrions pas le fond de Dieu.

Ainsi il y a trois degrés de gratuité dans l'amour de Dieu pour nous :

— la gratuité de l'amour qui nous crée;
— la gratuité de l'amour qui nous divinise;
— la gratuité de l'amour qui nous pardonne, c'est-à-dire qui nous rend perpétuellement ce que nous perdons perpétuellement par le péché.

Ne demandez pas à l'Église ce qu'elle ne prétend pas donner. L'Église ne prétend pas que le péché d'Adam soit une explication du mal et de la souffrance. Seulement, en même temps que l'universalité du péché, elle affirme l'universalité du pardon libérateur. On ne devrait jamais parler du péché originel, mais toujours dire péché et pardon originels, ou péché et rédemption originels, à condition de bien comprendre que rédemption veut dire libération. Si la divinisation des pécheurs que nous sommes s'appelle la rédemption, c'est parce que notre salut n'est pas uniquement en forme de croissance, mais aussi en forme de redressement. Dieu, pour nous diviniser, ne vient pas seulement nous chercher dans une situation de créatures innocentes mais dans une situation de pécheurs, de telle sorte que notre croissance, dont le terme est Dieu lui-même, est en forme de redressement.

Transformer le don en dû

Le péché originel, c'est de transformer le don de la divinisation en un dû, c'est vouloir prendre ce qu'il faut accueillir. « Tu ne mangeras pas de ce fruit, mais tout est à toi, je te le donnerai. » Le fruit du paradis terrestre est un fruit vert que Dieu ne peut pas donner. Le rôle du temps est indispensable et le péché originel consiste justement à vouloir le supprimer, à vouloir le fruit tout de suite. C'est la prise substituée à l'accueil. L'homme est tenté de s'emparer de la condition divine, alors qu'elle lui est offerte. Si vous m'invitez pour me montrer des œuvres d'art que vous avez rassemblées et pour me dire qu'elles sont à moi, que vous me les donnerez plus tard et si, dans la nuit, cambriolant votre appartement, je prends ce que vous m'avez donné, c'est cela le péché.

Notre liberté n'est pas un tout-fait. Vouloir prendre, c'est empêcher Dieu de donner, car Dieu ne peut pas donner du tout-fait. Il faut accueillir la divinisation. A la racine même de notre existence, et au fond même de tous nos péchés actuels, il y a cette perversion qui consiste à transformer le don en un dû. C'est la perversion suprême, la volonté de conquête ou de capture substituée à la volonté d'accueil. Il n'y a pas d'amour à prendre, tandis qu'il y a de l'amour à accueillir. Il y a autant d'amour à accueillir qu'à donner et ce qui fait le christianisme, c'est que tout peut être vécu sur le mode de l'accueil et du don.

Je supplie les chrétiens de ne pas être triomphalistes, de ne pas se présenter devant les incroyants comme pouvant leur fournir une explication. Pourquoi l'homme est-il pécheur ? Il n'y a pas de réponse. Le péché est à l'origine de notre existence et nous sommes originairement dans les bras de Dieu comme dans les bras d'un Père qui pardonne : telle est la signification, mais ce n'est pas une explication. La réponse de Dieu n'est pas une réponse théorique : il entre dans le monde du péché et l en meurt. Telle est son humilité.

Jamais un chrétien ne peut dire : je détiens la réponse, il ne peut que la vivre en aimant, comme Dieu a aimé jusqu'au bout. Jamais le chrétien ne peut se vanter de posséder la vérité sur le péché, sur le mal et la souffrance qui en découlent, car il ne peut pas empêcher que se repose l'éternelle question : n'y a-t-il pas des vies où toute espérance semble exclue, où la nuit domine, sans aucune lueur ? Le chrétien qui, lui, espère une plénitude de sens (je rappelle qu'il n'y a pas de réponse théorique à l'ultime « pourquoi ? », il y a une espérance) ne peut qu'être immensément humble et garder un silence modeste devant l'expérience de la désespérance et de l'absurdité de millions d'hommes autour de lui. Contre le péché, ce que nous pouvons espérer c'est le triomphe définitif, c'est-à-dire la vie éternelle dans l'amour.

*La résurrection de la chair ou divinisation de l'homme et de l'univers**

Le terme français « chair » n'a pas les mêmes harmoniques que le mot hébreu correspondant : un juif n'oppose pas la chair à l'esprit comme nous le faisons en français. La chair, pour lui, est l'homme tout entier, avec sa faiblesse et sa fragilité mais aussi avec son enracinement dans la nature, dans un milieu, dans sa race. La chair inclut toutes les relations avec les personnes et les choses. Quand nous disons que nous croyons à la résurrection de la chair — c'est un article de notre Credo —, nous disons donc que c'est l'homme total qui ressuscite.

Je vous fais également remarquer que nos Credos ne parlent pas de la résurrection des corps. Dans le Symbole des Apôtres, il est question de la « résurrection de la chair » et, dans le Symbole de Nicée que nous disons ou chantons à la messe, il est question de la « résurrection des morts ». Le corps est impliqué dans un ensemble qui est beaucoup plus vaste et que la Bible appelle la chair.

La foi de l'Église en la résurrection de la chair, c'est-à-dire de l'homme et du monde tout entier, a tellement scandalisé la pensée

* *Manuscrits :* un texte de 15 pages intitulé « Comment comprendre la résurrection de la chair ? » (assez ancien); « Le sens de la mort » et « La Résurrection », n°s 3 et 6 de la série rédigée en 1975-1976. — *Polycopies :* Boulogne (24 février 1970); Annecy (29 avril 1971 et 13 janvier 1972); résumé imprimé d'une session théologique tenue à Montauban en 1972 sur « La Résurrection du Christ »; Lyon-Sainte-Hélène (8 mars 1974, 6 décembre 1975 et 4 mars 1976); Auteuil (8 décembre 1975 et 4 mars 1976); Pau (octobre 1976).

païenne qu'il ne faut pas être surpris de la difficulté qu'eurent les auteurs chrétiens des premiers siècles à la faire accepter. Il est remarquable, en effet, que, parmi les ouvrages des premiers Pères de l'Église, un grand nombre soit consacré à ce dogme. Et, puisque le christianisme est une doctrine de vie, je reposerai brutalement la même question que j'ai posée à propos de la Trinité : si, par impossible, un concile déclarait qu'il n'y a pas de résurrection de la chair, qu'est-ce que cela changerait pratiquement dans votre vie de tous les jours ?

Non immortalité de l'âme mais résurrection de l'homme total

Nous avons laissé s'évanouir ou s'appauvrir la richesse de la foi chrétienne sur notre béatitude éternelle, dans la mesure où nous avons quelque peu cessé de suivre la pédagogie divine exprimée dans la Bible (Ancien et Nouveau Testament)[1]. Ce qui est le plus grave, c'est que nous confondons l'immortalité de l'âme avec la résurrection de la chair. Nous réduisons le ciel à n'être que le lieu de l'âme immortelle. Le résultat, c'est que ce monde-ci, dans lequel nous vivons, travaillons et souffrons pendant quarante, soixante ou quatre-vingts ans, est décoloré, dévalorisé. La valeur du monde d'aujourd'hui, de nos tâches humaines, qu'elles soient familiales, sociales, syndicales, politiques ou culturelles, ne nous apparaît plus que comme quelque chose qui est tout à fait secondaire par rapport à ce que nous appelons l'autre monde, l'autre vie.

Comme s'il y avait deux mondes et que celui-ci, dans lequel nous sommes, n'avait que peu d'intérêt relativement à l'autre! Nous confondons autre monde et monde devenu autre, ce n'est pourtant pas la même chose! En rigueur de termes, il n'y a pas d'autre monde, d'autre vie mais ce monde devient tout autre, cette vie devient tout autre. Quand vous voyez un homme de soixante ans que vous aviez connu jeune homme, vous dites que c'est le même homme, vous ne dites pas que c'est un autre. Seulement, en vieillissant, il est devenu tout autre, mais c'est bien le même. Nous ne devrions jamais parler d'un autre

1. Sur la progression de la Révélation chrétienne à partir de la doctrine du shéol, voir *Éléments de doctrine chrétienne*, t. II, chap. 60.

monde, mais toujours du monde qui, par la résurrection, devient tout autre.

Si nous parlons d'un autre monde, il est tellement le monde essentiel que ce monde-ci risque de nous apparaître simplement comme un terrain d'épreuves avant la récompense. Dieu sait si, dans l'esprit de beaucoup de chrétiens, le ciel est le lieu de la récompense! C'est ainsi qu'en vidant le ciel de sa substance et de son attrait, nous en vidons également la terre, nous aboutissons à un ciel qui n'est qu'une immortalité pour l'âme et la terre n'est plus que matière périssable, une sorte de machine à produire de purs esprits. Vous voyez donc que l'enjeu est important.

Béatitude divine, communautaire, incarnée

Ce que l'Église affirme, c'est essentiellement ceci : notre béatitude éternelle sera vraiment une béatitude d'homme, c'est-à-dire conforme à la nature de l'homme :

— sociale ou communautaire (car l'homme est un être social et une béatitude individualiste ne répondrait pas à sa nature);
— incarnée (car l'homme n'est pas un esprit pur);
— divine, consistant en l'unité de vie avec Dieu (car l'homme n'est pas un être clos en lui-même mais ouvert sur l'infini; ou, pour parler autrement, une des dimensions de l'homme est son aspiration à l'infini).

Ces trois aspects sont intimement liés dans le dogme de la résurrection de la chair. Je veux dire qu'une telle béatitude, pleinement humaine, ne peut être réalisée que dans et par la résurrection de la chair. Si l'homme ne ressuscitait pas tout entier, corps et âme, notre béatitude éternelle ne serait pas une béatitude d'homme mais une récompense extérieure, plaquée sur l'homme du dehors, comme le vélo qu'on offre à un garçon qui a réussi son examen. Ce ne serait plus l'homme que je suis par nature mais un être nouveau et différent qui serait éternellement heureux, ce ne serait pas ma béatitude. Une telle pensée est absolument insupportable, c'est une affaire de dignité élémentaire comme nous le rappellent certains athées : je suis homme, ma dignité est d'être homme et donc de le rester éternellement. S'il est bien vrai qu'il ne peut y avoir de résurrection de la chair sans le don de Dieu qui nous appelle à partager sa vie, ce don et cet appel impliquent que nous nous construisions nous-mêmes par toute notre activité et notre vie présente. Certes le mot récompense est dans l'Évangile : « Votre récompense sera grande dans les cieux » (Mt 5, 12) mais au sens où la moisson est la récompense des semailles; il s'agit d'une récompense intrinsèque.

C'est pourquoi, selon la doctrine de l'Église, la vie éternelle heureuse est la permanence divinisée de tout l'homme : moi et tout moi. C'est moi et tout moi qui serai éternellement heureux. Quand je dis : tout moi, j'entends toutes mes relations : si je suis marié, ma femme; si je suis père ou mère de famille, mes enfants; mes frères, mes sœurs; mes amis; ma communauté religieuse; mon milieu social; mon milieu professionnel; mon travail : non pas seulement l'intention que je mets dans mon travail mais l'œuvre elle-même. Je puis vous faire cette confidence : lorsque j'ai écrit mon petit livre *L'humilité de Dieu*, certains m'ont dit : « Oh! mais il y a des citations de musiciens et de poètes! — Oui, car je ne veux pas congédier tous ceux qui ont contribué à faire de moi ce que je suis, et que je veux retrouver pendant toute l'éternité; autrement, ce ne serait pas moi. »

Notez bien au passage que, lorsque je dis tout l'homme, j'entends aussi tout le cosmos car nous sommes liés au cosmos tout entier, c'est-à-dire à l'univers de la matière, de la vie végétale et animale. Nous assimilons le cosmos quand nous mangeons ou quand nous admirons une œuvre d'art. Lorsque, après avoir passé plusieurs heures à contempler le Parthénon, je redescends de l'Acropole, le Parthénon fait partie de moi puisque je suis différent de ce que j'étais avant de l'avoir vu. Le Parthénon ressuscitera en moi et par moi.

L'homme ne peut pas être séparé du cosmos, il en est solidaire. Notre corps est taillé dans la même étoffe que l'univers : nous avons besoin de calcium, de phosphates, etc., vous savez cela mieux que moi! L'homme n'est pas par rapport au monde comme une statue posée sur un socle mais bien plutôt comme la fleur par rapport à la tige et qui fait corps avec toute la tige. Nous ne faisons qu'un avec le cosmos, de telle sorte que tout ce que nous disons du corps vaut de l'univers. Dans un célèbre sermon prononcé pour la fête de l'Annonciation, Bossuet disait que « l'homme est un microcosme, un petit monde à l'intérieur du monde ».

Par conséquent, la foi en la résurrection de la chair est, en fait, la foi en la résurrection du monde. Vous voyez poindre ici l'importance de nos tâches terrestres, lesquelles consistent toujours directement ou indirectement à transformer, à humaniser le monde. Le monde ressuscite. Nous sommes loin d'une philosophie qui se contente de prouver l'immortalité de l'âme, et pour laquelle l'univers tel qu'il est n'aurait pas de valeur durable. On aboutit ainsi à une béatitude d'esprit pur qui va facilement devenir une béatitude d'individualisme. La vérité révélée est infiniment plus riche : béatitude sociale ou communautaire, incarnée et divine; ou, en d'autres termes, permanence spiritualisée et divinisée de tout l'homme et de tout l'univers dont l'homme est solidaire. Pour cela, essayons de comprendre ce qu'est le corps, même si les réflexions suivantes sont un peu difficiles.

Valeur du corps. Pas d'âme sans corps, pas de corps sans âme[2]

Qu'est-ce que le corps ? Qu'est-ce que notre corps d'homme ? Il n'est pas un objet parmi les multiples objets du monde physique; il n'est pas une chose parmi les choses. Encore qu'il apparaisse d'abord comme tel : une chose lourde, opaque, qui impose des limites; qui se présente lui-même comme un agrégat de limites; une sorte de prison, ce qui fait qu'étant ici, je ne suis pas ailleurs. Il est bien vrai que *l'enfant découvre son corps d'abord comme s'il n'était pas le sien* : le bout de son petit pied est une chose comme le drap ou la couverture sur laquelle il est posé.

En fait, il n'en est rien, le corps n'est pas quelque chose. *Le corps, c'est quelqu'un :* mon corps, c'est moi. *Quelque chose de lourd et d'opaque, oui ; de limité et de limitatif, oui ; agrégat de matière*, oui en un sens. Mais surtout mon corps est *un foyer d'énergies. Et d'énergies combien puissantes et combien souples ! Une masse de cellules vivantes*, oui; mais regardez ce que devient cette masse dans le sport ou dans la danse.

Si vous êtes sportif, songez à ce qu'est *l'avant-centre d'une équipe de football : il est sur le terrain partout à la fois*. Si vous êtes *artiste*, *songez à ce qu'est un danseur ou une danseuse*. Voyez le petit dialogue imité de Platon que Paul Valéry a intitulé : *L'âme et la danse*. Le titre, déjà, est très suggestif : c'est l'âme, c'est l'esprit qui prend corps pour notre émerveillement dans les bonds du danseur qui, lui aussi, est partout à la fois sur le plateau : « (La danseuse) nous apprend ce que nous faisons, montrant clairement à nos âmes ce que nos corps obscurément

2. Dans cette seconde partie, le Père VARILLON utilise G. MARTELET, *L'au-delà retrouvé*, Desclée, 1975, p. 15-62; E. POUSSET, dans *Nouvelle Revue théologique*, avril 1974, p. 374-383, et des notes de cours de P. VALADIER.

accomplissent. A la lumière de ses jambes, nos mouvements immédiats nous apparaissent des miracles. Ils nous étonnent enfin autant qu'il le faut[3]. » Valéry veut dire, si je le traduis en prose toute simple, que l'art du danseur ou de la danseuse nous éclaire sur ce que nous réalisons tous, sans nous en apercevoir, dans la vie ordinaire, quand nous marchons dans la rue ou dans notre jardin.

Quel déploiement d'énergies! C'est aussi la communication avec autrui! C'est enfin *l'expression rayonnante de la vie, de la force, de la beauté et de l'intelligence!* Vous me direz : vous faites l'éloge du corps des danseurs et nous ne sommes pas des danseurs; vous faites l'éloge du corps des sportifs et nous ne sommes pas des sportifs. Précisément, l'éloge que je fais du corps des danseurs et des sportifs a pour but un éloge de notre corps à tous. Le sportif et le danseur manifestent de façon spectaculaire ce foyer d'énergies qu'est notre corps à tous.

Regardez la main (il n'y a pas que les pianistes qui ont des mains!). Saint Thomas d'Aquin disait que ce qui constitue l'homme, c'est l'esprit et la main. La main semble *l'extrémité banale des membres antérieurs.* En fait, chez l'homme qui est un animal debout, *la main est libérée* (l'homme n'a pas besoin de ses mains pour marcher); *elle peut tout saisir sans se lier à rien de ce qu'elle s'approprie.* C'est dire qu'*elle est le signe le plus impressionnant de l'intelligence : elle demeure elle-même en acquérant des relations universelles.* Comme on dit très justement, *l'homme exerce une mainmise,* il met la main sur tout et tout tombe dans le règne de l'homme. *C'est par la main que l'homme est l'artisan du monde. La main est l'ouvrière de l'esprit, la présence pratique de l'esprit au monde.*

Paul Valéry, après avoir fait l'éloge de la danse, qui est l'intelligence même incarnée dans les pieds, les jambes et le corps tout entier, fait l'éloge de la main : il parle des « mains savantes, clairvoyantes et industrieuses du chirurgien ». *De même que le danseur remplit toute la scène et que le sportif occupe tout le terrain, tous les hommes, par leur travail, remplissent le monde avec leur corps, avec leur activité corporelle.* Il faut dire (bien que ce soit devenu très banal, seulement c'est capital pour notre propos!) que tous les produits du travail et de l'art, depuis la plume qui m'a servi à écrire les lignes que j'ai sous les yeux jusqu'aux fusées des cosmonautes, sont le prolongement des corps des hommes, ou, ce qui revient au même, leur présence corporelle active étendue à l'univers entier. A la limite, l'univers entier devient le corps des hommes.

Dans son pouvoir d'appréhension universelle, la main de l'homme suppose le

3. P. VALÉRY, *L'âme et la danse*, Pléiade, p. 157.

cerveau et se relie à lui. Les savants nous expliquent comment la station droite (le fait que l'homme soit debout) *a libéré l'édifice crânien d'une sorte de joug musculaire qui en bloquait le déploiement. Cette contrainte étant levée, la niche protectrice du cerveau cortical a pu se développer. Dans cette niche s'est logé ce fabuleux ordinateur vivant qui comprend au bas mot une quinzaine de milliards de cellules : le cerveau. C'est lui qui rend possible le jeu indéfini d'associations et de rapports dont se nourrit et que produit l'esprit.*

Alors le visage apparaît. Avant de dire : visage, disons : face. C'est la main qui permet l'apparition de la face humaine. Sans la main, en effet, c'est la mandibule ou la mâchoire ou le bec ou la langue ou le croc qui attaque directement les aliments et cela implique une violence. Quand la main, libérée par la station debout, appréhende les aliments, la face, soustraite à la violence, se résorbe et s'humanise pour d'autres fonctions que la fonction alimentaire. C'est alors que la face devient visage, c'est-à-dire *sourire, regard et surtout parole* (d'ailleurs le sourire et le regard sont déjà, en quelque sorte, des paroles).

Il faut insister un peu sur cette chose merveilleuse qu'est la parole. Qu'est-ce que parler ? *C'est faire jaillir des idées au sein d'un ensemble sonore qui, par lui-même, n'est qu'un jeu de vibrations.* L'homme seul en a le pouvoir. *Parler, c'est proférer un ensemble organisé de sons, voyelles et consonnes formant des syllabes et des mots, qui se trouve lié à un ensemble organisé de significations. Ce système de sons, lié à un système de sens (ou de significations), varie avec chaque pays : on l'appelle une langue : le français, l'anglais ou le chinois.* L'homme apprend une langue, ou plutôt sa langue, dite « maternelle », et devient dès lors capable de s'ouvrir à l'univers *de la rencontre et du dialogue.* Je dis l'univers, c'est-à-dire que, par la parole, l'homme s'universalise, *devient un sujet parmi d'autres sujets. Comme dit joliment le Père Martelet : « Quand la parole est vraiment née, l'homme a vraiment franchi le Rubicon inaugural de son humanité.* »

L'homme ne pourrait pas penser s'il ne pouvait pas parler et il n'y a pensée réfléchie que là où il y a langage. Or le langage est corporel. Peut-être, primitivement, était-il gestuel : on parlait en faisant des gestes. Peu à peu, on est passé à ce qu'on appelle le geste laryngo-buccal, c'est-à-dire le geste du larynx, de la gorge et de la bouche. Si nous ne pouvions pas gesticuler ni parler, nous ne pourrions pas faire de raisonnements ni porter des jugements, un peu comme des perles que l'on enfile dans un collier mais qui s'écoulent à mesure.

Le Père Valensin racontait comment il a été témoin d'une scène très intéressante au parc de la Tête-d'Or de Lyon. On avait lancé une noix à un singe mais elle était trop loin de lui. Il avise un bâton pour essayer d'attraper la noix mais le bâton est trop court. Or il voit que, plus loin, il y a un bâton beaucoup plus grand mais il ne peut pas l'atteindre car il est vraiment trop loin. Il s'aide alors du petit bâton pour attraper le grand, ce qui lui permet de saisir la noix. Pourquoi le singe ne passe-t-il pas le seuil de la pensée réfléchie, de la pensée humaine ? Parce qu'il n'a pas de langage et il n'a pas de langage parce qu'il n'est pas libre avec ses pattes de devant; il n'a qu'un commencement de mains, il ne peut pas se dégager complètement pour gesticuler, donc pour parler, il retombe sur ses quatre pattes. Ce qui fait l'homme, c'est la possibilité d'être debout, avec les mains libres, le langage devient possible et, du même coup, la véritable pensée.

Ainsi *l'homme n'est pas une double substance*, le corps et l'âme, *dont l'une, le corps, enchaînerait l'autre, l'âme, et la desservirait. Le corps n'est pas en nous un élément tout extérieur* dont l'âme pourrait se passer. *Le corps fait essentiellement partie de notre être. Le corps et l'âme sont aussi liés l'un à l'autre dans l'acte même d'exister que le son et le sens dans l'acte de parler.* De même que la parole est indivisiblement son et sens, de même, tout aussi indivisiblement, *l'existence humaine est corps et âme. L'âme n'est jamais sans le corps ; le corps n'est jamais sans l'âme ; le corps et l'âme ne sont jamais sans le monde.*

Le corps n'est pas autre chose que l'âme elle-même considérée dans le déploiement de sa puissance et de son énergie. Cette masse de cellules vivantes que nous appelons corps et qui est un foyer d'énergies soutient, nourrit des fonctions qui, à leur tour, développent une vie psychique, laquelle, à son sommet, s'épanouit en sentiments supérieurs, en intelligence, en volonté et en amour. Le corps est l'expression même de l'esprit et l'esprit n'est rien indépendamment de cette expression ou manifestation. En d'autres termes, l'esprit n'est pas une grandeur séparée ou séparable du corps mais une énergie faite corps. Ou encore, ce que nous appelons l'âme, c'est « *l'esprit en maîtrise de corps* ».

Tout cela aujourd'hui est admis; le répéter, c'est enfoncer des portes ouvertes mais il faut le dire si nous voulons évacuer cette idée d'une immortalité de l'âme sans corps. Il est évident que l'âme n'agit et n'existe que par le corps. Pour vivre, il faut manger et boire. Pour réaliser une civilisation, il ne suffit pas de la penser mais il faut la bâtir à coups d'efforts corporels, il faut la main du maçon, celles de l'artiste, du chirurgien, etc. Même pour nos actes les plus spirituels, le corps est également nécessaire. Dans un livre déjà ancien, Jean Mouroux écrivait : « Ce n'est pas l'intelligence qui pense, c'est l'homme[4]. » On peut même dire : ce n'est pas l'esprit qui prie, c'est l'homme tout entier. Tous les auteurs spirituels ont insisté sur le rôle du corps dans la prière : demandez-le à tous ces jeunes qui prient à l'heure actuelle dans les mouvements du Renouveau charismatique!

Dans la solitude de la mort, rencontre du Christ ressuscité

Puisque *le corps n'est pas un élément secondaire mais qu'il fait partie intégrante de notre identité d'homme*, qu'il est essentiel à l'homme pour qu'il soit un homme, on devra s'interdire de considérer la mort comme l'événement qui libère l'âme des entraves du corps. Comme si le corps était pour l'âme une gêne, une sangle, pour ne pas dire un simple emballage ou encore une prison! Je n'admets pas une phrase comme celle-ci : « *C'est dans la mort que l'esprit, enfin, commence d'être.* » Une telle phrase signifie que le corps est le mal de l'esprit. Dire qu'un jour vient où l'esprit est délivré de ce mal, c'est la mauvaise espérance, c'est l'optimisme infantile.

Pourquoi la mort?

Il vaut mieux regarder les choses bien en face et dire, dans un premier temps : la mort est humainement *une détresse, un scandale ou*, comme le pensait Albert Camus, une absurdité. *La mort n'est pas un drame parmi d'autres drames : elle est LE drame, le drame intégral, le drame sans retour, osons dire, le drame absolu. La mort détruit l'existence de l'homme à sa racine même.* Il n'est pas bon, il n'est pas sain de court-circuiter ce premier temps : on ne peut le faire qu'en dévalorisant indûment le corps et donc, finalement, en reléguant au plan du mythe, ou du moins d'une croyance très secondaire, le dogme de la résurrection de la chair.

Si la mort est une détresse, *un scandale*, une absurdité, comment penser que Dieu, et surtout un Dieu dont nous croyons qu'il n'est

4. J. Mouroux, *Sens chrétien de l'homme*, Aubier, 1943, p. 47. Voir aussi D. de Rougemont, *Penser avec les mains*; Cl. Bruaire, *Philosophie du corps*, Seuil, 1968; et Cl. Tresmontant, *Le problème de l'âme*, Seuil, 1971.

qu'Amour, *consente à ce que la créature* (qu'il crée, disons-nous, par amour) *connaisse un tel désastre ? Est-ce parce que l'homme est pécheur*, qu'il doit mourir ? *Le fait de mourir, c'est-à-dire le fait de finir, ne vient pas du péché.* Ce qui vient du péché, ce qui est « le salaire du péché » (Rm 6, 23), c'est la mort en tant qu'elle est un arrachement paniquant. Mais la mort en tant que telle, en tant que fin, est tout bonnement le fait de notre finitude. Vérité de La Palice ! Ce qui est fini doit finir. Alors, comment innocenter Dieu ?

Dieu veut que l'homme soit quelqu'un, quelqu'un pour lui, quelqu'un devant lui. Il me veut sujet ou personne. Ce n'est possible que si je suis différent de lui, c'est-à-dire si je ne suis pas Dieu. C'est élémentaire, mais on a toujours tendance à l'oublier : vous n'êtes quelqu'un pour moi que si vous êtes autres que moi. Or, puisque Dieu est infini, il est nécessaire que la créature soit finie. Sinon, elle serait non pas quelqu'un mais une émanation de la divinité, comme le fleuve est une émanation de la source et n'est pas vraiment autre que la source. Or il n'y a pas de fini sans fin : le fait de devoir finir — vérité de La Palice encore — est le signe de notre finitude. Je ne suis pas Dieu, infini, donc je suis fini, mortel.

Vous me direz peut-être : Dieu est cependant le Tout-Puissant ! *Ne pouvait-il donc faire l'homme autrement que fini ?* Puisqu'il est parfait, ne pouvait-il faire l'homme aussi parfait que lui ? Je comprends que cette idée traîne dans vos esprits : c'est normal, étant donné qu'il ne s'agit pas d'un détail de notre vie mais de cette chose terrible et scandaleuse qu'est la mort. Entre beaucoup de réponses qui nous entraîneraient sur un plan métaphysique, je rappelle cette simple réflexion : la puissance de Dieu est la puissance de l'amour. Or l'amour veut que l'autre soit vraiment autre, et non pas un reflet de soi. Un homme ne dira jamais à une femme qu'il aime : je veux que tu sois mon reflet; il lui dira : je veux que tu sois « toi », autre que moi, pleinement toi et pleinement autre que moi. L'amour veut que l'autre ne soit pas créé tout-fait. Un être créé qui serait parfait ne serait pas un être qui se crée lui-même. Il serait une créature peut-être merveilleuse, mais cette créature ne serait pas créatrice de soi.

C'est donc le sérieux de l'amour créateur qui exige que Dieu crée un tout-autre que lui : une créature créatrice de soi et du monde. Parce qu'il est amour, Dieu crée un non-Dieu, un être fini, donc qui, par nature, doit finir. Dirons-nous que, prévoyant les douleurs qu'implique la finitude, Dieu aurait dû s'interdire de créer ? C'est ce que pensent beaucoup, qui ne pardonnent pas à Dieu d'avoir créé un monde où la finitude engendre tant de désastres et de souffrances. Il est bien vrai que la création, pour Dieu, est une aventure. Je ne redoute pas le mot : en créant, Dieu s'est aventuré, en ce sens qu'il ne recule pas devant le drame qui va résulter de la création d'êtres libres et finis. Aventure, drame, risque : ces mots disent quelque chose de vrai. Drame pour nous, mais pour Dieu aussi : c'est pourquoi je pense que, contrairement à ce que plus d'un prétend, il y a une souffrance de Dieu.

La souffrance de Dieu

Dieu est amour, l'amour est nécessairement vulnérable. Ce dont notre monde enrage (le mot est de Jacques Maritain), c'est d'imaginer un Dieu qui surplombe la souffrance humaine dans une sorte de sérénité parfaitement olympienne ; un peu comme une femme qui dirait : je sais que mes enfants souffrent beaucoup mais moi, je suis tellement heureuse que la souffrance de mes enfants ne m'atteint pas. Si nous entendions une femme tenir ce langage, nous dirions que son bonheur est proprement monstrueux. Et nous l'acceptons tout bonnement quand il s'agit de Dieu que nous imaginons comme une espèce de Jupiter, derrière les nuages, que la souffrance des hommes n'atteindrait pas dans sa sérénité indéfectible. « Si les gens savaient que Dieu souffre avec nous et beaucoup plus que nous de tout le mal qui ravage la terre, bien des choses changeraient sans doute et bien des âmes seraient libérées[5]. » Si Dieu n'avait pas risqué la souffrance de l'homme, il se serait épargné aussi la souffrance à lui-même, mais il nous aurait créés tout-faits !

Éternellement, *Dieu prévoit la détresse de l'homme devant la mort.* Mais, selon la foi chrétienne, en même temps, il abolit le scandale de cette détresse. Dans l'acte même où Dieu crée l'homme mortel, il crée le dépassement de la mort dans une résurrection. Il brise le cercle de la mortalité dans l'acte même qui le crée.

Vous allez dire : n'est-ce pas un jeu ? Pourquoi, dans un même acte, briser ce qu'on établit ? N'aurait-il pas été plus divin de ne pas l'établir et de créer l'homme immortel ? Nous voici au centre du mystère de l'amour : au lieu de nous éviter la mort par un acte qui eût été un prodige, je dirais volontiers une magie (où l'homme n'aurait pas été respecté, où Dieu n'aurait rien risqué ni pour Lui, ni pour nous), il décide éternellement d'entrer lui-même dans notre finitude et d'y participer. Autrement dit, il décide de mourir lui-même.

5. J. Maritain, *Revue thomiste*, 1969, I (cité dans *La souffrance de Dieu*, p. 15).

C'est dans un même acte que Dieu crée et s'incarne. En même temps (le mot « temps » est inadéquat, je devrais dire « dans la même éternité ») que l'infini crée le fini, il devient lui-même fini pour introduire le fini dans la vie même de l'infini. Il se fait homme pour que l'homme soit fait Dieu, selon l'adage traditionnel. Dieu ne veut ni ne peut créer des dieux mais il les crée capables de se créer eux-mêmes, et il se fait homme pour que leur histoire débouche sur leur divinisation.

Il faut donc nous arracher à cette imagination quelque peu infantile selon laquelle il y aurait eu d'abord création (au commencement) et ensuite incarnation. La création n'est pas au commencement, elle est maintenant et, s'il est très vrai que le Christ est apparu au centre de l'histoire (Noël est historiquement daté), il préexiste éternellement en Dieu. Relisez les débuts de l'épître aux Éphésiens et de l'épître aux Colossiens, saint Paul insiste : « Dieu est indivisiblement Créateur et Incarné. » Il dit explicitement que le Christ est « le Premier-Né de toute créature ». Je crois fermement que la création n'est pas pensable du point de vue de Dieu indépendamment de l'Incarnation. Dieu, dit Teilhard de Chardin, devient l'homme qu'il crée. Cette phrase est inoubliable !

Au jardin de Gethsémani, le Christ a tremblé, a été angoissé, a eu peur : tous ces mots sont dans l'Évangile. Précisément, et j'oserais dire, heureusement pour nous ! Si Dieu s'incarne, ce n'est pas pour surplomber notre angoisse, c'est pour la vivre, afin que, devenant elle-même le fait de Dieu (je dis une chose énorme : que notre angoisse d'homme devant la mort devienne le fait de Dieu lui-même !), elle soit transformée. Non pas supprimée (nous retomberions dans la magie), mais transformée : la mort, assumée avec tout ce qu'elle comporte de détresse, d'angoisse et de solitude, devient le seuil d'une résurrection.

La résurrection commence dès la mort mais ne sera totale qu'à la fin des temps

Celui que saint Paul appelle « *le Premier-Né de toute créature* », l'Apocalypse l'appellera « *le Premier-Né des morts* » (1, 5), le Premier Vivant de tous ceux qui sont morts et qui mourront. La mort demeure bien une fin (il est impossible qu'il en soit autrement) mais la fin seulement d'une forme de vie et le passage à une autre forme de vie, celle de Dieu lui-même.

Quand nous passons le seuil de la mort, nous rencontrons le Christ ressuscité. Comment pouvons-nous nous le représenter ? En rigueur de terme, nous ne le pouvons pas. Notre certitude de foi ne supprime pas l'obscurité profonde où nous restons sur ce qu'est en lui-même le Christ ressuscité, parce que nous vivons dans un monde soumis à la mort. Ce qu'est la Vie au-delà de la mort, la Vie qui n'est que Vie ou, ce qui revient au même, l'Amour qui n'est qu'Amour, nous ne pouvons pas l'imaginer.

Ce qui ressuscite en moi, exactement ce qui commence à ressusciter dès la mort même, c'est ma relation aux autres et au monde (aux autres, c'est-à-dire mes parents, mes proches, mes amis; au monde, c'est-à-dire tout ce que mon corps atteignait par le travail, l'art, la culture, les loisirs). C'est cette relation aux autres et au monde (c'est-à-dire ma vie) qui ressuscite avec une puissance, une intensité proprement divines, donc venant d'un autre — le Christ vivant — mais éprouvées comme étant miennes.

Ma joie est alors la joie de l'amour : le bonheur me vient d'un autre — de Celui que j'aime — et c'est bien mon bonheur. Car si je t'aime, c'est toi qui es ma joie, je ne veux tenir ma joie que de toi, autrement je ne te dirais pas que je t'aime. Ma joie, c'est toi. C'est pour l'homme, dans son corps et dans son âme, un nouveau mode d'exister. Dans son corps, bien sûr, puisque c'est par le corps que l'homme a rapport aux autres et au monde. Et c'est bien une résurrection, puisqu'il a fallu passer par la solitude absolue de la mort où il n'y avait plus rien.

Cette résurrection commence dès la mort (il n'y a pas de salle d'attente où l'âme, séparée du corps, attendrait la fin du monde pour récupérer son corps!) mais elle ne sera totale qu'à la fin des temps, car je ne suis vraiment moi qu'en compagnie de tous mes frères. Pour parler comme notre catéchisme élémentaire, ce n'est qu'à la fin du monde que tous les hommes seront au ciel.

Pour que la béatitude céleste soit la béatitude de l'amour qui n'est qu'amour, il faut que nous soyons absolument désappropriés de nous-mêmes (absolument au sens strict, comme j'ai dit solitude absolue). La puissance qui anime le Christ ressuscité est une puissance où rien n'est étranger à l'amour. Il faut que rien ne soit, pour que l'être aimé soit tout. Songez à ce que serait le visage rayonnant d'une femme très aimée, dans un monde où rien ne me distrairait d'elle et où toute ma vie me viendrait d'elle (comparaison défectueuse, comme toute comparaison en un tel domaine!).

Le Christ ressuscité sera tout pour moi mais tous mes frères sont les membres du Christ. Le Christ n'est pas séparable des membres de son Corps : comment voulez-vous que je rencontre le Christ qui est la Tête sans rencontrer les membres de son Corps ? On entend parfois demander : « Retrouverai-je au ciel mon fils décédé à vingt ans ? » Il faut être absolument net : bien entendu, Madame, puisque vous êtes constituée par cette relation à vos enfants. C'est cela que j'ai appelé le corps, c'est cela votre histoire et elle ressuscite dans le Christ : que sommes-nous sans les êtres que nous aimons ?

Notre corps actuel n'est pas pleinement corps

Si la vocation de l'homme n'était pas de participer à la vie même de Dieu, il n'y aurait pas de résurrection de la chair. C'est la divinisation de l'homme qui permet la subsistance du corps. Ce qui revient à dire que, des trois aspects de notre béatitude qui sont nécessaires pour qu'elle soit une béatitude humaine, c'est l'aspect divin qui est la racine et le principe des deux autres. Maintenant nous ne sommes divinisés qu'en germe. Que se passera-t-il quand après la mort, nous serons divinisés en plénitude, « semblables à Dieu » (1 Jn 3, 2) ? Tout tient dans cette phrase : *l'esprit, quand il est possédé par Dieu, possède totalement son corps.*

Nous savons bien que nous ne possédons pas totalement notre corps, il nous échappe en partie. Si j'ai une forte migraine, ne comptez pas sur moi pour vous faire une conférence intéressante. Si je suis à Paris, je ne suis pas à Lyon. Qu'une mouche bourdonne, écrit Pascal, et voilà ce grand philosophe qui devient incapable de penser. C'est par le corps que les époux communient dans l'amour, mais c'est le corps qui empêche que leur union soit totale (telle est d'ailleurs la souffrance de l'amour). C'est dire que le corps n'est pas parfaitement corps, il n'est que partiellement instrument d'action et de communication. Il sera véritablement corps lorsqu'il ne sera en aucune manière obstacle. Et quand je dis le corps, n'oubliez pas qu'il s'agit de l'univers tout entier qui n'est pas séparable du corps.

Le christianisme seul, rigoureusement seul, enseigne la divinisation. Non seulement il l'enseigne mais l'on peut dire qu'il est cet enseignement même. Tout le christianisme est là ! Comme le dit Guardini : « Le christianisme est le seul à oser situer un corps d'homme en plein cœur de Dieu. » C'est quelque chose de prodigieux, n'est-ce pas !

Évidemment, ce n'est pas notre corps en tant qu'il est un agrégat de cellules biologiques. Je me moque éperdument de récupérer mes orteils ou mon pancréas pour l'éternité! De même, lorsque nous mangeons le Corps du Christ ressuscité, nous ne mangeons pas des cellules biologiques (ce n'est peut-être pas évident pour tout le monde, puisqu'il arrive qu'on nous traite d'anthropophages).

C'est d'ailleurs en ce sens que l'Évangile nous dit que « *les élus seront comme des anges dans le ciel* » (Mt 22, 30), c'est-à-dire que leur réalité corporelle sera toute nouvelle. *Ne disons surtout pas que le corps deviendra esprit*, ce serait le contresens le plus radical! Nous resterons des hommes. Le corps ne devient pas esprit, il est plus corps que jamais, *il devient pleinement corps*[6].

Saint Paul nous dit que le corps ressuscité est un « corps spirituel » (1 Co 15, 42) mais il ne fait pas de philosophie. Inutile de chercher à vous représenter ce qu'est un tel corps : vous allez être orientés vers je ne sais quel gaz lumineux (Nietzsche parlait du grand vertébré gazeux!). Cela me fait penser à une boutade de Claudel à qui l'on demandait une conférence sur la Trinité et, comme il était ce jour-là de très mauvaise humeur, il répondit : « Voulez-vous des projections ? » Il faut renoncer à l'imagination, ce n'est pas pour l'homme le renoncement le moins mortifiant; mais il est indispensable : la vie chrétienne ne saurait se vivre dans l'imaginaire. Les réflexions que je vous propose n'ont pas d'autre but! Notez qu'elles ne sont que des opinions théologiques : du point de vue doctrinal, l'Église est extrêmement sobre, elle nous dit que « nous ressusciterons corps et âme », c'est tout.

Le « corps spirituel » est un corps de liberté

Le corps spirituel est l'expression de l'homme parvenu à la liberté. Devenir un homme libre, c'est mourir à tout ce qui n'est pas amour ou charité. L'homme est libre quand il est capable d'affronter la mort, la mort de l'égoïsme sous toutes ses formes : tranquillité, confort, possession de privilèges, consentement tranquille aux inégalités insolentes du monde. L'homme est libre quand il meurt activement à tout cela, quand il travaille à n'être pas esclave de soi. Je dis : activement, c'est-à-dire en posant des actes libres, en prenant des décisions, petites ou grandes, qui font advenir, jour après jour, une liberté plus grande.

6. Cf. *Éléments de doctrine chrétienne*, p. 285 ss.

« *Si la mort est seulement subie, elle est pure destruction. Un corps roué de coups ne produit pas un danseur, alors même que, pour devenir un danseur, il faut consentir à supporter plus de courbatures que n'en procurera jamais la plus sévère correction. Consentir. La mort, comme sacrifice volontaire, peut seule faire accéder à l'univers de la résurrection, comme le plus rigoureux des entraînements fait accéder à l'univers de la danse. Or, le seul qui soit mort par pur sacrifice volontaire, c'est le Christ*[7]. »

Tous les actes de la vie du Christ ont été des actes d'amour. Il ne s'est pas donné en partie, dans tels actes à l'exclusion de tels autres. En rigueur de termes, il a donné sa vie, tout au long de sa vie, et sans jamais la reprendre pour soi. *Il est donc mort à toutes les limites qui constituent un homme et à tous les péchés qui replient l'homme dans ces limites.* Mort quotidienne pleinement volontaire qui est vraiment son acte, l'ensemble des actes posés par lui. La mort du Christ — comprenons bien : mort constituée par chacun de ses actes tout au long de sa vie, et mort finale sur la croix — est l'acte parfait d'une liberté humaine, donc l'expression parfaite en un homme de la liberté même de Dieu.

Cet homme *de chair et de sang* que nous appelons Jésus *passe intégralement dans* sa liberté, dans l'acte de liberté par lequel il se donne. Nous pouvons dire équivalemment : Jésus ou l'Homme intégralement libre. Si nous prenons bien à la lettre le mot « intégralement », c'est une vérité de La Palice de dire qu'il est libre sans résidu. Et c'est dire qu'il est vivant *sans résidu*, ou qu'en mourant il ressuscite. « Il n'a pas connu la corruption » (Ac 2, 31). Si la mort de Jésus avait été une mort naturelle seulement subie, le tombeau ne serait pas vide : il y aurait un résidu, voué à la destruction pure et simple. Mais si la mort de Jésus est sa vie donnée, elle est donc la Vie tout court, car la vie n'est vraiment la Vie que lorsqu'elle est donnée, puisque être et aimer, c'est la même chose. Dieu est Amour, la Vie est donc l'amour. En Jésus, la mort est l'expression parfaite de la Vie. Le corps mort de Jésus, c'est la Vie même, *l'accomplissement*, et, du même coup, la révélation *de la liberté*. Il est un homme libre et il n'y a pas de liberté dans les tombeaux, il ne peut y avoir que des résidus. Rien ne devient poussière de ce qu'a été Jésus : le tombeau est vide.

En nous, il y a autre chose que de l'amour, autre chose que de la liberté, nous sommes esclaves de tant de choses ! Nous exprimons cela en reconnaissant que nous sommes pécheurs. Il y a donc en nous autre chose que de la Vie. Le contraire de la vie, la mort, nous la portons déjà en nous tout au long de notre existence terrestre. La mort

7. E. Pousset, *op. cit.*, p. 377.

est intérieure à chacune de nos décisions égoïstes. Cette mort, c'est le refus de la mort volontaire, c'est la mort subie. *C'est la part d'énergie,* née dans nos corps, *qui n'a pas passé* en actes de vraie liberté, qui n'a pas été transformée en énergie d'amour ou de mort volontaire.

Il faut prononcer le mot qui exprime bien que mort volontaire et amour sont la même chose : c'est le mot « *sacrifice* ». L'énergie qui monte de mon être de chair et de sang, si elle ne devient pas, au niveau de mon être spirituel (de ma liberté), sacrifice, est vouée à la décrépitude : c'est un résidu, qui ne peut que tomber en poussière. Or *il n'y a pas à chercher à s'imaginer ce que peut être la résurrection d'un résidu de la décrépitude : il n'y en a pas.*

En bref, *on peut mourir de décrépitude,* ou, comme on dit, *à la tâche.* Mourir de décrépitude, c'est *la fatalité de la nature*; mourir à la tâche, c'est un *holocauste (sacrifice total de soi-même) volontaire.* En réalité, tout homme, à l'exception du Christ et de sa mère, meurt à la fois de décrépitude et d'holocauste, de mort subie et de mort volontaire. Le tombeau du Christ est vide, car tout en lui fut holocauste, acte d'amour, don volontaire de soi. Nos tombeaux ne sont pas vides, car tout en nous n'est pas holocauste, acte d'amour, don volontaire de nous-mêmes : notre tombe est le signe, pour tous ceux qui viennent y déposer des fleurs, *que nous sommes de pauvres pécheurs.*

Mais, Dieu merci, il y a en nous de la vraie vie. Il y a eu de l'amour vrai dans notre vie : nous avons travaillé, nous n'avons pas visé dans notre travail le seul profit individuel ou familial, nous nous sommes donnés, nous avons accompli une tâche, nous sommes morts, en quelque manière, à la tâche. Il y a donc une part de nous-mêmes qui ressuscite. Nous ne sommes pas que résidu. Si nous n'étions que résidu, ce serait l'enfer, c'est-à-dire un mouvement de destruction éternellement poursuivi et jamais atteint.

Je disais qu'il n'est pas possible de se représenter un corps spirituel, un corps de liberté. *Le Père Pousset* propose cette comparaison : « *Il y a des glands et il y a des chênes. Qui n'a vu que des glands ne peut pas se représenter un chêne. Nous ne pouvons pas nous représenter notre corps de résurrection. Mais qui voit un chêne ne doit pas demander sous quelle forme particulière le gland subsiste en lui ; il n'y subsiste pas autrement que comme ce chêne.* » C'est à peu près ce que dit saint Paul : « On sème de la corruption, il ressuscite de l'incorruption; on sème de l'ignominie, il ressuscite de la gloire; on sème de la faiblesse, il ressuscite de la force; on sème un corps animal, il ressuscite un corps spirituel » (1 Co 15, 42).

Permanence éternelle et divinisée
de tout l'homme et de tout l'univers

Dans notre vie ressuscitée, nous verrons Dieu en tout et tout en Dieu. Je verrai Dieu en tout, parce que ce monde que déjà j'aime tant, pour lequel je suis passionné (l'immensité des plaines, des mers, des étoiles et des montagnes — j'y pensais en voyant, l'autre jour, la superbe chaîne des Pyrénées! — et surtout la communauté des hommes qui est encore beaucoup plus belle et plus passionnante que toute la beauté de la nature), bref ce monde m'apparaîtra tel qu'il est sortant, en quelque sorte, des mains divines, créé éternellement par Dieu, dans son être tel qu'il est, qui est d'être une participation à l'Être même de Dieu. Le monde entier me sera transparent; je verrai Dieu au travers. Essayez d'imaginer ce que ce monde serait, si nous pouvions voir Dieu à travers un amour humain, une amitié humaine, même déjà une camaraderie! Dieu en tout.

Et, en même temps, dans la même conscience, dans ma conscience d'homme divinisé, je verrai tout en Dieu : tout l'univers sera mien. L'univers, en effet, n'est pas séparable de Dieu, puisque éternellement Il le crée. Donc tout en Dieu. Et les deux tableaux — Dieu en tout et tout en Dieu — se recouvriront exactement.

Nous pouvons penser aussi que, dans notre vie ressuscitée, tout ce qu'il y a de bon, de beau et de vrai dans l'existence terrestre, subsistera. Tout le travail accompli pour la paix, la justice, la beauté, la culture, toute l'œuvre exécutée sur les chantiers humains, tout cela est immortel. Car mon corps, c'est finalement tout cela. Je puis dire que mon corps, c'est mon histoire à partir d'une nature : ma nature est masculine, elle n'est pas féminine; je suis Français, je ne suis pas Esquimau, etc. Tout cela, c'est l'enracinement de mon être et, à partir de là, j'ai toute une histoire : mon éducation, mes études, mon entrée au noviciat, mes relations de camaraderie et d'amitié, mon travail, tels événements de la vie sociale ou politique, le moment que je vis avec vous, c'est tout cela finalement qui constitue mon corps et c'est cela qui ressuscite.

Mon histoire construit mon visage éternel. Comment imaginer une immense rosace où il y aurait des milliards et des milliards de couleurs et pas deux couleurs qui soient semblables! Il y a des milliards et des milliards de visages humains mais il n'y a pas deux visages qui soient absolument identiques, cela depuis l'origine et probablement jusqu'à la fin des temps. Cette diversité prodigieuse des visages symbolise et signifie la diversité encore plus prodigieuse des âmes, des profondeurs. Éternellement, je suis différent de vous tous et chacun de vous est éternellement différent de tous les autres. Ce qui fait votre différence, c'est-à-dire cette couleur, ce bleu, ce vert ou ce rouge unique que vous serez dans la rosace éternelle, ce sont toutes les décisions que vous prenez jour après jour, à condition que ce soient des décisions de charité, de justice, d'amour et déjà d'élémentaire honnêteté. Même ce qui aura été fait par des impies, à plus forte raison par des incroyants qui ne sont pas des impies, par exemple les neuf cents millions de Chinois qui n'ont jamais entendu parler de Jésus Christ, dans la mesure où c'est bien et beau, tout cela je le retrouverai transposé dans le Royaume des cieux, dans la Jérusalem céleste dont parle l'Apocalypse.

Nous construisons donc, au long des siècles, notre vie éternelle; et cela, à travers nos montées, nos progrès et nos décadences. C'est dire que la béatitude d'un Français ne sera pas celle d'un Chinois, la béatitude d'un homme marié ne sera pas celle d'un célibataire mais que le Français aura part à la béatitude du Chinois, celle du célibataire à celle de l'homme marié, et réciproquement. Car l'histoire d'un Français marié du XXe siècle n'est pas la même histoire que celle d'un célibataire chinois du XVe siècle. Or c'est tout l'homme de tout homme qui ressuscite, en ce sens que la charité ou mort volontaire que la résurrection atteint a été puisée dans une énergie corporelle qui a ses particularités, et qui a passé dans des relations de parenté, de camaraderie, d'amour et d'amitié propres à chacun. Tout ressuscite, sauf ce qui est resté en deçà de l'amour, sauf l'égoïsme et le péché. C'est pourquoi je puis conclure avec une formule qui résume tout : la vie éternelle est la permanence éternelle, spiritualisée, divinisée, de tout l'homme et de tout l'univers.

NOTE I

*L'envers de la divinisation : l'enfer**

Le malaise, pour ne pas dire la gêne, des chrétiens devant ce que le catéchisme désigne sous le nom d'enfer est si grand que, pratiquement, on a cessé d'en parler, sauf rarissime exception. Le silence vaut peut-être mieux que des explications qui prolongeraient de vieux malentendus tenaces. On fait bien de se taire, si l'on n'est pas capable de faire comprendre que la négation pure et simple de l'enfer conduit en définitive, sinon à une négation de Dieu et de l'homme, du moins à une mutilation de Dieu, de l'homme et de l'amour.

J'avance ici quelque chose qui, au premier abord, est un paradoxe violent. Mais, précisément, il faut affronter ce paradoxe qu'est l'étroite liaison de l'amour et de l'enfer. Si l'on avait le temps de développer de façon détaillée ce paradoxe, on pourrait montrer que l'éventualité de la damnation — je dis l'éventualité et non sa réalité, car il nous est impossible d'affirmer que la damnation est une réalité — est nécessaire pour comprendre :

— le mystère de notre vocation à être éternellement des Vivants de Vie divine (il est évident qu'en dehors du mystère de notre divinisation, l'éventualité d'une damnation est absurde);

* *Manuscrit :* « L'enfer et le purgatoire », n° 5 de la série rédigée en 1975-1976. Le Père VARILLON utilise J. RATZINGER, *Foi chrétienne, hier et aujourd'hui*, p. 207-213; G. MARTELET, *L'au-delà retrouvé*, p. 181-191, et ses *Éléments de doctrine chrétienne*, chap. 62 et 64. — *Polycopies :* Nantes (4 novembre 1970); Annecy (14 janvier 1971); Auteuil (9 février 1976); Lyon-Sainte-Hélène (26 février 1976); Pau (octobre 1976).

— le sérieux ou la gravité de l'amour (qu'il s'agisse de l'amour de Dieu pour nous ou de l'amour qu'il nous donne d'avoir pour lui) ;
— la dimension absolue des actes que pose notre liberté dans le temps, donc du temps lui-même qui nous est donné pour les poser;
— la vraie nature de l'espérance et en quoi elle est liée, tout en étant distincte, aux multiples espoirs humains. De telle sorte qu'une méditation sur l'enfer doit déboucher sur un hymne à l'espérance.

L'enfer dans la Bible

Dans le vocabulaire chrétien, nous parlons des enfers et de l'enfer. Nous disons : le Christ est descendu aux enfers, d'une part; et le damné descend en enfer, d'autre part. Si le mot est le même, alors qu'il s'agit de deux destins différents, s'il n'y a que la différence du singulier et du pluriel, ce n'est pas un hasard et ce n'est pas non plus un rapprochement arbitraire. Il y a là au contraire une logique profonde et l'expression d'une vérité capitale. Les enfers comme l'enfer, c'est le royaume de la mort. Sans le Christ, il n'y aurait au monde qu'un seul enfer et qu'une seule mort, la mort éternelle, la mort en possession de toute sa puissance, la mort de l'être fini enfermé dans sa finitude, qu'on peut appeler cercle de la mortalité.

S'il existe une « seconde mort », pour parler comme l'Apocalypse (21, 8), séparable de la première et que nous appelons l'enfer, c'est que le Christ par sa mort a brisé le règne de la mort. C'est parce que le Christ est descendu aux enfers, que les enfers ne sont plus l'enfer, et qu'il y a deux morts.

« Enfers », au pluriel, c'est la traduction française du mot hébreu *shéol*, lequel est l'équivalent du mot grec *Hadès* (exactement *Aidès*, c'est-à-dire le lieu où l'on ne voit rien). Pour les juifs, le *shéol* était le « rendez-vous de tous les vivants » (Jb 30, 23). Comme beaucoup d'autres peuples, ils imaginaient la survie comme une ombre d'existence, sans valeur et sans joie, quelque chose de plus voisin du néant que de l'être. Le *shéol* était « une terre sous la nôtre, un lieu de ténèbres, de poussière et de boue, où les morts descendent nus, d'où l'on ne remonte pas, où l'on rejoint ses pères (exactement : où l'on se couche avec ses pères) et où l'on mène la vie pâle et diminuée des ombres, vie nullement enviable, Dieu étant absent »[1]. Tel est le *shéol*, ou l'*hadès*, ou les enfers.

Dire que le Christ est descendu aux enfers (c'est un article de notre Credo), c'est dire d'abord qu'il est réellement mort. Et si Dieu, en le ressuscitant, l'a délivré du *shéol*, comme dit saint Pierre (Ac 2, 24), c'est d'abord en l'y plongeant. Il a connu la solitude de la mort, qui est la solitude radicale, la solitude près de laquelle toute autre solitude de ce monde n'est qu'une approximation de solitude; il a connu le délaissement total, la déréliction.

L'enfer de la solitude absolue

Le drame de nos existences c'est que, tout au fond, *au plus intime de soi, l'homme est seul.* Mais il ne peut pas supporter la solitude, alors il la dissimule, il la masque. Car s'il est seul, il n'est pas fait pour être seul. Comme Dicu lui-même qui est Trinité, communauté de trois Personnes, l'homme est un être-avec. Si vous biffez avec, il vous faut presque biffer être. Devoir être-avcc l'autre ou les autres, et être seul, c'est la contradiction. Et quand la contradiction est vécue, c'est alors l'angoisse. C'est l'angoisse de la solitude, toujours relative, de cette vie qui, seule, peut nous donner une vague idée de ce qu'est la solitude de la mort.

Ratzinger évoque « *l'enfant qui doit passer tout seul dans la nuit par une forêt obscure. Il a peur, même si on lui a démontré de la façon la plus convaincante qu'il n'a absolument rien à craindre. Au moment où il est tout seul dans la nuit et qu'il expérimente de façon radicale la solitude, la peur se déclare, la vraie peur, qui n'est pas la peur de quelque chose, mais la peur en soi. La peur devant un objet déterminé est au fond anodine, elle peut être bannie, il suffit de faire disparaître l'objet qui la provoque. Si quelqu'un a peur d'un chien méchant, tout s'arrange si l'on attache le chien*[2]. »

La peur engendrée par la solitude, c'est tout autre chose; c'est bien plus profond. Il ne s'agit plus d'une menace extérieure *susceptible d'être neutralisée.* Il n'y a rien à neutraliser, car il s'agit de notre existence même, de la contradiction de notre existence.

L'angoisse de la solitude ne peut être surmontée que par la présence d'un être aimant : la main de quelqu'un, la voix de quelqu'un qui dit : « Tu ». Ici-bas, quelle que soit notre situation, et quel que

1. Père Fontoynont, cité dans *Éléments de doctrine chrétienne*, II, p. 245.
2. J. Ratzinger, *op. cit.*, p. 211.

soit notre âge, il y a toujours la possibilité d'une main, d'une voix, d'un tu. Mais s'il y a une solitude où aucune voix ne peut pénétrer, une solitude qu'aucune main ne peut atteindre, c'est alors la solitude absolue, l'angoisse absolue de celui qui n'est pas fait pour être seul, et qui est définitivement seul. Ce sont cette solitude et cette angoisse que nous appelons « enfer ».

Beaucoup de nos contemporains, dans la littérature, le théâtre et le cinéma, ont mis au jour ce thème de la solitude. Songez aux films d'Antonioni : *toutes les rencontres sont superficielles*, il n'est permis à personne ici-bas d'*avoir accès à la profondeur de l'autre*. La communication vraie, dans la camaraderie, l'amitié et l'amour, est impossible. Toute rencontre, si belle soit-elle en apparence, ne fait *qu'anesthésier la plaie inguérissable de la solitude*. Il y a là un pessimisme noir, car cela revient à dire que l'homme porte l'enfer en lui-même, et que c'est une chose si terrible qu'on s'accroche à n'importe quoi pour y échapper, qu'on a parfois l'illusion d'y parvenir, mais qu'en réalité on n'y parvient jamais.

Quoi qu'il en soit de la solitude au cours de la vie, il y a une solitude *inéluctable*, celle de la mort. On meurt toujours seul. *La mort est une porte qui ne peut être franchie que dans la solitude. Et toute la peur du monde est au fond la peur de cette solitude-là. Voilà pourquoi l'Ancien Testament n'a qu'un seul mot pour l'enfer et pour la mort, le mot* shéol. *La mort est la solitude tout court.* Or nous croyons que Jésus Christ est mort. *L'enfer est la solitude où l'amour ne peut plus pénétrer.* Or nous croyons que Jésus Christ est descendu aux enfers. S'il a franchi la porte de notre *ultime solitude*, s'il est entré dans l'abîme de notre absolue déréliction, alors il faut dire que là où aucune main, aucune voix, aucun « tu » ne pouvait atteindre, il y a maintenant Jésus Christ. L'enfer, en tant qu'il était identique à la mort, est surmonté.

En d'autres termes, la mort, qui auparavant était l'enfer, n'est plus l'enfer. Au cœur de la mort, il y a la vie : Jésus Christ, c'est la vie. Au cœur de la mort, il y a l'amour : Jésus Christ, c'est l'amour, le « Tu » absolu, c'est-à-dire celui qui ne peut pas devenir un « Il » (quelqu'un dont on parle) mais qui est celui qui parle et à qui l'on parle.

L'enfer, désormais, est autre chose. C'est une « seconde mort », non plus la mort tout court, mais la mort éventuelle de ceux qui sont à tel point repliés sur eux-mêmes dans l'égoïsme qu'ils ne peuvent plus s'ouvrir à l'amour. S'il y a une main tendue, ils ne la voient pas; s'il y a une voix, ils ne l'entendent pas; s'il y a un « tu » qui s'offre, ils le prennent pour un « il », donc pour un être étranger. Ils sont à la lettre — mais ici il faut peser les mots, ils sont très lourds — étrangers à tout; disons, en langage moderne, aliénés.

L'Ancien Testament avait, tout de même, pressenti qu'il y avait une distinction entre la mort et l'enfer. Les juifs n'avaient qu'un mot pour les deux, mais ils multipliaient les images et les comparaisons pour exprimer ce qu'est la mort de l'égoïste endurci, la mort de celui qui est devenu tout entier égoïsme : images de soufre et de feu, de la dévastation dans la vallée de la Géhenne, du grouillement de vers exprimant les idées d'infécondité et de stérilité, de rebut et de non-valeur, de corruption[3], etc. Ils avaient, par cette multiplicité d'images, jeté les bases de ce que, plus tard, l'Église définira dogmatiquement, au plan de la pensée réfléchie. C'est ce passage de l'Écriture imagée au dogme formulé par l'Église que nous devons opérer. Il ne faut pas jeter par la fenêtre les images en disant que c'est de l'infantilisme, il ne faut pas non plus s'y enliser. Et, à partir des énoncés dogmatiques que l'Église nous propose, nous avons à exercer tout bonnement notre réflexion d'hommes intelligents.

Réflexion théologique

Le chrétien doit travailler à lire correctement la Bible (Ancien et Nouveau Testament), il ne doit pas être fondamentaliste, c'est-à-dire s'en tenir à une lecture littérale de l'Évangile. Mais il ne lui est pas permis de composer des morceaux choisis de la Bible où il retiendrait ce qui lui plaît et laisserait tomber ce qui le gêne. C'est à partir de tous les textes bibliques, même les plus difficiles, que la réflexion théologique doit être menée.

L'éventualité de l'enfer : condition de la grandeur de notre liberté

Redisons, une fois de plus, que l'essentiel de tout, en christianisme, est la Révélation d'un Dieu qui n'est qu'amour. Mais ajoutons immédiatement qu'il ne faut pas se flatter trop vite de savoir ce que c'est

3. Pour une étude détaillée de ces images, se reporter à *Éléments de doctrine chrétienne*, II, p. 289 ss.

que l'amour, quand il est vécu par l'Être infini. Je pense qu'il faut toute une vie, et une vie riche d'expérience, pour comprendre un peu ce que c'est que l'amour, et ce que l'amour implique. En tout cas, s'il arrivait qu'un point quelconque de la doctrine chrétienne apparût comme sans lien avec l'amour ou comme contredisant l'amour ou comme n'étant pas condition ou conséquence de l'amour, on serait en droit de le rejeter.

Mais c'est précisément ce qui est impossible, car être chrétien, c'est croire qu'il est impossible qu'un point quelconque de la doctrine chrétienne n'ait rien à voir avec l'amour. Et toute la réflexion théologique consiste à prendre conscience de la liaison logique entre l'amour et chacun des points de la doctrine.

A première vue, *si Dieu est amour, l'enfer devrait être impossible. Être chrétien, ce n'est pas d'abord croire à l'enfer, c'est croire au Christ et espérer, si la question se pose, qu'il sera impossible que l'enfer existe pour les hommes*[4]. Je note tout de suite — et c'est très important — que si quelqu'un dit que l'enfer existe, il se flatte d'avoir un renseignement que les chrétiens n'ont absolument pas.

L'enfer n'existe pas comme existe au centre de la Guadeloupe un volcan nommé Soufrière. La réflexion à partir des images bibliques conduit à concevoir l'enfer non pas comme un lieu (dont il faut dire évidemment qu'il existe ou qu'il n'existe pas) mais comme un état, une situation. S'il y a équivoque là-dessus, plutôt que de dire « enfer », disons « damnation », « état de damnation ». Il n'y a un enfer que s'il y a des damnés. Il n'y a pas un enfer qui existerait indépendamment de l'état de damnation.

Or nous ne savons pas s'il y a ou s'il y aura des damnés. Nous n'avons pas à demander à Dieu de nous renseigner là-dessus ! Et nous espérons, nous ne pouvons pas ne pas espérer qu'il n'y en aura pas. On a parfois l'impression que des gens sont ennuyés qu'on ne puisse pas affirmer qu'il y a des damnés, qui voudraient absolument qu'il y en ait. On m'a fait passer des billets où, soi-disant au nom de saint Augustin, de saint Jean Chrysostome, de saint Irénée, il est affirmé par la tradition chrétienne que le nombre des élus est inférieur au nombre des damnés. C'est tout de même inouï ! Je vous avoue que j'ai eu de la peine à garder mon calme.

Si je prie pour tous les hommes sans exception, y compris Judas, y compris ceux qui furent des monstres à la face de l'univers, Hitler ou Staline (et nul ne m'obligera à ne pas prier pour eux), c'est bien

4. J. Ratzinger, *op. cit.*, p. 181.

que j'espère leur salut. Si je ne l'espérais pas, je ne prierais pas. C'est cela qui est premier : la foi au Dieu qui n'est qu'amour et l'espérance de l'universel salut (la liturgie eucharistique le dit bien : « Offrir le sacrifice de toute l'Église pour le salut du monde »).

Mais cette foi et cette espérance impliquent précisément que l'amour dont les hommes sont aimés soit un amour pris au sérieux. Qu'est-ce qu'un amour sérieux ? C'est un amour qui n'abolit pas la liberté humaine, mais qui la fonde. L'amour ne serait pas l'amour s'il manipulait la liberté en vue d'obtenir coûte que coûte la réciprocité. Avec vos enfants, certes, quand ils sont tout petits, vous arrivez à obtenir la réciprocité. Vous obtenez une caresse, un baiser, la fin d'une bouderie ! Mais ce sont des gamins ! Dieu ne nous traite pas en gamins. L'amour n'est plus l'amour s'il dit : je t'obligerai finalement à m'aimer. On ne peut obliger personne à aimer. Contraindre à aimer, ce n'est pas aimer.

Dans un livre admirable, Jean Lacroix a écrit une phrase qui est peut-être une des phrases les plus profondes qui aient été écrites ces dernières années : « Aimer, c'est promettre et se promettre de ne jamais employer à l'égard de l'être aimé les moyens de la puissance. Refuser toute puissance, c'est s'exposer au refus, à l'incompréhension et à l'infidélité[5]. » Il y a de multiples puissances qu'on utilise toujours plus ou moins dans l'amour humain, depuis la pression de la séduction dont l'allure est anodine jusqu'à la violence abjecte. La coquetterie, la flatterie, le mensonge sont des vers cachés dans les beaux fruits qu'on offre. Et il y a toutes les formes de viol camouflé ou non.

Rien de tout cela en Dieu : en lui l'amour n'est qu'amour, donc c'est un amour qui s'interdit absolument l'usage de la puissance. Son amour est vraiment donné, et cela implique qu'il devienne un amour accueilli. Qui peut garantir que l'amour réellement donné, ou offert, ne sera jamais un amour librement refusé ? Si vous prétendez qu'une telle garantie existe, il n'y a plus d'amour. Car vous ne pouvez trouver cette garantie ailleurs que dans l'usage de la puissance. La seule garantie possible, ce serait que Dieu nous oblige à l'aimer !

En réalité, le refus de l'amour est quelque chose de proprement effarant. C'est à la limite du pensable. Ou, si vous préférez, ce n'est pensable que comme une limite. Par contre, ce qui est au-delà du pensable, au-delà de toute limite, c'est que Dieu puisse cesser d'aimer. *Il n'y a pas de mal-aimés de Dieu.* Mais la liberté de l'homme — qui

5. J. Lacroix, *Le désir et les désirs*, PUF, 1975, p. 79.

fait sa grandeur — est telle que l'amour inconditionnellement offert peut se voir inconditionnellement refusé.

Si vous estimez qu'il est impossible que l'homme engage dans un égoïsme conscient et entêté le fond de soi, vous diminuez l'homme, vous le réduisez plus ou moins, comme dit Sartre, à être une poupée entre les mains des dieux. Vous en arrivez à imaginer un dieu qui tout à la fois créerait, fonderait notre liberté, et la figerait, la pétrifierait, la manipulerait, ce qui ne vaut pas mieux. Quand on croit vraiment à la grandeur de l'homme, on croit aussi que l'éventualité de la damnation est inscrite, comme refus inconditionnel d'amour, dans la structure même de sa liberté. L'éventualité de l'enfer est un élément structurel de notre liberté divinisable.

La foi de l'Église, c'est exactement cela : la grandeur de Dieu, la sainteté de Dieu, la pureté de l'amour de Dieu qui s'interdit l'usage de quelque puissance que ce soit pour nous contraindre à aimer, la grandeur de l'homme, la grandeur de la liberté de l'homme impliquent que la damnation est inscrite comme éventualité réelle au plus intime de lui-même. C'est tout mais cela va loin!

L'enfer de Dieu

Je veux citer ici un mot de Kierkegaard et un mot de Nietzsche[6] : ce sont deux géants de la pensée humaine, l'un était chrétien, l'autre ne l'était pas. Kierkegaard, le chrétien, dit que « *le péché contre le Saint Esprit* » *dont parle l'Évangile est le péché* « *porté à sa suprême puissance* ». Comment le péché est-il porté à sa suprême puissance ? Quand l'homme décide d'anéantir pour lui l'amour même de Dieu. L'amour de Dieu ne peut pas être anéanti en lui-même, mais j'ai le pouvoir de l'anéantir pour moi, comme j'anéantis pour moi l'oxygène, sans l'anéantir en lui-même, si je refuse de respirer. La damnation, ou le péché contre l'Esprit (c'est la même chose), consiste en la décision de nier que je tiens de l'amour mon existence. Au fond, c'est refuser d'être aimé!

Pour qu'il y ait damnation, il faut, bien sûr, que cette décision engage le fond de soi. Il est évident qu'on ne commet pas le péché contre l'Esprit — nous disons le péché mortel — comme on marche dans une flaque d'eau ou comme on bute sur un trottoir. Il s'agit là d'une éventualité dont je répète qu'elle est à peine pensable, mais

6. Cités par Martelet, p. 183, 189 et 382.

qu'il m'est impossible de biffer, sans diminuer du même coup et Dieu et l'homme et l'amour. C'est ce que l'Église ne veut pas. Le jour où les hommes auront compris quelle idée splendide l'Église a de l'homme, et qu'ils ne peuvent trouver nulle part ailleurs, ce jour-là ils seront moins sévères pour elle, en dépit de ses fautes, de ses défauts et de ses maladresses d'expression.

L'autre mot est celui de Nietzsche : « *Dieu même a son enfer : c'est l'amour qu'il a pour les hommes.* » Malheureusement *il compromet la profondeur de ce mot en ajoutant* plus loin : « Mais aussi bien comment s'amouracher des hommes ? » Cette addition est pénible mais elle est éclairante : il faut en effet choisir ou un Dieu sans amour qui ne peut être qu'une idole ou un Dieu d'amour qui a, lui aussi, son enfer.

Ou bien Dieu nous manipule, manipule notre liberté, use de puissance pour se faire aimer, alors il n'y a aucune éventualité d'enfer ni pour lui, ni pour nous. Ou bien il est la pureté absolue de l'amour qui respecte jusqu'au fond notre liberté et s'interdit d'obtenir coûte que coûte la réciprocité de l'amour, alors l'éventualité de l'enfer existe pour lui comme pour nous. Choisissez : si Dieu est amour, l'enfer est une éventualité réelle; et si vous niez l'enfer, ayez le courage de dire que Dieu n'est pas amour. Je reconnais que le paradoxe est très violent mais il est vrai.

Certes, parvenue à ce point, l'intelligence hésite, comme interdite et désarmée. Mais pourquoi, quand nous évoquons l'éventualité terrible, ne pensons-nous qu'à nous, et si peu à lui ? Il faudrait ne pas espérer seulement pour les hommes, mais espérer d'abord pour lui.

C'est dans une telle lumière qu'il nous faut lire les textes de l'Évangile. Quand l'Évangile semble dire que Dieu prend à son compte la damnation des hommes, que c'est lui qui prononce la sentence de condamnation (Mt 13, 41 ; 25, 41), cela signifie que Dieu lui-même ne peut rien, sinon souffrir devant une liberté qui se ferme à l'amour. Le châtiment ne vient pas de Dieu, il vient du dedans, comme celui qui ferme ses volets et qui, du même coup, est privé de la lumière du soleil. Cela signifie aussi que l'acte créateur, qui est éternel, ne peut pas ne pas inclure cette éventualité; c'est le grand risque de l'acte créateur.

Au vrai, le dogme de l'enfer nous enseigne une attitude d'âme. Car aucun dogme n'existe pour satisfaire notre curiosité intellectuelle. Dieu ne révèle et l'Église n'enseigne que ce qui nous est nécessaire pour que notre attitude d'âme soit une attitude de vérité et pour que notre action soit une action vraie. L'attitude d'âme, la valeur spirituelle, qu'implique le dogme de l'enfer, est l'espérance en forme de prière. Nous ne pouvons guère dépasser cette tension entre une foi en l'éventualité de la damnation et l'espérance du salut de tous les hommes. Il n'est pas possible que notre salut éternel, notre divinisation, soit une certitude de type mathématique comme 2 et 2 font 4; cela nous ferait sortir du même coup du Royaume de l'amour. Ma certitude, s'il s'agit bien d'amour (pensez à l'expérience que vous pouvez avoir de l'amour!), ne peut être qu'une espérance. C'est une certitude mais en forme d'espérance et l'espérance est en forme de prière.

La descente du Christ aux enfers est un article du Credo, mais l'éventualité de l'enfer n'en est pas un. Pourquoi ? Parce que tous les articles du Credo sont commandés par deux mots : Credo in, je crois en... et non pas je crois que. « Croire en » ne peut être suivi que d'un nom de personne : on croit en quelqu'un. C'est le mot même de l'amour : je crois en toi, je te donne ma foi, je t'aime, je me fie à toi, je me confie à toi, je m'abandonne en toi. Le Credo est la foi en Dieu Père, Fils et Saint Esprit : la structure du Credo est trinitaire. Croire en l'enfer n'aurait absolument aucun sens. On croit que l'enfer est une éventualité. Exactement on croit en Dieu dont l'amour ne peut rien contre l'éventualité de l'enfer.

NOTE 2

Le purgatoire

La théologie lui donne une note de certitude plus faible que pour l'éventualité de l'enfer. Mais j'avoue que j'ai tendance personnellement à penser que si le purgatoire n'existe pas, il faut l'inventer.

Le purgatoire est nécessaire pour participer à la vie de Dieu

La profondeur d'un abîme est proportionnelle à la hauteur de la montagne. Si la montagne a trois cents mètres, l'abîme correspondant a trois cents mètres. Si la montagne est l'Himalaya, l'abîme correspondant jusqu'au niveau de la mer est de huit mille huit cent quatre-vingt-deux mètres. Quelle est la hauteur de la montagne chrétienne ? Elle est infinie, incommensurable. L'abîme correspondant, l'envers de cet endroit, n'a pas de fond. Si notre vocation n'était pas de participer à la vie de Dieu, de devenir nous-mêmes des dieux (comme ne craignent pas de le dire tous les mystiques), il n'y aurait pas d'enfer. Il faut dire également que, dans une telle hypothèse, il n'y aurait pas non plus de purgatoire.

Je vous en prie, si vous êtes éducateurs, n'allez pas parler aux enfants d'enfer et de purgatoire avant de vous être bien assurés qu'ils croient que l'essentiel de tout est notre vocation, notre destinée à partager la vie même de Dieu, car, autrement, tout devient strictement absurde, ne signifie absolument plus rien, y compris le péché originel.

La doctrine du purgatoire est fondée sur ceci que, pour être unis à Dieu dans une communauté de vie, il faut que nous soyons tout amour comme lui-même est tout amour. *Pas un atome*, pas un grain d'égoïsme *ne peut entrer en Dieu.* Car l'égoïsme est le contraire de Dieu, donc l'opposition à Dieu. Seul l'amour est assimilable à l'amour. Qui donc oserait penser qu'à l'heure de sa mort, il est constitué en état de parfait amour et qu'il n'y a plus en lui le moindre atome d'égoïsme ? *La Vierge Marie étant seule exceptée*, c'est impossible.

Il est probable qu'aucune créature ne peut produire ici-bas un seul acte parfaitement dépouillé de tout retour égoïste sur soi. Il est nécessaire — puisqu'il s'agit, non pas de jouir d'une béatitude simplement naturelle mais de la participation à Dieu tel qu'il est en lui-même — que ce résidu d'égoïsme soit entièrement consumé. Tel est le sens du purgatoire. Disons, en jouant sur les mots : pour que l'amour soit consommé, il faut que l'égoïsme soit consumé. Pour que l'amour soit consommé en béatitude, il faut que l'égoïsme soit consumé en repentir purifiant.

Si vous avez une vie spirituelle authentique, si vous vivez vraiment à l'intérieur de vous-mêmes avec Dieu, vous savez très bien que l'égoïsme, *ce ne sont pas seulement nos actes explicites* contre l'amour. C'est aussi, comme dit Claudel, cette « température continuelle » de repli sur soi qui est immanent à tous nos actes, même les plus généreux, *et dont nos actes peccamineux ne sont que les points d'émergence.*

Une telle purification, qui atteint le fond de l'être, ne peut pas ne pas être douloureuse. Ce dont il s'agit, c'est d'être entièrement arraché à soi pour devenir capable d'être entièrement donné à Dieu. Or l'arrachement à soi, c'est la souffrance même. La souffrance du temps présent commence déjà cette œuvre de purification. Et si la souffrance n'avait pas cette valeur de purification, elle serait purement et simplement un non-sens, un scandale. Il y a donc déjà un purgatoire ici-bas. Mais la souffrance du temps présent doit être achevée au-delà de la mort d'une manière mystérieuse (sur laquelle, d'ailleurs, l'Église est d'une sobriété remarquable) mais certaine.

Il n'y a rien de surprenant à ce que la Tradition compare à un feu cette brûlure de la purification. Purgatoire signifie purificatoire. Au fond, c'est le même feu qui damne en enfer, qui purifie en purgatoire, qui béatifie au ciel. Dieu ne change pas, le feu de l'amour est toujours le même. C'est nous qui sommes différents devant l'amour immuable et infini : si nous sommes totalement contraires à l'amour, le feu de Dieu nous torture; si nous sommes capables de purification, ce feu nous purifie; et si nous sommes unis à Dieu, ce feu nous béatifie.

Purgatoire = amour purificateur

Le purgatoire n'est donc pas une souffrance qui serait comme imposée, et contre laquelle on se débattrait en vain. Il faut le comprendre comme *une souffrance volontairement endurée* lorsque, *mis en présence de la* fulgurante *sainteté de Dieu,* on ne peut qu'être horrifié par ce que l'on est. Cette horreur de soi devant l'amour est le repentir. Ce repentir, c'est une intensité d'amour qui voudrait compenser la médiocrité du passé : on comprend qu'il naisse spontanément dans l'homme, à mesure que la lumière divine qui l'envahit, le met en face de ce qu'il est. C'est en quelque sorte le bilan vivant de toute son existence, de son entière histoire.

Le purgatoire est une souffrance volontaire donc, à laquelle on ne voudrait pour rien au monde échapper, *et qui est en même temps une joie.* Il faut parler de la joie du purgatoire! Dans un admirable *Traité du purgatoire,* sainte Catherine de Gênes écrit que *rien, sinon la joie du ciel, n'est comparable à la joie du purgatoire, car plus on est brûlé par le feu de l'amour purificateur, plus on se sent, on se voit redevenir pur et capable d'entrer en Dieu.* Un peu comme une barre de fer, couverte de rouille et purifiée par le papier de verre, éprouverait, si elle était consciente, la douleur du frottement, mais se réjouirait de voir sa propre rouille ôtée et dissoute.

Quand on est mis en présence de l'amour, on ne peut que désirer aimer. La souffrance est de constater qu'on n'en est pas complètement capable. Il y a en nous ici-bas un commencement de purgatoire, lorsque nous éprouvons la plus noble de toutes les souffrances qui est de constater qu'au moment même où nous disons à l'être le plus cher que nous l'aimons, ce n'est pas absolument vrai, car nous nous aimons nous-mêmes davantage, nous nous préférons à lui. Il est beau de pleurer parce que l'on éprouve qu'en disant : je t'aime, on n'est jamais absolument sincère. On l'est jusqu'à un certain point seulement et, trop souvent, je dirai : toujours un peu, l'autre est un moyen privilégié pour l'amour que je me porte à moi-même. Ma souffrance, c'est que je suis obligé de dire, en toute lucidité, que je suis incapable d'aimer vraiment.

Le purgatoire est cette souffrance-là, mais intensifiée, portée à un degré gigantesque d'intensité par la lumière divine qui nous découvre à la fois l'infini de Dieu, la pureté de son amour qui n'est qu'amour et la part énorme *d'égoïsme dans le bilan de notre vie.*

Le purgatoire est, à la lettre, l'heure de vérité, l'instant de vérité. Il y a un mot de Fénelon (l'impitoyable Fénelon dont l'école maurrassienne a voulu faire un romantique, alors que c'est tout le contraire!)

qui est terrible : « *Tout ce qui est encore à soi est du domaine du purgatoire.* » Au moment de mourir, ce qui est le plus à moi, c'est moi; plus que mon avoir, c'est mon être même et il faut que je sois « décollé » de moi-même pour ressembler à Dieu et entrer dans une communauté de vie avec Lui.

Quand je me trouve au chevet d'un homme qui vient de rendre le dernier soupir, lorsque le visage redevient calme après toutes les contractions de l'agonie, j'entends autour de moi les chrétiens qui disent avec foi : enfin, il est heureux! Je préférerais qu'ils disent : il est enfin capable d'aimer! Car le bonheur du ciel n'est pas n'importe quel bonheur, il est le bonheur d'aimer comme Dieu aime, sans l'ombre d'un retour sur soi, d'un repliement sur soi, d'une attention à soi. Le purgatoire est ce qui nous rend enfin capables d'être comme Dieu, pure relation à l'Autre et aux autres.

Ce bilan de notre vie qui nous est découvert, qui, en quelque sorte, nous met à nu, sans possibilité de masque, est ce que l'on appelle aussi, en langage traditionnel, le Jugement particulier (il n'y a pas un tapis vert avec des fauteuils, un juge et des assesseurs!). *C'est en effet une seule et même chose que de voir clair en soi, de souffrir de cette clarté et de jouir immensément* de la diminution progressive de l'obstacle qui empêche d'entrer pleinement en Dieu.

C'est pourquoi, dans la cinquième Grande Ode, intitulée *La maison fermée*, Claudel fait dire aux « âmes du purgatoire » (suivant l'expression commune; les Allemands, eux, disent : « les pauvres âmes ») :

> « *Priez pour nous, non pas afin que notre souffrance diminue, mais pour qu'elle augmente,*
> *et que finisse enfin le mal en nous et l'abomination de cette résistance détestée*[1]. »

Ces vers sont théologiquement parfaits. Le purgatoire (ou jugement particulier) est une totale présence de soi à soi, une parfaite connaissance de soi par soi, une parfaite vision de soi par soi, qui est, en même temps, *une crucifixion de soi par soi.* Ma croix, c'est de me connaître tel que je suis, ce qui n'est possible que si je suis éclairé par la lumière divine. Tout cela nous jette en Dieu pour l'éternité.

Étant donné l'imperfection de notre intelligence et de notre langage, il est inévitable que nous traduisions par du quantitatif ce qui est de l'ordre de la qualité. Il faudrait s'exprimer uniquement en termes d'intensité : *intensité de l'amour qui dissout le résidu du péché.* Nous l'exprimons mala-

1. P. Claudel, *Œuvre poétique*, Pléiade, p. 292.

droitement en termes de durée, et nous parlons *d'un « temps » plus ou moins long qu'on passe en purgatoire.* Pourquoi cette grossièreté de langage ? Tout simplement, je pense, parce qu'à des époques moins critiques que la nôtre, c'était le seul moyen d'être compris de la multitude.

Il faut donc critiquer cette *représentation temporelle* en nous souvenant qu'elle n'est qu'un symbole. C'est la transposition en termes de durée ou de temps de ce que nous sommes incapables d'exprimer en termes adéquats. Seulement, si nous entrons dans la voie de la critique (nos contemporains sont très exigeants là-dessus, mais si l'Église a un langage grossier, elle le sait très bien : elle parle un langage tout simple car il est pour tout le monde !), il faut aller jusqu'au bout de la critique philosophique.

Dès lors qu'on ne dise plus que le purgatoire est après la mort, et que la béatitude est après le purgatoire. Car, à parler en rigueur, il n'y a pas d'après. L'avant et l'après sont liés au temps, donc à cette vie. Si l'on se pique de philosophie, il faut dire : la mort est la condition du purgatoire, et le purgatoire est la condition de la béatitude. Le mot de condition est correct car il n'a rien de temporel, il n'implique ni un avant ni un après.

J'ajoute, en terminant, que c'est l'usage immémorial de prier pour les morts qui a engendré la doctrine du purgatoire et non pas l'inverse. On ne prie pas pour les morts parce qu'il y a un purgatoire. Mais l'Église déclare qu'il y a un purgatoire, parce que l'usage a toujours été de prier pour les morts. Dans l'Église, c'est toujours la vie qui est première, la vie précède la doctrine, et non l'inverse.

Soyons prudents et rigoureux dans notre manière de parler de ces mystères. Ce n'est vraiment pas le moment d'accumuler les obstacles sur le chemin de la foi dont vous savez qu'elle est si difficile pour nos contemporains.

QUATRIÈME PARTIE

Quelques critères de discernement pour l'accomplissement de la tâche humaine

*Vivre, c'est espérer**

Je vais suivre, parfois en le citant littéralement, le cahier de « Cultures et Foi », rédigé par le Père Ganne. Il a pour titre : *Cette Espérance qui est en nous.* C'est un chef-d'œuvre de logique concrète, ou de critique sévère de ce qu'il y a de dangereusement abstrait dans une certaine manière, hélas trop courante, de comprendre la Bible. L'esprit qui anime ce travail est éminemment biblique, les références explicites à la Bible y sont constantes, mais commandées par une réflexion toute simple sur la vie des hommes, la nôtre et celle de nos frères. « Être dans la vie », « partir de la vie », ce doit être autre chose qu'un slogan. Il s'agit à la fois de l'Évangile éternel et de la plus brûlante actualité.

Partons donc de la vie. Posons-nous la question : quelle est l'espérance des hommes d'aujourd'hui ? Espérance de quoi ? Espérance qui s'appuie sur quoi ? Qu'est-ce qui permet aux hommes d'aujourd'hui d'espérer ce qu'ils espèrent ? Quel rapport allons-nous découvrir entre l'espérance des hommes d'aujourd'hui et l'espérance chrétienne ? Elles s'opposent en fait, c'est certain, en ce sens que, pour l'immense majorité de nos contemporains, l'espérance qu'ils vivent,

* *Manuscrits :* « L'espérance I et II », nos 3 et 4 de la série rédigée en 1976-1977. — *Polycopie :* Belleville (7 décembre 1975). Le cahier no 14-15, Cultures et Foi, a été édité dans la collection « Dossiers libres » du Cerf sous le titre *Espérer.*

qui est leur vie même (car vivre, c'est espérer), n'a rien à voir avec ce que nous appelons la « vertu théologale » d'espérance. Mais qu'en est-il en droit ? Autrement dit, est-il fatal que l'espérance des hommes d'aujourd'hui conduise à l'athéisme ? Si oui, il faut conclure que la foi ne peut être située qu'en dehors de la vie, et c'est ce que le marxisme appelle aliénation. Sinon, si la foi n'est authentique que liée à la vie, où sont les malentendus, et que faire pour les réduire ?

Quand il y a à choisir entre l'humain et le divin, entre les espoirs humains et l'espérance chrétienne, on peut dire qu'il y a quelque chose qui ne va pas, qui est en porte à faux. Il y a un faux pli. Choisir entre l'humain et le divin, c'est méconnaître l'Incarnation, car l'Incarnation est précisément l'union indissoluble de Dieu et de l'homme dans le Christ. Il n'y a pas à choisir entre l'homme et Dieu s'il est vrai que c'est le même, le Christ, qui est l'homme et qui est Dieu. Il nous faut effacer ce faux pli que nous avons pris et qui a eu des conséquences extrêmement graves.

Les espérances humaines

L'espérance est liée à la puissance

Le Père Ganne trace un chemin de clarté en disant tout simplement, comme l'avait fait naguère Gabriel Marcel, ce que c'est qu'espérer. *On espère quand on croit pouvoir parvenir à ce qu'on cherche. On désespère quand on pense qu'on ne peut pas, qu'on n'y peut rien.* J'espérais, mon cher ami, pouvoir obtenir ceci ou cela, mais je m'aperçois qu'il n'y a rien à faire; franchement je n'y peux plus rien. Voilà une clé qui va nous ouvrir beaucoup de portes, y compris celles de la Bible.

L'homme espère parce qu'il croit qu'il peut. Dans « pouvoir », il y a « puissance ». L'espérance repose toujours sur une puissance qui rend possible une transformation de l'existence. Si j'espère pouvoir acheter une résidence secondaire, c'est bien que j'attends que mon existence soit transformée : demain, avec une maison à la campagne, ne sera pas, comme aujourd'hui, sans maison. Or je pourrai acheter une maison si j'ai de l'argent. Ici la puissance sur laquelle je m'appuie est l'argent. C'est l'argent qui garantit mon espérance, qui fait que mon espérance n'est pas un rêve, une construction de château en Espagne. Dans d'autres cas, la puissance sera la réussite sociale, le progrès scientifique, la prise de pouvoir politique ou la révolution. Pas de puissance, pas d'espérance.

Or quel est le contenu de toute espérance ? *C'est toujours la recherche d'une libération.* On ne veut pas changer pour le plaisir de changer. A moins que le plaisir de changer pour changer n'apparaisse comme une libération de la routine qui engendre l'ennui, l'ennui d'être toujours à la même place et de faire toujours la même chose du matin au soir. Mais ne coupons pas les cheveux en quatre. Ce que l'homme espère, c'est, comme disait Rimbaud, mille fois cité depuis Mai 68, « changer la vie », c'est-à-dire *transformer des conditions d'existence jugées inhumaines. On ne peut pas dire qu'on espère, si l'on n'aspire pas à transformer une situation de servitude plus ou moins intolérable.*

Être libéré, mais pour quoi faire ? *Pour vivre une vie qui soit vraiment humaine. Pour être plus homme dans une société plus humaine.* La question se posera de savoir ce que c'est, finalement, qu'être plus homme, ce que c'est qu'une société plus humaine. *Toutes les tentatives de libération dans l'histoire supposent une conception de l'homme.* Le freudisme, par exemple, est une conception de l'homme, une anthropologie : la psychanalyse a toujours pour but — Dieu veuille qu'elle ait toujours pour effet ! — que l'homme soit plus homme.

Ici nous pourrions déjà parler de la Bible, qui n'est pas autre chose que *la longue histoire d'une libération, la découverte d'une Puissance efficace pour la libération de l'humanité. La Bible nous dit comment des hommes, contraints par leur histoire à rechercher une libération, ont découvert et accueilli, dans leur expérience humaine, la Puissance libératrice du Christ ressuscité.*

Espérer, c'est être tourné vers l'avenir, c'est refuser d'être bloqué dans l'immédiat, en se résignant au présent, aux insuffisances du présent. En fait, *c'est la conscience de la servitude qui fait surgir la décision d'en sortir.* On peut dire *que l'espérance est un désespoir surmonté.* Et j'ajoute : l'espérance *est toujours collective. Car on n'espère jamais seul.* On peut s'imaginer qu'on espère seul ou pour soi seul. Mais c'est une illusion. *L'isolement est désespérant au contraire.* Une *espérance* qui n'est pas vécue collectivement se dégrade ou s'atrophie. L'espérance est semblable à la joie : elle a besoin d'être partagée. Il n'y a pas de joie strictement individuelle. L'espérance est donc liée à une solidarité.

Les puissances humaines modernes

Sur quelles puissances l'espérance collective du monde s'appuie-t-elle pour transformer ses conditions d'existence, pour « changer la vie » ? Jean Lacroix, dans un précieux petit livre[1], les ramène à trois :

1) La puissance technique : la technique est fille de la science. Autrefois la science conduisait à Dieu. On disait volontiers : un peu de science éloigne de Dieu, beaucoup y ramène. En effet, plus on connaissait *les merveilles du monde*, plus on admirait le Créateur de ce monde. *On paraphrasait le psaume : les cieux chantent la gloire de Dieu.* On admettait que la science *était autonome dans son domaine, mais dans son domaine seulement.*

Or le domaine de la science est la nature, ce que les philosophes appellent le monde des phénomènes, c'est-à-dire ce qui apparaît, ce qui n'est pas donné par la réflexion, mais par l'observation. Le réel en sa profondeur, c'est-à-dire ce qui est, au-delà de ce qui paraît (comme l'âme spirituelle, ou Dieu) restait le domaine de la philosophie et de la religion. Mais peu à peu la science en est venue *à prétendre qu'elle atteignait bien le réel*, tout le réel, car le réel est ici-bas; le seul univers réel est l'univers de l'ici-bas; c'est dans cet univers de l'ici-bas que la science veut *assurer la destinée des hommes*, réaliser leur espérance.

Le savant dit que Dieu n'explique rien; plus exactement, que faire intervenir Dieu pour expliquer le monde est une solution de facilité que l'honnêteté scientifique doit s'interdire. C'est ce que voulait dire le philosophe Renouvier avec sa phrase célèbre, souvent si mal comprise : « *L'athéisme est la véritable méthode scientifique.* » C'est affaire de méthode : *une affirmation est scientifiquement* vraie, si le savant l'établit avec *les méthodes qui lui sont propres. La science ne permet pas de traiter le monde comme une horloge dont il faudrait chercher en dehors du monde l'horloger.*

D'ailleurs si vous prouvez Dieu scientifiquement, ce Dieu que vous prouvez est *le premier chaînon d'une chaîne d'explication.* Du coup, ce n'est pas Dieu, car le premier chaînon d'une chaîne fait partie de la chaîne. Or Dieu est un faux dieu s'il fait partie du monde. C'est pourquoi Jean Lacroix a raison d'affirmer fortement : « *Quoi que la science trouve, c'est cela précisément que nous refusons d'appeler Dieu.* »

La science moderne développe d'autant plus une mentalité athée

1. J. Lacroix, *Le sens de l'athéisme moderne*, Casterman, 1970.

qu'elle se veut *opératoire*. Je veux dire qu'elle a noué une *alliance avec la technique*. Il ne s'agit plus tellement de connaître pour connaître : il s'agit de connaître pour faire (faire des ponts, des viaducs, des fusées, etc.). En unissant la science et la technique, on construit l'humanité, on assume la responsabilité de l'histoire. Trois révolutions successives ont déjà transformé la civilisation. La première fut celle de la machine à vapeur, la seconde celle de l'électricité, la troisième est celle de l'énergie atomique.

Depuis un siècle, la technique a développé, de façon prodigieuse, les conditions de vie, qu'il s'agisse de l'habitat, des transports, de l'environnement, etc. Même si l'on peut en faire un usage inhumain (on peut employer l'énergie nucléaire pour faire sauter la planète), même si les accidents se multiplient (accidents de la route, accidents de chemin de fer, catastrophes aériennes...), même si le progrès industriel pose le problème de la pollution, il est certain que la puissance technique donne à l'homme une confiance en ses propres pouvoirs. Elle engendre l'espérance d'être libéré des servitudes de la nature. Rien n'empêche d'espérer que la puissance technique délivrera les hommes de la menace des cyclones, des tremblements de terre et des éruptions volcaniques. La technique détruit l'idée de fatalité qui est le contraire de l'espérance et qui nous fait dire : tout est joué, les jeux sont faits, inutile d'agir, c'est écrit et c'est comme ça !

En bref, la nature n'est plus sacrée, ou sacrale. Les païens disaient : Destin; les esprits religieux préféraient dire : Providence. Peu importe ! cela voulait signifier que les forces naturelles apparaissaient comme sacrées. Quand les forces (ou puissances) de la technique sont plus fortes que les forces de la nature, la nature n'est plus sacrée. Le temps semble bien révolu où l'homme religieux considérait Dieu comme le bouche-trou qui allait combler les lacunes de la science. Autrefois on priait Dieu pour qu'il fasse pleuvoir, ou briller le soleil. On le prie de moins en moins pour cela car on a l'espoir que l'homme y parviendra lui-même. La technique est une puissance qui permet d'espérer, alors que la résignation, qui, dans les esprits, était liée à la religion, ne le permettait pas.

2) La politique est le deuxième aspect de la puissance où s'enracine l'espérance du monde moderne. Il est évident qu'on n'échappe pas à la politique, que *la dimension politique est une dimension essentielle de l'homme. Mais, pendant des millénaires, la politique était le fait de quelques individus seulement, ou quelques familles, ou une seule classe sociale.* Aujourd'hui, c'est toute la masse humaine *qui prend conscience de son existence*

politique. L'homme devient capable, non seulement de maîtriser les forces de la nature, mais aussi d'orienter l'énergie des masses.

Or Dieu apparaît aux hommes de notre temps comme l'autorité suprême *dont on se sert pour les maintenir dans une sorte de minorité politique, pour les empêcher d'accéder à leur majorité politique*. On pourra bien dire que Dieu nous aime, cela n'arrange rien, au contraire, car le Dieu paternaliste est plus redoutable que le Dieu dictateur. Avec le dictateur, on sait à quoi s'en tenir; avec le paternaliste, il y a un écran de charité qui sert de façade à un désordre profond où l'injustice est maintenue. Ici nous touchons à ce que J. Lacroix appelle « *le pire des drames* », à savoir que « *c'est l'exigence même de justice qui conduit les hommes à l'athéisme* ». La foi en Dieu apparaît à beaucoup comme un obstacle à l'espoir. La religion console les hommes qui sont déçus dans leurs espérances, en apportant la consolation de l'au-delà!

3) Il y a enfin L'ÉNERGIE MORALE, disons la puissance de la conscience qui se veut responsable. Pour les athées, la négation de Dieu est la condition d'une morale authentiquement humaine, c'est-à-dire digne de l'homme. Il faut comprendre ce qu'ils veulent dire, avant de jeter les hauts cris.

L'homme moderne pense qu'il est authentiquement moral quand il assume la responsabilité intégrale de la transformation de la vie sociale pour la libération de l'homme. L'athée précise qu'il ne peut le faire que s'il nie cette situation de culpabilité que les chrétiens appellent le péché originel. Il faut bien reconnaître, disons-le en passant, que, trop souvent (je ne dis pas toujours), les chrétiens ont utilisé le dogme du péché originel pour rester les pieds dans leurs pantoufles. Que de fois j'ai entendu des propos dans le genre de celui-ci : à quoi bon prendre la responsabilité de vouloir transformer le monde, puisque l'homme est pécheur depuis le commencement et qu'il le restera toujours!

Le philosophe Merleau-Ponty (qui, dans sa jeunesse avait appartenu à la JEC) écrit qu'*il faut à tout prix écarter l'hypothèse* de l'existence de Dieu, car, si Dieu existe, il sait tout, il connaît tout. Pour lui, tous *les problèmes sont résolus et tous les drames dénoués*; c'est lui qui tire les ficelles de la vaste comédie que les hommes jouent comme de véritables pantins ou comme des marionnettes. Pour que l'homme soit vraiment homme, moralement homme, il est nécessaire qu'il n'y ait pas quelque part dans les nuages une vérité toute faite, mais il faut que jour après jour, l'homme invente la vérité en retroussant ses manches, *sans aucune garantie* qui serait *extérieure à lui*, pour transformer les relations humaines dans l'espérance d'un monde plus juste et plus fraternel.

En d'autres termes, pendant longtemps, l'essentiel de la morale consistait à se soumettre à l'autorité légitime, qu'il s'agisse de l'autorité dans la famille, de l'autorité dans l'État ou de l'autorité dans l'Église. Pour l'homme moderne, ces morales d'autorité sont périmées, y compris l'autorité de Dieu. Ce qui compte, c'est le primat de la responsabilité sur la soumission à l'autorité.

Ainsi l'espérance du monde moderne qui repose sur une foi en l'homme et en ses puissances ou énergies — technique, politique, morale — aboutit, en fait, à l'athéisme. Il y a « dé-sacralisation », sur toute la ligne, de la nature, des structures sociales et politiques, des autorités morales. Ni la nature, ni l'État, ni la conscience morale ne sont le lieu de la présence de Dieu. Ils sont le lieu de la puissance créatrice de l'homme. Dé-sacralisation, sécularisation.

Chassez le sacré, il revient au galop

Il n'est pas besoin d'une longue observation de notre monde, tel qu'il va, pour constater que ce mouvement quasi universel de dé-sacralisation s'accompagne d'un mouvement, non moins universel, de re-sacralisation. Que ne sacralise-t-on pas! *La Science, le Progrès, le Parti politique*, et bien d'autres choses! Ou bien d'autres personnes! Même dans un régime politique athée, le sacré fonctionne très bien : des foules viennent en pèlerinage au mausolée de Lénine.

Voici ce qu'on trouvait, en France, dans les années 72, sur une pochette de disque. C'est une prière à Johnny Halliday :

> *Johnny! Nouvelle idole de la jeunesse* (le mot y est : idole)
> *De jour en jour tu gagnes des fervents, des fidèles,*
> *Car tu es un dieu et un démon à la fois* (voilà qui est intéressant pour aider à comprendre ce que nous allons appeler l'ambiguïté du sacré : dieu et démon)
> *Tu es un dieu car nous croyons en toi*
> *Comme au bonheur suprême*
> *Et nous t'adorons dans tous tes faits et gestes.*
> *Mais tu es un démon,*
> *Car lorsqu'on t'écoute*
> *Tout devient impossible,*

Tout travail devient fastidieux.
Seule ta voix qui coule comme du miel
Fixe notre esprit,
Tu es celui que nous attendions !

Une étude plus approfondie de notre univers soi-disant dé-sacralisé montre que l'homme a toujours besoin de mythes et de rites. Le « sacré » est partout, depuis le langage sportif jusqu'aux horoscopes et voyantes extra-lucides, en passant par les carnavals et les réveillons. Car la tendance à « sacraliser » est une constante de l'humanité. Il nous faut maintenant repérer avec soin ce que cela veut dire, si nous voulons comprendre la vraie relation entre le christianisme et l'espérance.

Sur terre, depuis qu'il y a des hommes, il y a de la religion, une « foison de religions » comme dit Pascal. De la religion ou du sacré. Instinctivement, en effet, l'homme cherche une « puissance » capable de réaliser son espérance. Au-delà de ses besoins vitaux élémentaires, il éprouve le besoin de vivre plus intensément, plus librement, plus totalement. Il veut échapper à la précarité, à la fragilité de son existence, et du même coup à l'angoisse (la précarité engendre l'angoisse et l'angoisse engendre le désespoir). Ce que l'homme désire, consciemment ou non, c'est une intensité de vie sans limites, une plénitude d'existence sans failles. Ce que Nietzsche et Rimbaud appelleront « l'éternité », c'est-à-dire La Béatitude.

Quelle est la puissance capable de nous faire franchir nos limites et de nous faire « vivre », au sens fort du mot ? Il faut trouver cette puissance. Nous disions : l'homme espère parce qu'il croit qu'il peut. Qui, ou quoi, lui donnera de pouvoir ? Il n'a que l'embarras du choix. C'est pourquoi *il tend à sacraliser toute puissance qui le dépasse et qui lui paraît pouvoir réaliser son espérance.* L'homme a sacralisé *les puissances naturelles, cosmiques (soleil, lune, astres, terre, sources, fleuves) ; les puissances ou énergies vitales, bio-psychiques (arbres, animaux, sexe, toutes les puissances de fécondité) ; les puissances sociales (race, patrie, classe, parti, chef, guerre, or, argent). Sans oublier le pullulement indéfini des formes inférieures de la superstition.* Bref, tout ce qui paraît détenir une puissance, une énergie exceptionnellement prometteuse, accroche l'homme, et il fixe sur cette puissance le mystère de son espérance. C'est le phénomène de l'idolâtrie. Comme disait Bossuet : « Tout est Dieu, excepté Dieu lui-même. »

Nous avons là, non pas seulement *un phénomène du passé* qui relève d'une mentalité dite primitive *mais une constante de la condition humaine.*

Sacraliser la lune, sacraliser l'automobile ou la vedette, c'est exactement le même phénomène. *On entend dire parfois : l'homme moderne n'a plus le sens du sacré. Rien n'est plus faux : il ne l'a que trop ! On entend dire aussi : le chrétien a le sens du sacré, le païen ne l'a pas ! Ce devrait être exactement le contraire ! C'est dans le paganisme que tout est sacré* ou peut le devenir.

Le chrétien, qui, trop souvent, n'est qu'un païen qui s'ignore (entendez : le chrétien qui n'est pas sérieusement converti), ne se prive pas de sacraliser toutes sortes de puissances. Évidemment, il ne sacralisera pas le soleil ou la lune, il ne dira pas : le soleil et la lune sont des dieux. Mais il sacralisera bel et bien le Chef ou la Propriété. Il sacralisera la Nature, en disant qu'il est conforme aux lois de la Nature qu'il y ait de l'inégalité parmi les hommes (c'est-à-dire quelques riches et beaucoup de pauvres). Il sacralisera les structures sociales, politiques ou ecclésiales. L'idolâtrie est bien une constante de la condition humaine. Pour qu'il n'y ait plus d'idolâtrie, il faudrait qu'au cœur des hommes il n'y ait plus d'espérance, ou bien que l'humanité entière soit convertie à la foi qui, seule, désacralise vraiment. C'est ici que, pour sauver l'espérance de l'homme, se dressent les Prophètes.

Les espérances humaines peuvent devenir chrétiennes

Les prophètes purifient le sacré

Les prophètes d'Israël sont, avant Jésus Christ, les grands éducateurs de la conscience humaine. Dans ce jeu constant de désacralisation et de resacralisation où les vieux juifs ne cessaient d'osciller, ils introduisent la foi comme principe de discernement. Dans le foisonnement du sacré, ils apprennent à discerner quelle est la Puissance qui ne trompe pas l'espérance. Pour cela, ils *critiquent* les puissances auxquelles les hommes se fient dangereusement.

D'abord *les puissances religieuses* : « Que m'importent vos innombrables sacrifices ? Je suis rassasié, dit Dieu, des holocaustes de béliers et de la graisse des veaux... » (Is 1, 11). Cela veut dire : vous avez de la religion mais vous n'avez pas la foi. Or la religion sans la foi ne peut être que de la magie. Vous cherchez par vos prières et vos sacrifices à vous concilier, à vous rendre favorable ma puissance. Vous perdez votre temps, car vous vous trompez sur mon identité. Je ne suis pas Celui que vous croyez...

Au chapitre 58 (donc trois cents ans plus tard; il faut croire que les pratiques religieuses sans foi réelle étaient tenaces en Israël), Dieu dit : « Ne savez-vous pas quel est le jeûne qui me plaît ? Rompre les chaînes injustes, renvoyer libres les opprimés, briser tous les jougs, partager son pain avec celui qui a faim, héberger les pauvres qui n'ont pas d'abri... »

En Jérémie (7, 5-11), c'est toujours Dieu qui parle, il dit que le Temple ne protège pas celui qui vit dans l'injustice : c'est un faux sacré, une fausse puissance, une puissance qui n'est pas apte à réaliser l'espérance : « Améliorez votre conduite et vos œuvres, et je resterai avec vous dans le Temple... Si vous avez un vrai souci du droit entre vous, si vous n'opprimez pas l'étranger, l'orphelin et la veuve, je resterai avec vous ! » Ce sont des textes que nous devrions savoir par cœur, ou, au moins, lire tous les matins.

Voilà donc dénoncée avec vigueur la religion qui n'est pas une conversion du cœur, c'est-à-dire de la conscience. Le vrai sacré est au niveau de la conscience et de la liberté. La seule puissance qui garantit l'espérance de l'homme est, en elle-même, volonté de justice. Dieu ne peut écouter la prière de l'homme que s'il pratique la justice.

Les prophètes dénoncent aussi vigoureusement les idoles politiques. Les puissances politiques, qu'on les appelle *Prince*, *Pouvoir établi*, *Chef* ou *Parti*, *ont toujours tendance à se faire passer pour Dieu.* Elles exigent l'obéissance inconditionnelle des sujets ou des partisans. Contre ces pouvoirs sacralisés qui asservissent les hommes au lieu de les libérer, les prophètes « *rugissent* » : c'est le mot *d'Amos, petit berger vivant sur les collines de Palestine.* Dieu le charge de transmettre aux enfants d'Israël son rugissement (1, 2).

Voici la phrase clé qui résume bien le propos des prophètes : c'est parce que la foi dévoile (ou révèle) la véritable nature de la Puissance absolue qu'elle sauve la vérité de l'espérance. Les Prophètes purifient le sacré sans le détruire. Ils réconcilient le sacré avec la raison et avec la conscience, c'est-à-dire avec ce qu'il y a de meilleur en l'homme. Si la foi en une puissance absolue est affirmée par une conscience soucieuse de justice et de liberté, le sacré n'est plus aliénant. Au contraire, seule cette foi — la foi en cette Puissance absolue que nous appelons Dieu — empêchera l'homme de prendre d'autres puissances pour des absolus. Rien n'est absolu, hormis Dieu seul. Seulement il ne faut pas se tromper sur la nature de cet absolu. Il faut qu'il soit vraiment le garant de l'espérance humaine. Ce n'est possible que s'il est volonté de justice. Que vaudrait en effet une espérance humaine qui ne serait pas une espérance de justice ? Ce ne serait pas une espérance authentiquement humaine.

Que signifie la resacralisation moderne, sinon que l'homme sans la foi est incapable d'aller jusqu'au bout dans sa critique du sacré ? Les hommes persistent à mettre *leur espérance en des puissances qui sont incapables de les libérer totalement.*

Pour *accueillir* la Puissance véritable que nous appelons Dieu, il faut une triple conversion :

— *De la conscience :* il faut passer (passage qui est une pâque, c'est-à-dire une mort et une renaissance) *de l'attitude magique, conservatrice et captative du sacré, à l'attitude spirituelle, oblative et désintéressée de l'amour. Autrement dit, la foi, pour échapper aux confusions du sacré, doit assumer toutes les exigences d'une morale authentique. Le Christ, en un résumé saisissant de la doctrine des Prophètes, a dit quelles sont ces exigences : « la justice, la miséricorde et la droiture » (texte à savoir par cœur en Mt 23, 23).*

— *De l'idée que l'on se fait de la puissance :* les chrétiens qui disent qu'ils croient en Dieu tout-puissant doivent savoir que Dieu n'est puissant qu'à aimer. Il n'est pas une Puissance de destruction ou de domination. Il est l'amour, c'est-à-dire le Don tout pur, sans la moindre trace de repli ou de retour ou, comme dit saint Bernard, d'incurvation sur soi. Dieu ne peut pas tout, il ne peut que ce que peut l'amour, mais il peut tout ce que peut l'amour.

— *De nos puissances humaines :* la technique, la politique, l'énergie morale. Il n'est pas question *de les déprécier mais il faut les mettre au service de la justice et de la fraternité.* Puisque la vraie puissance est Volonté de justice, c'est *en pratiquant la justice* qu'on sera en relation vraie avec elle. Pas question de connaître Dieu si l'on ne se convertit pas. Se convertir, c'est cesser d'exploiter l'homme, c'est participer efficacement à son espérance de libération. La connaissance de Dieu est liée à l'action libératrice, à la dignité de l'homme.

Jésus révèle que la Puissance n'est qu'Amour

Les Prophètes annonçaient le Christ. Voici maintenant le Christ qui prolonge la critique commencée par les prophètes et qui l'achève. *Le Christ révèle que la véritable Puissance est une Présence, la Présence d'un Amour dont l'Énergie*, appelée Saint Esprit, est capable d'exaucer le vœu de l'espérance *en transformant l'humanité entière, en la libérant pleinement.*

Comme les Prophètes, le Christ désacralise. *Les pharisiens avaient sacralisé la Loi de Moïse. Dieu même, disaient-ils, est soumis à la Loi.* Jésus dit non : Dieu est plus grand que la Loi; la Loi n'est pas Dieu. Les pharisiens *avaient, entre autres choses, sacralisé le sabbat.* Jésus dit et répète : « Le sabbat est fait pour l'homme et non pas l'homme pour le sabbat » (Mc 2, 27).

Le Christ a désacralisé l'autorité. Rien de plus païen que cette idée selon laquelle l'autorité est une fin supérieure à la liberté. Non, dit Jésus, l'autorité est un service : « Que celui qui veut être le plus grand se fasse le plus petit, et celui qui gouverne comme celui qui sert » (Mt 20, 25-28).

Le Christ a désacralisé la richesse. Il l'a dénoncée comme une puissance de malheur : « Malheur à vous les riches! Car vous avez votre consolation » (Lc 6, 24), c'est-à-dire vous n'espérez plus rien, donc vous n'êtes pas des vivants.

Le Christ désacralise les puissances pour libérer le dynamisme de l'espérance. Il faut ici faire un peu d'histoire pour comprendre comment Jésus a vécu l'espérance de son peuple.

Jésus est un homme. Il est issu du peuple juif. Il connaît l'histoire de son peuple qui, comme toute histoire, est celle d'une espérance. N'allons pas croire qu'il s'en *désolidarise*. Reconnaissons que nous autres, chrétiens, nous avons tendance à dédoubler l'homme : d'une part, ses espoirs temporels, d'autre part, un Dieu qui les surplombe, un Dieu de l'au-delà, un Dieu qui habite un arrière-monde. Jésus, lui, est tout le contraire d'un Dieu qui surplombe. L'incarnation est tout le contraire d'un surplomb. Un Dieu qui, tout en s'incarnant dans le monde, « survolerait » le monde, ce serait le comble de la tricherie. Jésus ne triche pas. Regardez-le vivre parmi ses frères. Il sait que, *depuis la guerre des Maccabées, l'espoir de restaurer le royaume d'Israël est toujours vivant. En fait de libération, il voit que la Palestine est occupée* par les Romains. Il ne s'étonne pas d'entendre dire, autour de lui, qu'on espère être un jour libéré de cette occupation étrangère.

Mais il voit, en vivant avec ses compatriotes, que leur préoccupation est toute politique. Il constate que l'espérance juive de libération s'appuie sur diverses idéologies : il y a les *Zélotes (qui espèrent chasser les occupants romains par des opérations de guérilla) ;* il y a *les Esséniens* (qui constituent, autour du monastère de Qumrân, une communauté de purs); il y a *les Sadducéens* (qui sont un peu ce qu'étaient les collaborateurs pendant l'occupation allemande).

Jésus entreprend alors d'éduquer la conscience de ses contemporains. Peu à peu, il les conduit à dépasser leurs idéologies et à découvrir le contenu véritable de leur espérance de libération. Il ne dira pas aux apôtres : que cherchez-vous ? Il sait bien ce qu'ils cherchent dans leur conscience claire, non critiquée par la foi. Il leur dit : « *Qui cherchez-vous ?* » pour les amener à découvrir que, tout au fond d'eux-mêmes, ils cherchent Quelqu'un, et non pas seulement quelque chose. La véritable Puissance de libération de l'homme est Dieu, et non pas une quelconque idéologie. Mais, pour rencontrer le Dieu qui libère, il faut sortir de l'attitude magique et entrer dans la gratuité de l'amour.

Il est difficile d'éduquer les hommes. Éduquer les hommes, c'est les conduire à ce point de profondeur où ils reconnaissent le véritable contenu de leur espérance de libération. Après la multiplication des pains, Jésus apparaît d'abord comme quelqu'un qui ferait un excellent ministre du Ravitaillement. Il faut donc le couronner, lui donner le pouvoir politique. La foule lui propose d'être le représentant patenté de l'idéologie politique. Ainsi, pense-t-elle, son espérance sera exaucée. Jésus dit : non. Il refuse d'être la Puissance sacralisée qui dispenserait de la conversion profonde de la conscience. Les apôtres, tout aussi décontenancés que les autres, accepteront tout de même de se laisser critiquer par le Christ. Sauf Judas qui s'est cabré. Il a dit non à l'exigence de transformation de lui-même. Il est resté fixé sur la puissance de l'argent, sur l'idéologie du profit. Jésus lui avait dit pourtant que, de toutes les idéologies, elle est celle qui se retourne le plus facilement contre l'homme. On ne peut pas à la fois servir Dieu et Mammon.

Dieu est Amour, Présence et Liberté. Ces trois mots doivent être rigoureusement liés : présence de l'amour qui rend libre, qui suscite ou qui crée la vraie liberté. *L'homme ne s'éveille comme liberté que s'il se sait reconnu*, aimé. Si l'amour ne rend pas libre, ce n'est pas l'amour. Si l'amour n'est pas une présence, ce n'est pas l'amour non plus. Présence totale d'un Amour infini (c'est-à-dire sans limite) qui rend libre absolument. Dieu n'est pas le tout-puissant, il est la toute-puissance de l'amour. L'amour n'est puissant qu'à rendre libre. Tel est l'Évangile.

Dieu est la puissance de nos puissances, l'initiative de nos initiatives

Pouvons-nous maintenant mieux comprendre *le drame spirituel de notre temps*, la crise qui est celle du monde et celle de l'Église ? Le Père Ganne formule ce drame de la manière suivante : « *La formidable avancée des puissances humaines qui, pour beaucoup de nos contemporains, permet tous les espoirs, est-elle opposée à la puissance qui vient de Dieu et que saint Paul appelle « l'énergie (ou le dynamisme) du Christ ressuscité »* (Ph 3, 10) ? *La puissance de l'homme s'oppose-t-elle à la puissance de Dieu ? La puissance qui vient de Dieu détruit-elle les énergies qui montent de l'homme ?* »

Comment Dieu *pourrait-il nous demander de renoncer à nos puissances ?* Il nous crée créateurs, il nous confie la tâche de créer un monde vraiment humain. Que ce monde vraiment humain n'existe pas, cela, je pense, crève les yeux. L'homme n'est pas tout fait. L'homme est à faire. Dieu ne veut pas le faire, il veut que nous le fassions, et il nous donne de pouvoir le faire. Or il est bien évident que l'homme ne va pas construire le monde avec d'autres puissances ou énergies que les siennes. Un monde humain se construit avec des moyens humains qui sont techniques, politiques, moraux.

Mais ces moyens humains doivent être critiqués. Critiquer veut dire discerner. Il y a tout un travail de discernement qui s'impose, car ce n'est pas automatiquement que les puissances de l'homme se mettent au service de la justice et de la liberté. Quand nos puissances ne sont ni critiquées ni converties, elles se mettent bel et bien au service de l'injustice et de la servitude. *Il n'y a qu'à regarder ce qui se passe : course aux armements, quand des millions d'hommes meurent de faim ; abrutissement des hommes par les conditions inhumaines du travail... Nous sommes prisonniers d'un monde absurde malgré le déploiement d'immenses ressources.* Les ressources sont considérables, et l'absurdité est flagrante. Les puissances humaines sont, en fait, inhumaines. L'espérance est frustrée.

Quand je dis que je suis chrétien, je dis exactement ceci : c'est l'Évangile qui me donne les critères de discernement pour juger si l'usage que l'on fait des puissances de l'homme va, ou non, dans le sens d'un monde plus humain. C'est l'Évangile qui me dit qui est l'homme, ce que doit être un monde humain, dans quel sens la technique, la politique, l'exercice des responsabilités doivent s'orienter pour être vraiment au service de la libération et non pas de la servitude.

Si vous me dites : votre conscience ne vous suffit donc pas ?, je me garderai bien de vouloir avoir raison contre vous. Je m'abstiendrai surtout de vous dire que vous êtes un chrétien qui s'ignore, car je sais bien qu'un tel propos vous offenserait, et à bon droit. Je m'abstiendrai aussi de vous dire que le chrétien ajoute Dieu à son espérance d'homme. Il ne faut pas donner cette impression-là : Dieu n'est pas une quantité qu'on ajoute à une autre quantité, cela reviendrait à faire de Dieu une sorte d'« enjoliveur ». On peut bien se passer d'enjoliveur !

Je vous dirai plutôt : oui, la conscience suffit; l'espérance humaine se suffit à elle-même, le don de soi aux autres est un absolu, l'amour des autres est une raison suffisante de vivre et de mourir. Je suis d'accord. Et, disant cela, je suis fidèle à l'Évangile, puisque c'est l'Évangile qui me dit : « Ce que vous avez fait au plus petit des miens, c'est à moi que vous l'avez fait » (Mt 25, 40).

Mais je crois que cette exigence de ma conscience est un don de Dieu. Ce que Dieu donne, ce sont des tâches à accomplir. De telle sorte que l'obéissance à la conscience, c'est l'amour de Quelqu'un qui m'aime. Car Dieu n'est pas dans la lune, Dieu n'est pas derrière les étoiles, Dieu n'est pas ailleurs que dans ma conscience d'homme. Cette conscience est habitée par quelqu'un qui m'aime; et c'est parce que ce Quelqu'un m'aime qu'il me veut créateur, créateur d'un monde plus humain. C'est cela qui est le cœur de toute espérance : aimer et être aimé. *C'est cela la profondeur de l'homme.* Le Christ nous révèle la profondeur de notre espérance.

La question revient finalement à ceci : quelle est la source de l'espérance humaine ? Nous croyons que c'est Dieu créateur. En nous créant, Dieu crée notre espérance. Il met en nous un appétit de liberté totale. Or la liberté totale est une participation à la liberté même de Dieu, car Dieu seul est absolument libre. Il est absolument libre parce qu'Il est Amour. Notre espérance est donc celle de l'amour. Vivre et aimer, si Dieu est Amour, c'est exactement la même chose.

En nous créant, Dieu nous donne de pouvoir aimer comme il aime. Vivre de la vie de Dieu, ou aimer comme il aime, c'est exactement la même chose. C'est ce que nous appelons la Vie éternelle. Or la Vie éternelle n'est pas la vie future, elle est la Vie présente : « Dès maintenant, dit saint Jean, nous sommes enfants de Dieu » (1 Jn 3, 2).

Ce n'est évidemment pas n'importe quelle vie. Ce n'est pas une vie qu'on subit, ce n'est pas une vie où l'on se laisse vivre. C'est une vie où, comme dit saint Jean, on « fait la vérité » (3, 21). La vérité, au sens biblique du mot, n'est pas du tout-fait. Le vrai, c'est le réel. Or le réel est en genèse : Dieu ne l'a pas créé (au passé), Il le crée. Il ne le crée pas sans nous, sinon nous ne pourrions pas dire qu'Il est Amour en plénitude : Il nous donne de pouvoir le créer.

Cela revient à dire qu'au cœur des puissances techniques, politiques et de la puissance des responsabilités, nous croyons à la Puissance de l'Esprit Saint. Au cœur, pas à côté, pas à la place de l'homme. Dieu est au cœur de notre activité qui utilise les puissances que nous avons à notre disposition pour espérer de façon efficace. Dieu n'est donc pas une énergie à côté ou au-dessus de nos énergies, Il est la Puissance de nos puissances, l'Énergie de nos énergies, l'Initiative de nos initiatives.

Notre tâche est un don de Lui. « Faire la vérité », c'est donc accomplir notre tâche. Notre tâche, c'est toujours, d'une manière ou d'une autre, faire l'homme, travailler à ce que l'homme soit plus homme, à ce que le monde soit plus humain, à ce que les relations des hommes entre eux soient plus humaines, c'est-à-dire plus justes et plus fraternelles. « Faire la vérité », c'est donc transformer le monde. « Celui qui fait la vérité vient à la lumière » signifie donc que la connaissance de Dieu (la lumière) est liée à la genèse de l'homme.

Que vous soyez père ou mère de famille, militant syndicaliste ou politique, patron ou ingénieur, ouvrier ou paysan, éducateur ou psychologue, faites l'homme et vous connaîtrez Dieu. Je rappelle simplement qu'au sens biblique, « connaître », c'est « vivre-avec ». Vivre-avec Celui qui nous aime et qu'on aime, c'est cela la Vie, la vraie Vie, la Vie éternelle. Dans le présent. Un jour, cette Vie-avec Dieu, cette intimité avec Lui, nous sera manifestée en plénitude, et ce sera la Béatitude en pleine lumière.

Last but not least : c'est la dernière chose mais ce n'est pas la moindre : *la connaissance de Dieu et la transformation du monde* (les deux inséparablement) *passent par la Croix.* Le mot « transformation » suffit à nous dire pourquoi : la croissance n'est pas un grossissement mais une transformation. L'homme n'est pas un gros bébé, la femme n'est pas une grosse petite fille, le papillon n'est pas une grosse chenille, l'épi de blé n'est pas un gros grain, Dieu n'est pas un gros homme. Être transformé, c'est mourir et renaître.

La mort n'est donc pas une fatalité, elle est un moment nécessaire de toute croissance. Pas de moisson sans la mort du grain. Pas de conversion sans option. L'option est une mort. Mettre les puissances terrestres au service de la justice, c'est renoncer à les mettre au service du profit. Éduquer un enfant, c'est le vouloir pour lui, et donc renoncer à le vouloir pour soi. Vivre une espérance, c'est mourir à un certain nombre d'habitudes, consentir à l'avènement d'autres structures politiques et sociales. Pas de vie réelle sans sacrifice.

La mort du Christ est l'entrée de l'humanité dans une vie transformée. C'est la Croix qui opère la vraie désacralisation des puissances. Car ce n'est qu'en voyant Jésus cloué à la croix que nous savons, sans équivoque possible, ce qu'est la nature de la vraie Puissance. Devant l'impuissance du Christ cloué, on ne risque plus de croire que Dieu est une Puissance de domination et qu'on se le rendra favorable avec des pratiques religieuses sans la conversion de la conscience. Il faut relire les trois premiers chapitres de la première lettre de Paul aux Corinthiens dont le Père Ganne dit qu'elles constituent « *une théologie de la véritable puissance de Dieu* ». Jésus crucifié *est la Toute-Puissance de l'amour et du pardon.* La liturgie sait ce qu'elle dit quand elle nous fait chanter : Salut, ô croix, notre unique espérance !

*L'Évangile, un appel à la foi et à la liberté**

Vivre l'Évangile dans son intégralité

L'Évangile n'est pas seulement un message. Certes, il y a un message chrétien mais l'Évangile, avant d'être un message, est une personne, la personne même de Jésus Christ. Vous savez que le mot « évangile » signifie « Bonne Nouvelle ». Cette Bonne Nouvelle n'est pas d'abord ce que le Christ nous dit mais ce qu'Il est. C'est la Bonne Nouvelle de l'Incarnation : Dieu aime tellement l'homme qu'il devient l'homme. Aimer, c'est vouloir devenir celui qu'on aime, ne faire qu'un avec lui. La motivation la plus profonde de ma foi est qu'on ne peut pas dépasser l'Incarnation. Il n'est pas possible à un Dieu d'aimer davantage l'homme qu'en devenant lui-même un homme.

Actuellement beaucoup acceptent le message mais refusent ou

* *Manuscrits :* « Vivre l'Évangile » (5 pages non datées); « Réflexion sur la foi », n° 2 de la série rédigée en 1976-1977. — *Polycopies :* Belleville (16 janvier 1972 : « La tâche humaine »; 12 octobre 1975 : « La foi »; décembre 1977 : « La liberté »; janvier 1978 : « Vie politique et vie chrétienne sont-elles compatibles ? »; février 1978 : « La pauvreté »; 5 mars 1978 : « Croyants et incroyants ont une tâche commune : laquelle ? »). — Pau (10 avril 1974 : « L'engagement », dans la conférence « Lien entre l'Eucharistie et la vie »; 28 octobre 1975 : « Vivre l'Évangile »). — Lyon-Sainte-Hélène (4 novembre 1976 : « La foi »).

émettent un certain nombre de contestations touchant l'essentiel qui est la Divinité même de Jésus Christ au sens strict. Du coup, c'est le message qui est faussé et, à partir de là, on en vient très facilement à composer des morceaux choisis ou des anthologies de l'Évangile, à prendre certains textes en négligeant les autres. L'Évangile n'est vraiment l'Évangile que si on le prend tout entier. Le mot de Pascal : « L'Écriture est d'un seul tenant » est très profond.

Le Christ révèle qui est Dieu

La Bonne Nouvelle est d'abord la révélation du Père qui nous est donnée en Jésus Christ. L'Évangile est d'abord la réponse à la question que, de tout temps, les hommes se sont posée : qui est Dieu ? Jésus Christ nous dit d'abord qui est Dieu. Et c'est en fonction de cette révélation de l'identité de Dieu qu'un message est adressé aux hommes pour leur dire : exaucez le désir de Dieu, vivez en conformité avec ce que maintenant vous savez de Dieu.

Au chapitre 16 de saint Matthieu, il y a une scène de la plus haute importance, la confession de Pierre à Césarée de Philippe. Jésus demande : « Qui dites-vous que je suis ? » Pierre (c'est-à-dire les Douze, l'Église déjà!) répond : « Tu es le Christ, le Fils du Dieu vivant. » Évidemment, ce n'est pas une affirmation dogmatique de la Divinité du Christ. Pierre ne pouvait pas encore savoir que Jésus était vraiment Dieu, même incarné. Quoi qu'il en soit de la Vierge Marie sur laquelle nous n'avons pas de révélations particulières, il faut dire que personne, avant la Pentecôte, n'a pu affirmer la Divinité de Jésus Christ. Ce que Pierre affirme, c'est que Jésus est bien celui qui dit qui est Dieu, celui à qui l'on peut faire pleinement confiance. « Tu viens de la part de Dieu et tu ne nous trompes pas sur la véritable identité de Dieu. »

Or l'Esprit du Fils nous est donné. Les apôtres en prendront conscience à la Pentecôte et ils diront : non seulement nous adhérons à ta Parole, mais nous avons en nous ta Filiation même. Car l'Esprit qui est donné aux hommes à la Pentecôte est ton Esprit de Filiation. Nous avons « le pouvoir de devenir enfants de Dieu » (Jn 1, 12).

Chacun de nous est interpellé comme les apôtres sont interpellés. La réponse doit être absolument personnelle. Il ne se peut pas que notre réponse soit l'écho d'une autre parole ou soit influencée par des pressions sociales ou soit une soumission à une pression sociologique ou autoritaire. Il faut que la réponse soit vraiment ma parole exprimant la racine de mon être. Pour employer un mot de la philosophie contemporaine, il faut que ma réponse à la question : « Qui dis-tu que je suis ? » soit une victoire sur le « on ». Le philosophe allemand Heidegger et, à sa suite, Gabriel Marcel ont beaucoup parlé de ce qu'ils appellent le « on ». « On » dit que... Le journal qui exprime l'opinion du « on » dit que... Il faut que ma réponse, si je veux vivre vraiment l'Évangile, soit une victoire sur l'anonymat du « on ».

Une autre phrase clé de l'Évangile est la suivante : « Qui me voit voit le Père » (Jn 14, 9). Il ne faut jamais cesser de la perdre de vue quand on lit l'Évangile. Le Christ est d'abord l'image du Père. Il est le prisme de Dieu. De même que le prisme décompose en un certain nombre de couleurs la lumière blanche du soleil, de même le Christ traduit Dieu, exprime Dieu en gestes humains, en paroles humaines, en attitudes humaines. Pour savoir qui est Dieu, je dois regarder les gestes du Christ, méditer ses attitudes profondes et entendre ses paroles. Ce qui nous est révélé par la vie même du Christ, c'est que la puissance de Dieu est le refus de la puissance qui domine.

Nous pouvons lire l'Évangile d'un bout à l'autre et nous constatons que Jésus n'a jamais utilisé sa puissance. Je sais bien qu'il y a la question des miracles et le miracle est extrêmement antipathique à nos contemporains. Des chrétiens évolués, intelligents, croient non pas « à cause » des miracles mais « malgré » les miracles de l'Évangile (Malebranche le disait déjà au XVIIe siècle). C'est un fait pourtant qu'il y a du miracle dans l'Évangile, même s'il est très difficile de déterminer de façon historique ce qui s'est passé dans tel ou tel cas. Mais il faut bien comprendre que le miracle est en liaison avec le non-miracle. Ce qui est le plus important dans l'Évangile, c'est l'absence de miracle : la vie publique de Jésus commence par l'absence de miracle au désert (il refuse de changer des pierres en pains) et sa vie s'achève au Calvaire où le silence du Père est absolu, tellement total qu'on pourrait croire à une absence. Les miracles de l'Évangile ont pour fonction de nous acheminer au non-miracle, une certaine puissance conduit à l'absence totale de puissance[1].

Dans cette humilité, Dieu nous prie éternellement d'accueillir le Don qu'Il nous fait de Lui-même. Quand nous parlons de ce Don de Dieu, que voulons-nous dire ? Cassons les mots : Dieu ne peut pas donner autre chose que lui-même. Que voulez-vous qu'il donne ? Il est tout; celui qui est tout n'a rien, c'est évident. Et cet être de Dieu n'est que de l'Amour. Nous, nous faisons des cadeaux par lesquels nous

1. Cf. *L'humilité de Dieu*, p. 153-154.

exprimons plus ou moins le don de nous-mêmes, mais nous ne parvenons jamais à nous donner vraiment nous-mêmes. Dieu se donne lui-même et il nous prie d'accueillir ce don qu'il nous fait pour que nous puissions réaliser en plénitude notre humanité qui est une capacité de divino-humanité. On n'est un homme qu'en étant plus qu'un homme.

Aimer les hommes de l'amour même de Dieu

L'Évangile n'est pas autre chose que l'énoncé des conditions de l'accueil du don de Dieu. L'Évangile nous dit ce que nous devons être pour accueillir un Dieu qui se donne lui-même, c'est-à-dire qui nous transfigure en lui. Il s'agit de lui ressembler, Dieu ne veut pas autre chose. Il s'agit, comme dit Paul, de l'imiter : « Soyez les imitateurs de Dieu. »

Il s'agit de devenir libres d'aimer comme Dieu aime, d'être divins comme Dieu est Dieu, de devenir ce qu'Il est. C'est la phrase majeure du discours de Jésus après la Cène : « Aimez-vous les uns les autres comme je vous ai aimés » (Jn 13, 34).

Si nous réfléchissons quelque peu, nous nous apercevons que, finalement, quand nous dépassons les couches superficielles de notre activité ou de notre esprit, nous avons le choix entre trois options : il faut croire que l'être est matière, ou bien que l'être est esprit, ou bien que l'être est Amour ou Communion (cf. Roger Garaudy). Si nous croyons que l'être est matière, soyons matérialistes; si nous croyons que l'être est esprit, soyons rationalistes. Mais si nous croyons que le fond de l'être est Amour ou Communion, alors nous sommes chrétiens. Car Jésus Christ seul nous dit que Dieu est Amour ou Communion.

L'amour n'est pas le sentiment. Je ne dis pas le moindre mal du sentiment. Les hommes qui sont vraiment grands sont le plus souvent des êtres sensibles, la question n'est pas là. Mais l'amour, en son fond, n'est pas sentiment, vibration de l'épiderme. L'amour, saint Jean nous le dit, est volonté et acte. Volonté de se donner et acte de se donner soi-même. La précision est importante parce que nos contemporains redoutent plus que tout les « bla-bla-bla » sur l'amour. Ils en ont peur. Ils n'en veulent pas et je crois qu'ils ont rudement raison.

Une des tentations du temps présent est de prétendre aimer les hommes sans aimer Dieu. Il y a là une réaction normale contre une époque où l'on prétendait pouvoir aimer Dieu sans aimer les hommes, époque qui n'est pas tellement ancienne. Cela a engendré toute la logomachie du vertical et de l'horizontal, le vertical étant l'amour de Dieu et l'horizontal étant l'amour des hommes. Il est très vrai qu'on n'aime pas Dieu si l'on n'aime pas les hommes en vérité, en volonté et en acte. Le test de l'amour de Dieu est l'amour réel et non pas verbal ou sentimental que nous avons pour nos frères les hommes. Tout le monde connaît la phrase de saint Jean dans sa première épître : « Si quelqu'un dit qu'il aime Dieu et qu'il n'aime pas ses frères, c'est un menteur » (4, 20). Rien de plus vrai.

Seulement, nous risquons aujourd'hui d'oublier que si l'on n'aime pas Dieu, l'amour des hommes ne peut pas être pur. Le Père de Lubac a prononcé un jour une phrase terrible : « En dehors de l'amour de Dieu, l'amour des hommes risque fort de n'être qu'une extension de l'amour de soi. » Il importe d'être un peu psychologue et de s'apercevoir qu'il nous est presque impossible, si nous sommes livrés à nous-mêmes, d'aimer purement autrui. Dieu seul aime absolument et nous donne d'aimer comme Il aime. La mort de notre égoïsme n'est totale qu'avec le purgatoire, elle est donc une espérance.

Vivre l'Évangile, c'est vivre de foi : les cinq pas de la foi

Je vous poserai la question : quelle est votre espérance ? Qu'est-ec que finalement vous espérez ? Espérez-vous être heureux ? Ou espérez-vous aimer comme Dieu aime pendant l'éternité ? Car le bonheur de Dieu — donc notre bonheur éternel, l'objet de notre espérance — n'est pas purement et simplement d'être heureux. Heureux de quel bonheur ? Il y a des niveaux de bonheur.

Le bonheur de la petite sœur des pauvres qui passe toute sa vie à soigner les malades n'est pas le bonheur d'Onassis. J'ai lu la vie de ce dernier, c'est effarant. De quel bonheur parlez-vous ? Le christianisme répond : heureux du bonheur même de Dieu qui consiste à aimer et non à être comblé. La question que nous devons constamment nous poser si nous voulons vivre l'Évangile est la question du bonheur. Tout l'Évangile est dominé par la parole de Jésus : Bienheureux... C'est ce que nous appelons les Béatitudes. Vivre l'Évangile, c'est vivre de foi.

Je vous prie de remarquer que, dans l'Évangile, Jésus demande toujours la foi aux hommes et aux femmes qu'il rencontre. Il ne dit jamais : « Je t'ai sauvé », il dit toujours : « Ta foi t'a sauvé. » Or il s'agit souvent d'hommes et de femmes qui sont sans religion, ou dont la religion est païenne. Le centurion est un Romain qui ne sait pas un traître mot du catéchisme; la Cananéenne, qui vient de Syro-Phénicie, non plus. On n'est pas sauvé par un autre, cet autre fût-il Dieu. L'homme, c'est quelqu'un. C'est l'homme qui se sauve lui-même dans la foi et par la foi. Nous n'imaginons pas à quelle profondeur Dieu respecte l'homme. C'est là qu'il faut absolument que nous soyons d'une extrême rigueur. Autrement notre Dieu ne sera qu'une idole et Dieu ne veut pas être pour nous une idole.

Premier pas : tout homme est en situation de foi

Le simple fait de vivre, je dis bien de vivre, met tout homme en situation de foi. Je ne dis pas : foi religieuse, mais foi au sens le plus profane du mot. Le semeur, qu'il soit croyant ou incroyant, est en situation de foi, « il travaille pour l'invisible » (d'après He 11, 27). Il fait un acte de foi, car il n'est pas évident qu'il moissonnera. Il y aura peut-être une sécheresse, des inondations, une guerre, que sais-je ? Quand il sème, il n'a pas une évidence de la moisson comparable à deux et deux font quatre. Certainement pas. Il y a une foi.

L'éducateur est, plus encore, en situation de foi, qu'il s'agisse d'un papa, d'une maman, d'un instituteur ou d'une institutrice. Pour entreprendre l'éducation d'un enfant, il faut vraiment « y croire », l'expression est très éloquente. Que de difficultés ! Il n'y a pas de résultat immédiat. Que sera ce garçon ou cette fille dans dix ans, vingt ans ? Nous n'en savons absolument rien. Acte de foi.

Le « croire » est donc enraciné dans le « vivre ». Vivre, c'est croire. C'est important à noter, si l'on veut comprendre que la foi religieuse n'est pas du « parachuté », quelque chose qui nous tombe d'en haut : il y a déjà de la foi dans l'agir humain élémentaire. Ce n'est guère que dans la rêverie qu'il n'y a pas de foi, de situation de foi. Mais précisément la foi chrétienne sera tout le contraire d'une rêverie, en dépit d'un certain nombre de gens qui se disent chrétiens et qui nagent littéralement dans l'imaginaire, l'imagination d'un autre monde où Dieu nous attend. La rêverie pure et simple, je me permets d'appeler cela la pathologie de la foi. Si nous pouvions voir comment elle fonctionne en nous, je vous garantis que nous serions édifiés.

Deuxième pas : en toute action, petite ou grande, l'homme cherche le bonheur

Avançons d'un pas : quoi que l'homme fasse, directement ou indirectement, c'est toujours en vue du bonheur qu'il agit. Petit bonheur dans le détail de la vie concrète; ou bonheur profond dans l'amour, l'amitié ou la culture, peu importe! Même ceux qui se suicident cherchent le bonheur (bonheur négatif, suppression de la souffrance). Il serait très intéressant d'étudier la chanson qui, de nos jours, est un véritable genre littéraire et de voir comment une Édith Piaf, un Brassens, un Julien Clerc, un Léo Ferré et combien d'autres montrent que l'homme cherche toujours, et dans la moindre de ses actions, le bonheur.

Troisième pas : la recherche du bonheur est soumise aux valeurs

Je m'aperçois tout de suite que la situation naturelle de foi et la recherche du bonheur doivent nécessairement être dépassées. Pourquoi ? Parce que le gangster et l'exploiteur sont, eux aussi, en situation de foi et en recherche du bonheur. Celui qui médite un hold-up est en situation de foi : il ne sait pas si son opération réussira. Et il est bien en recherche du bonheur que procure l'argent.

En cherchant le bonheur, je puis viser à assouvir un égoïsme tenace, je puis vouloir faire mon bonheur au détriment du bonheur des autres, je puis les exploiter, les voler, les assassiner. Sans aller jusque-là, il est certain qu'il y a beaucoup de recherche de soi et de comportements égoïstes dans la recherche du bonheur. Une phrase est géniale dans la chanson d'Édith Piaf « La fête continue ». Elle danse dans les bras de son amant alors que, dans la maison voisine, un garçon est en train de mourir, un vieillard non secouru meurt de faim; et elle chante : « Nous étions trop heureux pour avoir du cœur. » Il faut donc que mon désir de bonheur soit critiqué et transformé. Comme dit Bernanos : « Dis-moi quelle idée tu te fais du bonheur et je te dirai qui tu es. »

Ici intervient ce qu'on appelle en philosophie les valeurs. J'appelle « valeur » ce qui « vaut » plus que nous, ou ce sans quoi nous ne « valons » pas; ce qui, donc, mérite qu'on sacrifie sa vie, ce qui est une raison de vivre supérieure à la vie. Plutôt mourir que de commettre une injustice grave! La justice est une « valeur ». Plutôt souffrir que mentir!

La vérité est une « valeur ». J'appelle « valeur » ce que la conscience commande, ce qui fait que l'homme est un homme. Avoir le sens des valeurs et avoir une conscience, c'est exactement la même chose. Ce qui définit l'homme, c'est qu'il est capable de choisir et de vivre les valeurs. L'animal n'entend pas, au fond de lui, une voix de conscience qui lui dise : telle situation est injuste, tu dois travailler à la transformer pour que la justice règne. L'animal est ce qu'il est, c'est tout. L'homme entend cette voix de la conscience qui lui rappelle continuellement le primat des valeurs. Si vous me dites qu'il ne l'entend pas, il faut dire qu'il est déshumanisé.

Quand on soumet sa vie aux valeurs qui sont les impératifs de la conscience, c'est-à-dire quand on refuse un bonheur qui serait purement égoïste, on connaît déjà Dieu d'une certaine manière. On ne le « reconnaît pas », mais on le connaît. Des milliers d'incroyants (comme nous disons si mal!), qui ne reconnaissent pas le Dieu de Jésus Christ, de l'Évangile et de l'Église, le connaissent déjà dans la mesure où ils soumettent leur recherche du bonheur au critère des valeurs. Dans la mesure où ils disent : le bonheur, oui! mais pas n'importe lequel! Pas un bonheur obtenu contre les autres, à leur détriment! Il est donc possible, sans croire en Dieu, sans croire que Jésus Christ est Dieu, de lire l'Évangile sous l'angle des valeurs. Il n'y est question que de vérité, de liberté, de justice et d'amour fraternel. En ce sens, l'Évangile est pour tout homme.

Dans l'éducation chrétienne des enfants, il est essentiel de commencer par là. Sinon, nous risquons de parler d'un Dieu qui n'aurait rien à voir avec les valeurs de justice, de liberté et de fraternité; un Dieu qui serait simplement le Tout-Puissant, c'est-à-dire celui qui est le plus fort et à qui il est prudent d'obéir. Voyez les conséquences. Ce serait s'écarter de la foi et tomber la tête la première dans la religion[2]. Cet enfant dira un jour : je crois ce qu'on m'a appris. « On ». Je crois que Dieu existe, je crois aussi que Jésus Christ est Dieu, je crois même à l'autorité de l'Église. Mais laissez-moi tranquille avec la justice, la fraternité et la vérité! Il faut bien mentir et jouer des coudes pour réussir dans la vie!...

Des gens vous diraient volontiers : la justice sociale, la véritable fraternité humaine, ça n'a rien à voir avec Dieu! Vous êtes prêtres, parlez-nous de Dieu mais ne nous parlez surtout pas de notre devoir professionnel! Tandis que ceux qui ont le cœur bien placé préféreront dire qu'ils croient à la justice et à la fraternité, mais qu'ils ne croient

2. Pour cette distinction, se reporter à la conférence sur la prière, p. 251 ss.

ni en Dieu ni en Jésus Christ. Je me rappelle avoir écrit, quelques mois après la libération de Lyon : « Il vaut mieux nier Dieu et être capable de souffrir et de mourir pour la Justice que de croire en un Dieu qui ne commanderait pas qu'on souffre et qu'on meure pour la Justice. »

Quatrième pas : passage des valeurs impersonnelles à Quelqu'un

Pour savoir ce qu'est la foi chrétienne, il y a deux pas à franchir : d'abord le passage des valeurs impersonnelles à Quelqu'un, à une Personne vivante qui fonde ces valeurs, qui les vit elle-même. Ici-bas, personne ne peut dire : je suis la Vérité, je suis la Justice, je suis la Liberté. Celui que nous appelons Dieu est celui qui peut dire : la Vérité, c'est moi; la Justice, c'est moi; la Liberté, c'est moi.

Vous me direz : ce passage est-il nécessaire ? Je réponds : non. Ce passage n'est pas nécessaire : il est libre. Mais il est raisonnable (l'Église, au Ier Concile du Vatican, dit que la foi est libre et raisonnable). J'ai donc des raisons de croire. Quelles sont vos raisons de croire ? Ma raison la plus profonde de croire qu'il n'y a pas simplement des valeurs impersonnelles, des impératifs de la conscience humaine, mais qu'il y a quelqu'un qui vit ces valeurs et qui, du même coup, les fonde, c'est que, parmi les valeurs, il y en a une qui dépasse toutes les autres et qui s'appelle l'amour. L'amour ne peut pas être impersonnel. L'amour est nécessairement une relation de personne à personne.

On conçoit très bien que le savant cherche la vérité sans en faire une personne. Le savant ne dira pas : la vérité, c'est quelqu'un. On conçoit aussi qu'on ne fasse pas de la justice une personne. Mais l'amour ! je ne peux pas sans contradiction concevoir qu'il puisse être impersonnel. Si je parle d'amour, je dois dire : j'aime et je suis aimé. Je suis aimé de quelqu'un. Aimer, c'est se donner à quelqu'un, pas à quelque chose. Karl Marx disait, en parlant de la société future : « Il suffira d'être un être aimant pour faire de soi un être aimé. » Le mot est admirable, mais je ne puis et ne pourrai jamais, en quelque société que ce soit, dire d'un être humain qu'il m'aime et m'aimera toujours, avec tout le don de soi jusqu'à la mort qu'implique le véritable amour. Or je le dis de Dieu. C'est là ma foi; c'est le noyau du Credo chrétien; c'est tout l'Évangile.

Cinquième pas : ce Quelqu'un n'est qu'Amour

Il reste un dernier pas : qui me dit que Dieu est Amour ? Jésus Christ et Jésus Christ seul. Il me le dit, non seulement avec des mots, mais par sa vie et sa mort. D'où le troisième caractère de la foi, selon Vatican I : elle est surnaturelle, c'est-à-dire qu'elle est un don de Dieu. En se donnant à l'homme en Jésus Christ, Dieu donne à l'homme de pouvoir accueillir le don qu'il fait et d'y adhérer.

Et les dogmes ? les sacrements ? la morale ? l'institution ecclésiale ? C'est l'ensemble de tout ce qui est nécessaire pour que nous ne nous abusions pas sur ce qu'est l'amour. Directement ou indirectement, médiatement ou immédiatement, il ne s'agit, il ne peut s'agir que des conditions de l'amour et des conséquences de l'amour.

La grande différence entre le croyant et l'incroyant, pour « jargonner » comme tout le monde, c'est que l'incroyant obéit à sa conscience et que le croyant, en obéissant à sa conscience, aime quelqu'un. Pourquoi suis-je chrétien ? Parce que, en obéissant à ma conscience qui me commande de respecter et de promouvoir les valeurs qui s'appellent Vérité, Beauté, Justice et Liberté, j'aime Quelqu'un qui m'aime.

En tout cela, prenons garde à la tentation d'immédiateté. Elle est une des tentations du monde moderne : tout ou rien, et tout, tout de suite. Vivre l'Évangile, c'est entrer dans la logique de l'amour tout au long d'un devenir. Il faut bien souligner ici l'importance du temps. Sans le temps, le temps de vivre, notre béatitude éternelle ne serait pas notre œuvre. Si Dieu n'est qu'Amour, il ne peut pas ne pas vouloir que notre béatitude éternelle soit toute une construction de nous-mêmes par nous-mêmes au long d'un devenir.

Vivre l'Évangile, c'est choisir le Christ comme éducateur de la liberté

Ainsi l'Évangile est normatif. C'est un des mots essentiels pour le comprendre. Une norme n'est pas une consigne, c'est-à-dire une règle rigide, un commandement qui entre dans le détail des choses. Il y a, par exemple, une mode féminine pour notre époque : elle est normative, elle n'impose pas pour toutes les femmes de France la même robe, chaque femme peut créer sa robe tout en étant fidèle à la norme de la mode. Pour prendre un exemple plus noble, Bach, d'un bout à l'autre de son œuvre, a été fidèle aux normes de la musique de son temps, tout en étant un magnifique créateur. La norme est créatrice. L'Évangile ne nous empêche pas d'être créateurs. Créateurs de notre vie sexuelle, de notre vie sentimentale, de notre prière, de notre vie économique, sociale et politique. Dieu ne crée que des créateurs. L'Évangile est donc une lumière pour notre vie nécessaire mais insuffisante.

La décision libre est au confluent de l'Évangile et d'une analyse

Avant d'agir, avant de prendre une de ces décisions qui construisent notre être, il faut interroger l'Évangile mais il faut aussi analyser la situation dans laquelle on se trouve. S'il s'agit d'une situation conjugale ou familiale, ce sera peut-être déjà très difficile; s'il s'agit d'une situation professionnelle, ce sera plus difficile; et s'il s'agit d'une situation sociale, nationale ou internationale, ce sera encore plus complexe. Je ne pense pas, par exemple, qu'on puisse juger la politique française sans s'occuper des pays sous-développés, que l'on appelle pudiquement en voie de développement.

Une décision créatrice se prend toujours pour un chrétien au confluent de deux lumières : une lumière qui descend de l'Évangile et qui dit : justice et amour; une lumière qui monte de la situation correctement analysée. Si je me contente de l'Évangile sans acquérir la compétence au niveau de l'analyse des situations, ma morale sera une morale d'enfant de chœur. Imaginez ce que deviendrait quelqu'un qui voudrait être uniquement fidèle à la phrase : « Si on te frappe sur la joue droite, tends la joue gauche » (Mt 4, 39) ou encore « Donne à qui te demande » (Mt 5, 42). On ne peut pas fonder une société sur de telles phrases. L'Évangile ne nous donne pas de solutions toutes faites, il ne nous dicte jamais la conduite à tenir dans la pratique, il n'est pas un programme. Si je me contente d'analyser la situation sans me référer à l'Évangile, ma morale est une morale païenne, ce qu'on appelle, en langage technique, une morale de situation. Il faut combiner ces deux lumières et c'est à leur confluent que je dois prendre ma décision avec tous les risques qu'elle implique. Cela veut dire qu'en pratique l'amour ou la charité que l'Évangile nous demande se veut efficace. Précisons, dans la ligne de la « Lettre de Paul VI au cardinal Roy » parue en 1971 :

1) La vie chrétienne est essentiellement une vie consacrée à la justice et à l'amour. Cela peut étonner, car on pourrait dire qu'elle

est une vie consacrée à Dieu. Les deux propositions ne s'opposent pas, puisque c'est le Christ lui-même qui nous donne la formule du commandement nouveau qui contient tous les autres commandements : « Aimez-vous les uns les autres comme je vous ai aimés », c'est-à-dire de l'amour même de Dieu. Dieu n'est donc pas exclu. Mais le Christ qui nous donne le commandement de la charité nous laisse le soin d'exercer notre intelligence pour savoir à quelles conditions la charité sera authentique. Tel est le point de départ.

2) La justice et l'amour visent évidemment des personnes. On ne peut pas être juste envers les choses ou aimer des choses; ce qui est visé, ce sont les hommes. Mais les hommes sont toujours engagés dans des situations et aux prises avec des événements. Donc, pour vivre de justice et d'amour, être fidèle au précepte du Seigneur, il ne faut jamais oublier que les personnes ne flottent pas dans un milieu aérien. L'homme abstrait n'existe pas : il est jeune ou vieux, homme ou femme, marié ou célibataire, citadin ou habitant de la campagne, ouvrier ou avocat, etc. Je ne connais personne qui ne soit pas engagé dans une situation réelle et concrète ni aux prises avec des événements (qui d'ailleurs modifient plus ou moins les situations : naissance, faillite, maladie, révolution, grève, etc.). Si notre justice et notre charité veulent être réelles et non pas abstraites, il faut bien que les personnes soient envisagées dans leur contexte réel, leur contexte de vie.

3) Ces situations et ces événements mettent ordinairement en cause des valeurs. Il n'y a pas de faits purs, ils impliquent toujours plus ou moins des valeurs, c'est-à-dire justice ou injustice, vérité ou mensonge, liberté ou esclavage, amour ou haine, etc. Lorsqu'en Angleterre, il y a quelques années, un accident a été provoqué par l'écroulement d'un crassier, les syndicats ont cherché les responsabilités et se sont demandé si l'on avait le droit de bâtir une école à quelques centaines de mètres d'un crassier sur un sol dont on savait qu'il était mouvant.

Rappelons-nous que Dieu n'est pas ailleurs que dans nos décisions et non pas dans Saturne ou les étoiles. Dieu n'est pas un Jupiter qui plane dans les nuages, il est à l'intérieur de notre liberté, car c'est la liberté qui est le fond de notre humanité. Vivre l'Évangile, c'est le rejoindre là où il est, c'est-à-dire dans la liberté créatrice et transformante des hommes, dans les décisions que nous prenons, petites ou grandes. Or nos décisions doivent faire triompher les valeurs qui sont impliquées dans les situations et les événements.

4) Dans le monde très complexe où nous vivons et où véritablement tout se tient, les vraies solutions qui vont faire triompher la justice et la fraternité sont finalement des décisions politiques (au sens large, c'est-à-dire tout ce qui concerne la vie des hommes en société). Comment voulez-vous qu'il en soit autrement ? Si nous ne remontons pas jusqu'au politique, il n'y aura pas d'efficacité. Notre bonne volonté ne débouchera pas. Allons-nous nous résigner à une générosité qui sera peut-être très touchante, nous conduira à des actes individuels de dévouement authentique mais où les véritables solutions ne seront pas apportées ? Là est le nœud. Il est impossible aux chrétiens de se désintéresser de la vie publique, collective, communautaire si, du moins, ils font profession de s'intéresser vraiment au sort de leurs frères engagés dans des situations de justice ou d'injustice et aux prises avec des événements.

Le Christ nous a raconté la parabole du Bon Samaritain (Lc 10). En ce temps-là, les choses étaient relativement faciles : il y avait un pauvre juif attaqué par des brigands et blessé sur la route. Le Samaritain a immédiatement trouvé ce qu'il fallait faire : donner à cet homme les soins les plus urgents, verser de l'huile et du vin sur ses plaies, de l'huile pour adoucir et du vin pour désinfecter; puis le conduire à l'hôtellerie la plus proche, demander à l'hôtelier de bien vouloir soigner ce pauvre homme; fournir enfin de l'argent et promettre que, le lendemain, on apporterait de l'argent supplémentaire si celui de la veille ne suffisait pas.

Si le Christ nous racontait aujourd'hui cette parabole, il ne nous demanderait pas de nous reporter en imagination dans un désert avec des brigands qui hantent les lieux solitaires comme dans les films de gangsters. Il parlerait le langage actuel : si vous voulez être mes disciples, vous ne pouvez pas vous résigner à laisser sur le pavé des gens qui souffrent, ont faim, sont torturés et massacrés. Vous devez aller jusqu'au bout, vous devez trouver les véritables causes de la misère humaine et de l'injustice. Qui est aujourd'hui le juif blessé sur la route ? Où est-il ? Où sont les brigands ? Que faut-il faire maintenant pour empêcher les brigands de brigander ? Telles sont les véritables questions, c'est du réalisme tout simple. Un chrétien ne peut se contenter de s'apitoyer sur les malheurs d'un pauvre homme blessé ou malade. Il doit travailler, directement ou indirectement, à trouver les solutions qui feront qu'il y aura moins de brigands, non pas dans les déserts mais dans les sociétés multinationales, les banques, les chancelleries, les grands intérêts financiers, etc. Il doit aussi se remettre lui-même profondément en question, consentir à mettre à la question ses préjugés et le souci de ses privilèges.

Le Christ ajouterait, sans doute : vous ne pouvez pas faire tout seul un tel travail, d'autant qu'il ne se fait pas en un tour de main. Moi, je me déclare radicalement incapable de parvenir seul à un discernement. Lorsque je prends au sérieux mon devoir de pousser les choses jusqu'au point où elles doivent être poussées pour apercevoir une solution véritablement efficace aux problèmes dont souffrent mes frères, j'avoue que je suis bien content de pouvoir travailler en groupe et je salue avec reconnaissance tous ceux qui peuvent m'aider à réfléchir. Ils ne m'imposeront rien, bien sûr! Ce n'est pas aux prêtres ni aux mouvements d'Église à m'imposer une option temporelle. Leur rôle est de m'aider à cheminer à travers tout ce temporel, c'est-à-dire les domaines familiaux, économiques et politiques, pour que ma vie ne soit pas en contradiction avec les exigences fondamentales de l'Évangile mais qu'elle travaille à réaliser la réconciliation des hommes signifiée par l'eucharistie à laquelle je participe. D'autant qu'il s'agit d'une réconciliation non pas seulement individuelle mais universelle : comment voulez-vous que l'économique et le politique n'interviennent pas ?

5) Je pense qu'il y a péché à refuser systématiquement de chercher l'efficacité en matière temporelle. J'ai le devoir, je ne dis pas de la trouver, tellement c'est complexe, mais de la chercher. Ne pas chercher, chacun à sa place et selon ses moyens, c'est se dérober. Que penseriez-vous de l'Évangile si le Samaritain s'était simplement penché du haut de son cheval sur le blessé, en lui disant : mon pauvre vieux, comme je te plains, vraiment je suis ému de pitié à te voir ainsi; alors, au revoir, mon ami et bonne chance! Que penseriez-vous de chrétiens qui iraient visiter un pauvre homme dans un taudis en lui disant : c'est tout de même triste qu'il existe encore des logements aussi misérables. Ah! dis-toi bien, mon ami, que l'Église t'aime! Si tu savais comme l'Église t'aime! Alors, au revoir! J'espère bien que de telles attitudes n'existent pas telles quelles, ce serait trop scandaleux!

Ce que j'évoque, ce sont certaines mentalités qui se cachent derrière un pseudo-souci de pureté évangélique et de refus de compromission temporelle. Une remarque a le don de m'inquiéter profondément : « Vous, au moins, vous nous parlez de Dieu et non de politique! » Je ne suis pas ici pour vous rassurer, vous parler de Dieu d'une manière qui risque de donner bonne conscience, vous proposer un Dieu qui serait un alibi. Comme dit Jean Guéhenno : « Le monde crève de faim et les belles âmes vont au ciel. » Je vous dis simplement que ce dieu-là n'est pas le vrai Dieu.

Tout le monde, le sachant ou ne le sachant pas, fait de la politique. La question n'est pas d'en faire ou de n'en pas faire, elle est d'en faire consciemment. Le silence ou l'abstention en matière politique (j'entends toujours ce mot en son sens le plus général et non pas en un sens étroit d'engagement dans un parti politique) sont une pesée politique positive. Beaucoup pensent ne pas faire de politique. Pourtant, en n'en faisant pas, ils en font parce que leur silence, leur abstention font partie du rapport des forces. Tout est rapport de forces dans un pays et dans le monde : il y a les forces morales, militaires, économiques, etc. Il ne faut pas dire du mal de la force : la santé, par exemple, est une force. Il faut dire du mal de la violence, c'est une tout autre affaire. Car la violence est une force détachée de la raison et qui, par conséquent, devient animale. Les solutions de violence, sauf exceptions prévues d'ailleurs par Paul VI dans *Populorum Progressio*, ne sont pas de bonnes solutions. Ce n'est pas parce qu'une société a un ordre juridique que les rapports de force sont supprimés pour autant, ils sont partout.

En particulier, il y a une force qui s'appelle la force d'inertie. L'on sait très bien en haut lieu, qu'il s'agisse de questions économiques ou internationales, où sont les forces d'inertie. Je ne voudrais blesser personne en évoquant certaines professions dont tout le monde sait à la suite des analyses qui ont été menées qu'elles représentent des forces d'inertie, c'est-à-dire que, quelles que soient les décisions prises en haut lieu, on ne bougera pas ou on bougera si peu qu'on peut négliger les réactions prévisibles de tel milieu professionnel ou social.

Les chrétiens avaient tendance autrefois à dire qu'il ne faut pas se mêler de politique parce qu'on se salit toujours les mains. Un slogan des milieux catholiques était : avant tout, garder les mains pures. S'il en était encore ainsi, ce serait l'Église elle-même qui apparaîtrait dans le pays comme une force d'inertie réelle et tout le monde le saurait. C'est ce que Mounier appelait « le faux apolitisme des mains pures » : ce n'est pas un apolitisme, c'est-à-dire une absence de politique, c'est une pesée politique réelle. La pire des impuretés consiste à ne pas vouloir se salir les mains, selon le mot fameux : celui qui ne fait rien ne commet jamais d'erreurs mais c'est toute sa vie qui est une erreur. La pire des choses consiste à exercer une pesée politique en prétendant qu'on ne fait pas de politique.

Car, à ce moment-là, on est victime de son hérédité : mon père qui... mon grand-père que... dans tel milieu... dans telle circonstance..., etc. L'éducation reçue pèse aussi sur chaque personne. Vous croyez que vous êtes libre mais vous n'êtes pas libre du tout, c'est la pression de votre milieu qui agit à travers vous. Votre hérédité, votre éducation, votre égoïsme, vos préjugés, vos préférences sentimentales ou passionnelles que vous n'avez jamais remises sérieusement en question, c'est tout cela finalement qui va déposer un bulletin dans l'urne électorale. Vous n'êtes pas libre, puisque vous n'avez pas travaillé à vous libérer. Je ne dirai jamais que le chrétien est libre de ses options politiques ou économiques, sans préciser auparavant qu'il doit travailler à se libérer, de telle sorte que ce soit un homme libre qui se sera remis en question pour avoir une action authentique sur le plan temporel.

D'autant qu'on ne devient soi-même un homme libre qu'en travaillant à libérer les autres. La conquête de notre liberté personnelle passe par l'action, le travail, l'accomplissement de la tâche humaine pour la liberté de tous. Sinon, méfions-nous, nous n'aurions pas affaire à la vraie liberté.

Jésus est l'homme libre de la liberté éternelle de Dieu

Si vous me demandez pourquoi je suis chrétien, je vous répondrai : j'ai choisi l'Évangile comme éducateur de ma liberté. Si le bouddhisme ou l'Islam éduquaient mieux ma liberté, j'aurais le devoir de me faire bouddhiste ou musulman. Nous connaissons tous l'adage : j'aime bien Platon mais j'aime encore mieux la vérité. Je transposerais volontiers : j'aime bien Jésus Christ mais je préfère encore le plus haut niveau d'existence et, si ce n'est pas Jésus Christ qui éduque ma liberté pour atteindre le plus haut niveau d'existence, je vais chercher ailleurs. Si celui qui vous parle est chrétien, c'est qu'il a la certitude qu'il est impossible que le Coran, les Upanishad ou d'autres livres sacrés puissent conduire l'homme aussi haut que l'Évangile. Telle est ma certitude, telle est ma foi.

La liberté ne consiste pas à faire ce qu'on veut mais à vouloir ce qu'on fait, c'est-à-dire à assumer la responsabilité de ses actes. Un homme n'est authentiquement un homme que lorsqu'il assume la responsabilité de sa vie. La véritable liberté consiste à être capable d'affronter la mort, pas nécessairement la mort finale, définitive, mais cette mort quotidienne qu'impliquent la justice, la vérité, la liberté. On ne peut pas à la fois se donner et se garder pour soi. Quand on se donne vraiment, quand on s'engage à fond pour les autres, il est évident que cela fait mal, demande de véritables sacrifices. Il faut savoir mourir à soi-même, car on est surtout esclave de soi-même, de ce

« vouloir-vivre » qui nous tient aux entrailles. Le type de l'homme libre est le Christ qui a préféré mourir plutôt que de se renier. Il est le témoin de la liberté éternelle de Dieu.

Comprenons bien que la liberté n'est pas le pouvoir de choisir ou d'opter entre le bien et le mal. Cela, c'est le libre arbitre, il n'existe pas en Dieu qui ne peut opter pour l'injustice ou la haine. Mais nous, créatures, nous construisons notre liberté à travers des choix. Jésus aussi a eu à choisir, il a été tenté.

La grande scène de la tentation au désert est absolument capitale, elle est un montage littéraire de ce qui a été sans doute permanent dans la vie de Jésus, à savoir qu'il a eu la tentation constante d'utiliser la puissance de Dieu pour dominer. Si Jésus avait écouté Satan, il aurait eu une existence honorable, glorieuse. Satan est d'ailleurs le porte-parole d'Israël et notre porte-parole à tous, dans la mesure où nous voudrions bien que Dieu soit un Dieu qui nous domine et nous commande, tellement, dans le fond, nous avons peur d'être des hommes libres.

Ce n'est pas une petite affaire, en effet, que d'être un homme libre et une femme libre. Aussi disons-nous au Christ : change donc des pierres en pain ! Notre foi ne sera plus tellement libre, nous serons bien obligés de croire ! Comment ne pas croire en quelqu'un qui transforme des pierres en pain ? Oblige-nous, voyons. Jésus dit : non; je ne veux pas révéler un faux dieu, une idole. Soyons persuadés que Dieu n'est pas glorifié si nous lui faisons l'hommage de je ne sais quelle démission de notre métier d'homme qui est un métier difficile. Quel drôle de Dieu ce serait, tout de même ! Un Dieu qui serait heureux que nous démissionnions purement et simplement entre ses mains ! Péguy lui fait dire : des prosternements d'esclaves, ça ne me dit rien.

Quelques points de méditation sur la liberté du Christ

1) Jésus, au Temple, à l'âge de douze ans, laisse ses parents le chercher pendant trois jours (Lc 2). Lorsque ses parents le retrouvent, il leur dit, calmement : « Ne saviez-vous donc pas que je dois m'occuper des affaires de mon Père ? » Liberté par rapport à la famille, le familial étant ici le signe du familier. Il faut être libre par rapport à tout ce qui nous est familier : horizons familiers, opinions familières, costume religieux familier, langue liturgique familière, politique familière (dans ma famille, mais cela va de soi !, on a toujours lu, disons, *Le Figaro*; dans d'autres milieux, ce serait *L'Humanité* !). L'Évangile à

l'état pur n'existe pas encore, il faut y tendre. Un de mes confrères, qui ne manque pas d'humour, dit que, dans la Compagnie de Jésus, il y a 80 % de vertus « bourgeoises » et 20 % de vertus évangéliques...

La liberté consiste à consentir au dépaysement, ce qui est très dur car c'est la véritable pauvreté. C'est le point où liberté et pauvreté signifient exactement la même chose. Il s'agit d'une attitude fondamentale qui ne se confond pas avec le déracinement. Avoir ses racines quelque part, cela fait partie de la vie, du goût de vivre. L'idéal est à la fois l'enracinement (social, géographique même) et le dépaysement.

Quand on est totalement dépaysé, c'est épouvantable. Des milliers de gens sont dépaysés par l'Église d'aujourd'hui et ne consentent pas au dépaysement car ils sont propriétaires. Et oui! une religieuse est propriétaire de son costume, d'autres sont propriétaires du latin liturgique, d'autres encore d'une certaine façon de formuler les dogmes. On est propriétaire et on y tient. On prétend qu'on possède la vérité, on oublie que c'est la vérité, au contraire, qui nous possède. On refuse alors le dépaysement et l'on est, sans s'en apercevoir, à l'extrême opposé de l'Évangile.

2) Avant le lever du soleil, Jésus s'échappe de la maison où il avait passé la nuit (Mc 1, 35-39). Les apôtres, quand ils se réveillent, se mettent à sa recherche. Ils le trouvent et lui disent : reviens donc à Capharnaüm; là, tu es bien, tout le monde te connaît, tu sais, on t'écoute, tu as des auditoires tout faits! Il faut regarder le visage de Jésus qui est le visage d'un homme libre : il n'y a pas que Capharnaüm au monde; il faut que j'aille dans la Galilée tout entière; je ne me laisserai pas accaparer par une classe sociale, une race, un clan, un clocher, une nation. Je suis libre, disponible pour faire la volonté de mon Père. C'est ça la liberté!

3) Un jour de sabbat, les apôtres ont faim (Mc 2, 23-28). Ils cueillent quelques épis de blé, ils en froissent les grains et les mangent. Mais les Pharisiens qui les épient s'approchent et disent à Jésus : comment se fait-il que tu laisses faire à tes apôtres ce qu'il n'est pas permis de faire le jour du sabbat ? Jésus les regarde « d'un regard circulaire et profond » et leur dit : ils ont faim et vous voudriez que je les empêche de manger ? Il y a, c'est vrai, une loi positive, mais la charité passe avant. Liberté du Christ par rapport au « qu'en dira-t-on ? ».

4) Peu après, un homme, dont la main est desséchée depuis longtemps, demande à Jésus de le guérir (Mc 3, 1-6). Les Pharisiens sur-

veillent : on va voir ! Va-t-il avoir l'audace de guérir cet homme un jour de sabbat ? L'Évangile note que Jésus les regarde avec colère, puis dit à l'homme : « Étends la main » et il le guérit. Immédiatement, les Pharisiens sortent et complotent sur le meilleur moyen de faire mourir Jésus. Cela, dès le début de l'Évangile de Marc. Liberté de Jésus par rapport au « que me fera-t-on ? ». On me fera ce qu'on voudra, je suis un homme libre.

5) Il faudrait évoquer la scène de la multiplication des pains, où Jésus est libre par rapport à la gloire humaine (Mc 6, 30-46). Il pourrait se laisser couronner roi, ce serait très facile. Au lieu de cela, il commande aux apôtres de prendre la barque et de passer de l'autre côté du lac, puis il disparaît et va prier sur la montagne. Liberté par rapport à la gloire humaine, par rapport à toutes les pressions qui le feraient dévier.

6) Nous le revoyons durant son procès où il se tait. Il y a une phrase plusieurs fois répétée : Jésus, lui, se taisait (Mc 14, 61 ; 15, 5). Suprême dignité de ce silence. C'est la liberté de Jésus par rapport aux gens en place, aux notables, aux puissants. Il est libre. L'Église a-t-elle toujours été libre ? Il faut bien qu'elle fasse son examen de conscience. Il faudrait relire l'Épître de saint Jacques : nous trouverions là des choses absolument terribles sur ce que doit être la véritable liberté chrétienne.

7) Enfin, il y a l'image du Christ en croix, le visage couvert de crachats, de sueur et de sang, le visage d'un homme libre qui a préféré mourir plutôt que de renier sa raison de vivre. Sa raison de vivre était de révéler le vrai Dieu. S'il avait révélé une toute-puissance de domination, personne ne l'aurait mené au calvaire. Sa vie aurait été puissante et honorée. Il aurait pu vivre tranquillement pendant de longues années et les foules n'auraient cessé de l'applaudir. Il a révélé le Dieu qui n'est qu'Amour et qui ne peut pas contredire tous les faux bonheurs que l'homme cherche.

Car il ne faut pas nous faire d'illusions, le christianisme contredit l'homme. Il l'achève et l'épanouit, mais en le contredisant. Si, à Cana, l'eau est changée en vin (symbole de fête), à la Cène, le vin sera changé en sang. Il y a toujours les deux pôles : le pôle de l'humanisme et de l'amour de vivre, et le pôle de la nécessité de mourir pour rencontrer Dieu. L'Évangile est la transformation de l'appétit de bonheur. Si votre christianisme ne heurte pas ceux qui vous entourent, il y a de fortes raisons pour qu'il ne soit pas authentique et profond ;

comme dit P. H. Simon, il est « décaféiné ». Nous n'empêchons pas, dans le monde moderne, les hommes de tourner en rond dans les activités économiques, sociales et politiques. Nous nous plaignons, nous nous disons que le monde va mal et que nous ne savons pas où il va. A qui la faute ? Si, au moins, les chrétiens étaient chrétiens ! Seulement, l'enjeu est la croix. Quand le chrétien fait ce qu'il a à faire, quand il est libre de la liberté du Christ, il n'évite pas la croix.

En bref, l'Évangile est la révélation de la « liberté libérante » de Dieu. C'est la définition même de l'amour. Aimer les hommes, c'est vouloir qu'ils soient (au sens fort). Vouloir que l'autre soit, c'est la justice, donc le respect qui est au cœur de la justice. Mais l'autre n'existe que s'il est libre, car c'est par la liberté que l'homme est homme. En dehors de la liberté, il n'y a pas d'humanité véritable. Finalement on n'est libre que d'aimer, car, partout ailleurs que dans l'amour, il y a puissance de domination qui opprime et empêche l'homme d'être pleinement homme. « Dieu est Amour » (1 Jn 4, 8) et « nous sommes appelés à la liberté » (Ga 5, 13) : quand on a compris l'identité ou la liaison intime, étroite de l'amour et de la liberté, on a compris vraiment l'essentiel de la foi.

Prier[*]

Aborder un tel sujet, aujourd'hui, peut apparaître comme une concession à la mode. Il ne faudrait tout de même pas que la prière soit une affaire de mode. Mais vous connaissez la loi de balancier de l'histoire que Bergson a formulée loi de double frénésie : quand on est allé frénétiquement dans un sens, on va ensuite frénétiquement dans un sens opposé.

Nous avons connu la génération de l'engagement, ce mot qu'Emmanuel Mounier avait mis à la mode après la génération dominée par la personnalité d'André Gide et que l'on pourrait appeler la génération du dilettantisme. L'en gagement ou, si vous préférez, le dévouement au service de la société, se révèle décevant, peu efficace apparemment; il exige des analyses difficiles au plan social et politique; toutes les médiations qui sont nécessaires pour que l'engagement au service du monde soit efficace demandent beaucoup d'effort.

Il semble bien que l'exigence d'engagement soit actuellement en recul et qu'il y ait un retour à la prière. Pour employer un certain jargon, on oscille entre l'horizontal et le vertical : après une génération qui a tout de même un peu trop oublié le vertical, la relation à Dieu,

* *Manuscrit :* notes éparses avec résumé d'un article de Ph. Béguerie, « Évangéliser la prière ». — *Polycopies :* Le Péage-de-Roussillon (14 novembre 1968); Boulogne (21 octobre 1969); Annecy (25 mai 1970); Belleville (12 octobre 1975); Pau (27 octobre 1975); Carcassonne (16 mars 1978).

on y revient. Il ne s'agit certes pas de s'en plaindre mais il est regrettable que tout cela se fasse sous le signe de l'oscillation. Il faudrait que l'on assume à la fois l'horizontal et le vertical, il faudrait que « l'extension dans le temporel soit accompagnée d'une concentration dans le spirituel ».

Car la prière sans l'engagement ne vaut pas mieux que l'engagement sans la prière. Il ne faudrait pas que cette génération qui retrouve l'importance de la prière, et nous devons nous en féliciter, oublie pour autant les nécessités de l'engagement, de l'action, de la tâche humaine.

Comment prier ?

La crise présente de l'Église va-t-elle connaître un renouveau mystique ? Il faut le souhaiter, d'autant plus que toutes les crises qui se sont fait jour dans l'histoire de l'Église ont connu un renouveau proprement mystique. Ce fut le cas à la Renaissance, il y a eu cette admirable floraison mystique du XVIIe siècle français. Il se peut que nous soyons à la veille de l'un de ces renouveaux. Tout le problème est qu'il soit véritablement authentique et nous allons dire dans un instant à quelles conditions il le sera.

Je précise tout de suite que la prière est un élément essentiel de la vie spirituelle mais elle n'est pas toute la vie spirituelle. Spirituel signifie : avec le Saint Esprit. La vie spirituelle est la vie tout court mais vécue avec le Saint Esprit. Certaines personnes disent : j'ai tellement de soucis et de travail que je n'ai pas le temps d'avoir une vie spirituelle ! Dites plutôt que vous avez tellement à faire que vous ne trouvez pas de temps pour la prière mais ne dites pas que votre activité humaine est étrangère à votre vie spirituelle.

Saint Jean de la Croix nous dit en effet que nous serons jugés sur l'amour. Or l'amour, nous le vivons dans l'accomplissement de notre tâche, qu'elle soit familiale, qu'elle soit éducative ou qu'il s'agisse de ces multiples engagements qui sont d'ordre syndical, social, économique ou politique, bref toute la vie.

Les trois formes de prière

L'Évangile est absolument formel pour ce qui est de la prière. J'épingle simplement deux phrases parmi les multiples paroles du Christ concernant la prière :

> « Il faut toujours prier et ne jamais s'interrompre de prier » (Lc 18, 1).
>
> « Quand vous priez, fermez la porte de votre chambre et retirez-vous dans le secret » (Mt 6, 6).

C'est le même Esprit Saint qui conduit au désert et qui rassemble les hommes en communauté fraternelle. D'un bout à l'autre de la Bible, nous entendons sonner, si j'ose dire (comme on entend sonner un thème musical à l'orchestre) le thème du désert. Il signifie solitude, silence, concentration, recueillement et aussi nudité intérieure, sécheresse, calcination, faim et soif de Dieu. Et pour ce qui est de la communauté fraternelle, la Pentecôte suffit pour nous dire que le Saint Esprit rassemble les hommes à l'inverse de Babel. La tour de Babel est la dispersion des peuples dans la confusion des langues; la Pentecôte est le rassemblement des peuples dans l'intelligence des langues.

Les grandes Règles religieuses (saint Augustin, saint Benoît par exemple) ont traditionnellement distingué trois formes de prière :

— *Avant tout, l'eucharistie* qui est la prière totale, la prière parfaite, puisque c'est l'extension jusqu'à nous de la prière même du Christ. Et, autour de l'eucharistie, l'Office divin comme une couronne de perles fines autour d'un diamant central. Moines, moniales, religieux et religieuses, prêtres prient de cette prière proprement liturgique qu'est l'Office divin.

— *La prière privée ou secrète*, ce qu'on appelle l'oraison, le tête-à-tête ou le cœur-à-cœur avec Dieu. C'est la prière par laquelle nous obéissons à la phrase de l'Évangile qui nous recommande de « fermer la porte de notre chambre et de nous retirer dans le secret ». Il est bien entendu que la chambre est un symbole. La véritable chambre est la chambre intérieure (comme dit d'ailleurs très bien Claudel dans *La cantate à trois voix*). Il s'agit de la prière en conscience dans le secret du « cœur » (ce mot qui est si fréquent dans la Bible ne signifie pas du tout le sentiment mais la conscience).

— *La prière habituelle*, la prière de tous les instants, prière qui est mêlée au travail, à l'action et que l'on fait sans même savoir que l'on prie. Cette forme de prière fait droit à la parole de Jésus : « Il faut toujours prier et ne jamais s'interrompre. » Il va de soi que, s'il s'agissait de la prière proprement dite où l'on interrompt son travail pour se mettre à genoux, on ne pourrait pas prendre au sérieux l'injonction de l'Évangile. Le Seigneur veut nous dire que Dieu ne doit jamais cesser d'être à l'horizon de notre vie, de façon peut-être inconsciente, peut-être semi-consciente. Cette prière est un peu comparable au jeu de l'enfant qui sait que sa mère est là, toute proche et qui pourtant ne la regarde pas; il sait qu'elle est là de telle manière que si elle vient à s'éloigner, il s'en apercevra immédiatement.

Difficultés de la prière en secret

Un certain esprit de facilité nous fait trop souvent court-circuiter la seconde forme, la prière pour laquelle on interrompt son travail, son activité habituelle, la prière secrète un peu longue qui se prolonge pendant quelques minutes. Je dis un peu longue car je m'adresse à une majorité de laïcs, il n'est pas question de promouvoir pour des laïcs la longueur de prière qui est le propre des religieux.

On est fidèle à l'eucharistie et on croit être fidèle à la « prière continuelle » mais on pense pouvoir se passer d'un temps d'oraison. Le danger, c'est que l'eucharistie ne soit pas vraiment intériorisée, que la liturgie qui se célèbre devant nous ne devienne pas une liturgie en nous. Du même coup, la communauté priante risquera d'être communauté de surface, par conséquent une communauté précaire. C'est le risque que courent actuellement de multiples petites communautés soit de religieuses soit de laïcs sans une véritable prière en profondeur.

Quant à la prière habituelle, s'il n'y a pas ce qu'on appelle communément des temps forts de prière, elle risque fort de se dégrader sans qu'on s'en aperçoive. Le regard vers Dieu dans le courant de la vie devient de moins en moins fréquent et les décisions que nous avons à prendre (qui sont l'essentiel de notre vie, puisque c'est l'exercice même de notre liberté et que nous construisons notre être éternel par nos décisions petites ou grandes) ne sont plus prises avec Dieu et en vue de Dieu mais bien en fonction de soi et en vue de soi.

Nous savons par expérience à quel point il est difficile de dire en toute vérité : que ton règne vienne. Même dans nos activités généreuses et apostoliques, tout en disant de bouche : que ton règne vienne, nous pensons tout bas : que je fasse arriver ton règne, que ma congrégation fasse arriver ton règne, que le mouvement d'Action catholique ou de spiritualité auquel j'appartiens fasse arriver ton règne. Ce qui est tout proche de : que mon règne vienne! Et si l'on voulait être cruel jusqu'au bout, il faudrait dire que, tout au fond de nous-mêmes, nous disons à Dieu, sans le savoir : que mon règne vienne par le moyen du tien. Ce qui est la dégradation suprême, le mensonge et l'hypocrisie mêmes!

Pourquoi délaisse-t-on si souvent le tête-à-tête, le cœur-à-cœur avec Dieu un peu long ? Je crois que c'est tout simplement parce que cela nous ennuie, cela nous « embête ». En termes plus nobles, disons qu'on aime assez se dépenser au service des autres et on goûte la joie de se dépenser. Surtout si l'on est jeune, on aime la vie ardente et le simple arrêt, même très bref, pour se recueillir un peu longuement, devient une sorte d'impossibilité psychologique. La vie est mouvement, initiative, prise de responsabilités; la prière est repos, immobilité, attente, soumission. Pour quelqu'un qui aime la vie intense et qui vit intensément, la prière est une sorte de mort et l'on répugne toujours à mourir.

Parmi les raisons qui en retiennent plus d'un de consacrer quelques minutes par jour à la prière, il y a aussi la méfiance à l'égard de l'imagination et de la sensibilité : dévotion et ferveur, qu'est-ce que tout cela veut dire ? Est-ce qu'un homme peut aimer Dieu comme on aime une femme, n'est-ce pas d'un tout autre ordre ? La vibration sensible que l'on éprouve dans un amour humain est-elle valable quand il s'agit de Dieu ? Et si cette vibration de l'épiderme fait défaut, s'agit-il encore de prière ?

Méfiance également à l'égard de l'introspection : à l'époque de la psychanalyse, nous sommes en garde contre les formes parasitaires de la rumination intérieure. Hommes et femmes, jeunes hommes et jeunes femmes, un peu frottés de psychologie des profondeurs, ont des objections de principe. Ils redoutent le narcissisme et il est très vrai qu'on risque toujours de projeter devant soi un double de soi que l'on appelle Dieu. On croit qu'on est devant Dieu, en réalité on est devant soi-même et dès lors il est facile de faire à la fois les demandes et les réponses. L'on appelle volonté de Dieu ce qui n'est au fond que sa volonté à soi.

Comme le disait Bonhoeffer, ce grand théologien protestant que les nazis ont pendu en 1945 et dont l'influence en Allemagne et en France a été considérable : « On se livre à un bavardage intime avec soi-même. »

La prière de demande pose aussi des problèmes à l'homme moderne. L'appel de la créature vers Dieu n'est-il pas en fin de compte un pieux stratagème pour réconforter psychologiquement l'homme ? Il faudrait aborder ici, mais ce serait un trop long développement, le risque perpétuel de confusion entre le psychologique et le spirituel, entre la vie intérieure qui est la vie avec soi-même (un amoureux a une vie intérieure, un philosophe a une vie intérieure) et la vie spirituelle qui est la vie avec le Saint Esprit. Le Père de Montcheuil écrivait : « L'homme n'est-il pas exaucé simplement par le fait qu'il est exhaussé ? » L'exhaussement de l'homme qui prie n'est-il pas le véritable exaucement de sa prière ?

Le risque d'une prière païenne

La prière n'est pas un phénomène, une attitude spécifiquement chrétienne. Les « païens », c'est-à-dire les non-chrétiens, ont beaucoup prié. Et de même qu'il fallait évangéliser l'engagement, de même il faut évangéliser la prière, car la prière n'est pas automatiquement évangélique.

On distingue la foi et la religion. Sans doute a-t-on beaucoup abusé de cette distinction d'origine protestante mais ce n'est pas une raison pour la déclarer fausse. Religion et foi sont liées mais elles sont tout de même distinctes. La religion est une démarche d'origine humaine, la foi est l'adhésion à une initiative de Dieu. La religion est un fait culturel, on peut penser qu'elle a toujours existé. Il y a plusieurs millions d'années que l'espèce humaine a commencé d'apparaître sur la terre alors que nous ne sommes séparés d'Abraham que par moins de quatre mille ans.

La question se pose de savoir si, pendant ces milliers et milliers d'années, l'homme était un animal religieux, pour reprendre l'expression d'Aristote. Marx l'a nié et a pensé que la religion n'est apparue sur terre qu'avec l'exploitation de l'homme par l'homme et il en tirait cette conclusion que, lorsque l'exploitation de l'homme par l'homme aurait disparu dans la société sans classes, dans l'avènement des lendemains qui chantent, la religion n'aurait plus aucune espèce de raison d'être. Je crois que la plupart des marxistes ne sont pas fidèles sur ce point à Karl Marx et que les intellectuels marxistes ont actuellement abandonné cette thèse et pensent, comme nous, que la religion a toujours existé dans l'humanité.

La religion est un fait culturel, un fait humain. Je dis bien : la religion, le sentiment religieux, en tant qu'il est autre chose que la foi et en tant qu'on peut l'envisager en lui-même indépendamment de la foi. C'est un fait qui répond à certains besoins de l'homme, essentiellement à deux types de besoins[1].

Le besoin de sécurité et de stabilité

L'homme jeté dans le monde s'aperçoit très vite que son existence est précaire, fragile, menacée. Qu'est-ce qui est menaçant ? C'est évidemment l'avenir. On ne sait pas ce qui peut arriver : la famine, la foudre, la maladie, les accidents, la mort. De nos jours encore, nous qui nous prétendons cultivés et évolués, nous avons des séquelles de cette mentalité primitive et nous parlons du « bon vieux temps » ou nous disons : on ne sait pas ce que l'avenir nous réserve. L'avenir est menaçant, le passé est rassurant. L'homme primitif imagine alors qu'au début, il y a eu un âge d'or. Le mythe de l'âge d'or est absolument universel. L'idéal est donc derrière nous, le mal est dans le changement, tout aurait dû rester immuable. La religion est ce qui rattache à l'immuable, c'est-à-dire à ce passé des origines où tout était soi-disant pur.

Nous touchons du doigt ici un point extrêmement important qui est l'interférence inévitable du politique avec le religieux. En effet, le pouvoir établi, quel qu'il soit (monarchique, démocratique, dictatorial, peu importe), qui veut évidemment se maintenir et qui redoute le changement, n'a pas barre sur les consciences. Il édicte une loi mais ce n'est pas lui, pouvoir politique, qui peut faire aux hommes une obligation de conscience de respecter la loi. Il n'a pas barre sur ce qu'on appelle le for interne. Il a donc toujours tendance à faire appel aux prêtres, qui seront normalement ses auxiliaires dans la défense de la stabilité du moment et feront un devoir de conscience d'obéir aux lois édictées par l'État. De telle sorte que les prêtres seront les auxiliaires naturels d'une politique conservatrice (cf. l'Égypte des Pharaons, les civilisations de Grèce et de Rome, etc.).

D'où la tentation qui est permanente pour tous les clergés du monde de régresser vers un sacerdoce païen. La religion exige du prêtre, exige au nom de Dieu ce que le pouvoir établi ne peut exiger qu'au nom de la loi. Le prêtre brandira la menace des sanctions éternelles là où le pouvoir établi ne peut brandir que la menace de la prison ou du procès-verbal. Dieu merci, le clergé sait qu'il doit

1. Cf. P. Ganne, *Appelés à la liberté*, Cerf, 1974, p. 46, « Dossiers libres ».

résister à la tentation. S'il ne le sait pas, c'est qu'il est mal éduqué, c'est qu'il est infantile et cela, hélas! arrive aussi.

Une telle attitude aboutit à l'imagination fallacieuse, aussi dangereuse que possible, d'un dieu qui est dans le passé, un dieu qui est, en quelque sorte, le contemporain de l'âge d'or. On fait appel à lui pour que le *statu quo* soit maintenu et que l'avenir ne soit pas menaçant, l'avenir lié à des changements que l'on redoute.

Le besoin d'exorciser la peur du divin

Pour éviter les malentendus, je précise à nouveau que je ne parle pas ici de la foi chrétienne mais de la religion en tant qu'elle est un phénomène universel. Le second besoin humain qui donne naissance à la religion est le besoin d'exorciser la peur que l'on éprouve spontanément devant le divin, un divin dont on ne sait pas bien ce qu'il est. Est-ce le soleil qui est Dieu ? La foudre ? Ou Dieu est-il derrière le soleil ou la foudre ? On ne sait pas trop. Ce qui est sûr, c'est que le paganisme a tout adoré, a sacralisé tous les objets de la nature : il y a des vaches sacrées, des serpents sacrés, des arbres sacrés, des pierres sacrées. L'homme païen imagine spontanément une puissance souveraine qui est plus ou moins située derrière les phénomènes naturels dans une sorte d'au-delà du monde. Ce que Nietzsche appelait dans sa *Critique de la religion* : un « arrière-monde ».

D'une part, le sentiment religieux donne naissance à un dieu du passé, et de l'autre, à un dieu que l'on va situer dans un arrière-monde, une puissance dont nous dépendons, à qui l'on peut plaire mais que l'on peut aussi irriter. C'est cette puissance qui fait luire le soleil et tomber la pluie bienfaisante mais c'est la même puissance qui déclenche les cyclones et la foudre. Il faut donc se la rendre favorable, se la concilier.

Telle peut être la caricature de la prière, une prière proprement païenne, même si, par ailleurs, on se croit chrétien. Pour se rendre favorable et se concilier dieu, on use de prières (qui plaisent au dieu) et de sacrifices (qui auront pour effet d'apaiser la divinité toute-puissante). La religion se présente ainsi comme un système de rites et d'observances que l'on accomplit pour se rendre favorable la divinité. Ces rites et ces observances passent tout naturellement à l'état d'habitudes et on considère ces habitudes comme sacrées. On sacralisera l'habitude! Telle serait la religion à l'état pur, c'est-à-dire sans la foi.

L'utilisation de Dieu

Une énorme littérature issue de Marx, Nietzsche et Freud a exploité ce thème de la religion qui aboutit à un dieu du passé et de l'au-delà ou de l'arrière-monde et, en pratique, à des observances et à des rites : caricatures de prière évidemment, dont il faut dire qu'elles ne tomberont que si nous sommes capables de faire tomber les caricatures de Dieu. Il y a un parallélisme entre les caricatures de Dieu et les caricatures de la prière et il est bien évident que, dans nos groupes chrétiens modernes, il y a encore beaucoup de survivances du paganisme.

Une des caricatures les plus grossières mais aussi les plus subtiles de Dieu, c'est le magicien suprême, le Dieu considéré comme utile pour la satisfaction de nos besoins, le tout-puissant à qui nous faisons appel lorsque nous sommes contraints de nous reconnaître impuissants. La prière est alors une prière utile adressée à un dieu considéré comme utile, comme un objet de consommation spirituelle, comme le fournisseur de nos besoins.

Si nous voulons être authentiquement chrétiens, il faut en arriver à croire que Dieu est parfaitement inutile. Ce n'est qu'à partir d'un Dieu dont on n'a pas besoin qu'on peut accéder à une adoration authentiquement gratuite. L'amour est gratuit ou il n'est pas. Tout ce que nous introduisons d'utilité dans l'amour conduit à la mort de l'amour et donc à la mort du christianisme.

Je ne puis qu'amorcer ici une distinction absolument essentielle entre le besoin et le désir. Avez-vous besoin de Dieu ou désirez-vous Dieu ? Tout est là. On a besoin pour soi, le désir consiste à vouloir l'autre pour lui-même et non pas pour soi. Le Père Denis Vasse écrit dans son livre *Le temps du désir* : « La prière qui ne fait pas l'expérience du non-besoin de Dieu prend la couleur du rêve... Prier, ce n'est pas « avoir besoin » ou « n'avoir pas besoin », mais c'est accéder à une conscience de plus en plus vivante qu'il nous est possible de désirer quelqu'un pour lui-même, de l'aimer, dans l'exacte mesure où nous n'en avons pas besoin, où il nous est impossible de le consommer ou de le connaître. Prier, c'est révéler qu'il est possible à l'homme de désirer l'impossible[2]. » Le besoin peut être satisfait, le désir ne l'est jamais. Désirer l'autre pour lui-même (telle est la définition même de l'amour), c'est entamer un processus qui ne peut que creuser toujours davantage le désir.

2. D. Vasse, *Le temps du désir*, Seuil, 1969, p. 30 et 34.

Nous chrétiens, nous avons à dialoguer avec le monde athée qui nous environne. Ces questions sont absolument cruciales dans ce dialogue contemporain où nous ne devons pas être cette « confrérie des absents » dont parlait naguère Jean Guéhenno. Il faudrait donc que nous en finissions avec un dieu caricatural qui serait le dépanneur universel, le dieu des suppléances qui prendrait le relais lorsque nous avons atteint nos limites. Notez bien que ce dieu-là tend vers zéro. Lorsque la médecinc était très faible comme du temps de Molière, Dieu était très vite prié. Avec les progrès de la science, il faut beaucoup de temps avant que l'on demande à Dieu de prendre le relais. C'est pourquoi ce Dieu envisagé comme le dépanneur universel, ce faux dieu tend vers zéro. Je ne dis pas qu'il atteindra la limite zéro, je dis qu'il y tend en ce sens qu'il est en quelque sorte inversement proportionnel au progrès de la science.

Pourquoi prier ?
Les fondements de la nécessité de prier

A partir de là, on ne peut plus se méfier de la prière proprement évangélique, elle est absolument nécessaire. C'est la prière qui nous fait accéder au niveau de gratuité le plus haut et notre vie vaut ce que vaut sa gratuité, la gratuité de l'amour. Il demeure évident qu'il faut prier, c'est-à-dire que la parole sur Dieu, le discours théologique, doit aboutir à une parole à Dieu. Certes il n'y a pas de parole à Dieu si l'on ne sait pas de quel Dieu il s'agit, toute parole à Dieu implique une parole sur Dieu, c'est-à-dire une catéchèse et la connaissance d'une doctrine. Mais l'essentiel de tout, en définitive, est bien la parole à Dieu. Je vais vous énumérer un certain nombre des fondements les plus profonds de la nécessité de prier un peu longuement mais chacun d'eux se suffit à lui-même.

Dieu lui-même nous prie

La prière de l'homme est une réponse à une prière de Dieu. Il ne faut parler qu'avec beaucoup de circonspection des commandements et même de la volonté de Dieu. Loin de moi l'intention de biffer des mots traditionnels que Jésus lui-même a employés mais il faut les entendre correctement. Il ne s'agit pas de volonté impérative. Dans un milieu où l'on s'aime, une famille par exemple, on ne se commande pas, on ne se donne pas des ordres, on se prie mutuellement, on manifeste un désir et l'on dit : « Veux-tu ? » ou « Je te prie » ou « Tu me procurerais de la joie si tu exauçais mon désir ». Je préfère personnellement parler d'exaucer le désir de Dieu, tellement je tremble que l'on attribue à Dieu je ne sais quelle autorité et quel esprit dictatorial que pourraient laisser entendre les mots mal compris de volonté ou commandements de Dieu. Notez que le mot « commandement » vient du latin *mandatum* qui est à l'origine du mot « recommandation ». Les commandements de Dieu indiquent le seuil en deçà duquel il n'y a pas d'amour.

Comme le dit Jean Lacroix, dans cette phrase que j'aime tant à citer : « Aimer, c'est promettre et se promettre à soi-même de ne jamais employer à l'égard de l'être aimé les moyens de la puissance. » Les moyens de la puissance sont multiples dans l'amour humain depuis la toute-innocente séduction jusqu'au viol abject, avec, entre les deux, toute la gamme de l'utilisation des moyens de puissance.

Dieu est le Tout-Puissant mais sa puissance est constituée par le refus d'utiliser la puissance, telle est la grande révélation de Jésus Christ. C'est l'amour qui est puissant; or, précisément, la puissance de l'amour est, à la lettre, un renoncement à la puissance. Celui qui renonce à la puissance ne commande pas, il prie. Dieu nous prie.

La vie avec Dieu est un échange de prières : elle est, de part et d'autre, l'expression d'un désir. Dieu nous dit son désir de nous voir pleinement hommes, de nous voir accéder au plus haut niveau possible d'existence, à la plus pure qualité d'être. Ce qu'il y a de plus terrible dans une vie humaine, c'est de devenir médiocre sans s'en apercevoir. Dieu ne nous dit précisément qu'une chose : sors de ta médiocrité, ne te dégrade pas, accède au plus haut niveau humain! Tel est son désir et c'est tout l'Évangile. En retour, nous lui exprimons notre désir qu'il soit glorifié et que notre propre sanctification soit sa gloire et sa joie. Saint Paul nous dit que nous devons imiter Dieu, voilà un point où nous ne pouvons pas nous dispenser d'imiter le Dieu qui éternellement est en prière devant l'homme.

Dieu est un tu qui ne peut jamais devenir un il

Gabriel Marcel a écrit : « Dieu est un Toi qui ne peut jamais devenir un Lui, un Tu qui ne peut jamais devenir un Il. » Lorsque nous parlons de Dieu en disant Lui ou Il, ce n'est plus de Dieu qu'il s'agit mais d'un objet. On parle d'un objet mais Dieu n'est en aucune manière un objet, il est un sujet. Dieu ne peut pas être le complément d'objet d'un verbe ou alors il s'agit d'une caricature de Dieu. D'autre part, Dieu n'est jamais absent : on dit il ou lui en parlant d'un absent; quand quelqu'un est présent, on ne dit pas il mais tu.

Le Tu à Dieu (ou le Vous, peu importe; ce qui compte, c'est que ce soit une seconde personne) est ce que nous appelons la racine de la prière. Ici-bas, tout est dialogue. Il y a ce dialogue avec nous-même que nous appelons la pensée; il y a ce dialogue avec les choses ou avec les événements que nous appelons l'action; il y a ce dialogue avec les autres que nous appelons la camaraderie, l'amitié ou l'amour et il y a le dialogue avec Dieu que nous appelons la prière.

Mais ce dialogue avec Dieu ne s'ajoute pas aux autres dialogues, n'est pas extérieur à eux, car Dieu n'est pas un être qui s'ajoute aux autres êtres. Comme disent les philosophes, Dieu ne fait pas nombre avec les créatures : il n'y a pas nous tous ici, six ou sept cents, et puis Dieu qui serait au-dessus. C'est là son mystère : il est un autre et il n'est pas un autre. Il est plus moi que moi, il est intérieur à tous les dialogues que je soutiens avec moi-même, avec les choses ou avec les autres. Comme le dit Claudel traduisant saint Augustin *(intimior intimo meo)*, Dieu est en moi plus moi-même que moi.

Dieu n'est pas un tiers, j'oserai presque dire un tiers concurrentiel, comme l'envisagent d'ailleurs un certain nombre d'athées qui refusent Dieu précisément comme un tiers. Un personnage de Dostoïevsky, dans son grand roman intitulé *Les démons*, s'est suicidé parce qu'il ne pouvait pas soutenir ce regard de Dieu qui le violait. C'est pourquoi il est dangereux de parler d'un regard de Dieu, ce n'est pas un regard qui regarde, encore moins qui surveille (« l'œil était dans la tombe et regardait Caïn »)!

Attention à certaines expressions utilisées avec les enfants : tes parents ne te voient pas mais il y a quelqu'un qui te voit toujours, c'est Dieu. Horreur! il y a de quoi se suicider! Jean-Paul Sartre, dans un petit livre autobiographique, *Les mots*, nous confie que, lui aussi, a été tenté de se suicider parce que, dans son enfance très puritaine, dans le milieu des Schweitzer, en Alsace, il avait joué avec des allumettes et brûlé un tapis; il a essayé de camoufler le dégât puis il s'est dit : maman ne me verra pas mais il y a Dieu qui me voit. Il s'est sauvé, s'est enfermé dans la salle de bain, a cru devenir fou en pensant : ma conscience est violée, perpétuellement violée par le regard de Dieu. C'est à ce moment qu'il a commencé de perdre la foi.

Dieu ne nous regarde pas. Vous ne voudriez tout de même pas

que nous soyons un spectacle pour Dieu. Il faut détruire toutes ces imaginations dont les conséquences sont effroyables. L'homme un spectacle pour Dieu ? Allons donc ! Je n'ai aucune envie d'être un spectacle pour vous et je ne veux être un spectacle pour personne, même si cet autre s'appelle Dieu, je refuse au nom de ma dignité. Dieu merci, le Dieu que nous a révélé Jésus Christ n'est pas un Dieu qui nous regarde mais un Dieu qui nous étreint et c'est tout différent.

La prière est échange de confidences entre Dieu et l'homme

La Révélation est la confidence de Dieu à l'homme (c'est ainsi d'ailleurs que l'on peut définir la Bible) ; la prière, en retour, est la confidence de l'homme à Dieu. La Révélation porte sur les battements du cœur de Dieu : comment bat le cœur de Dieu ? Qui est Dieu ? Quelle est sa vie ? Son secret ? C'est un mystère, de même qu'en un certain sens je suis un mystère pour vous.

Si je vous aime, je vous ferai la confidence de mon être profond mais je ne vous ferai cette confidence que si je vous aime. Il n'y a pas de confidence sans amour (je n'irai pas déclarer à un inconnu, dans la rue, que je vais lui raconter toute ma vie) et réciproquement il n'y a pas d'amour sans confidence (je n'imagine pas le fiancé disant à sa fiancée : je t'aime mais tu ne sauras rien de moi). Rien n'est plus émouvant, d'ailleurs, que le passage de la camaraderie à l'amitié qui se fait précisément par l'échange des confidences ; et, au-delà de l'amitié, dans l'amour, la confidence s'approfondit jusqu'à la transparence.

A la confidence de Dieu, l'homme répond en faisant à Dieu confidence de son être profond, confidence pour confidence, échange des confidences. La prière n'est pas uniquement récitation de formules mais plutôt cœur-à-cœur avec Dieu. Nous lui exprimons ce qu'est notre vie avec ses désirs, ses difficultés, ses angoisses, ses joies. La véritable attitude d'un enfant de Dieu est d'être une attitude de confidence. Certes nous n'apprenons rien à Dieu ; ce que nous sommes, il le sait. Il ne s'agit pas de lui apprendre quelque chose mais d'être dans une attitude de vérité en profondeur, l'attitude de fils et de filles de Dieu en cours de divinisation. Il est donc normal que notre attitude soit filiale, c'est-à-dire confidentielle.

Il n'y a pas d'amour muet. La prière est l'expression de l'amour comme, ici-bas, la confidence est l'expression de l'amour. Et si vous me dites que deux amoureux peuvent rester muets l'un avec l'autre pendant longtemps, je dirai qu'en ce cas le mutisme est la qualité suprême de la parole. Rien sans expression, ce qui n'est pas exprimé se dégrade et finit par ne plus être. La prière est l'expression de la foi.

La prière est l'accueil du don de Dieu

Si l'amour est à la fois accueil et don, nous ne devons pas être seulement « donnants » mais aussi et d'abord accueillants. Nous touchons là, probablement, le spécifique chrétien. Beaucoup de non-chrétiens donnent beaucoup, il n'est pas question de mettre en doute la générosité authentique d'un grand nombre d'entre eux. A ce niveau, il n'y a pas de statistiques, mieux vaut d'ailleurs n'en point établir car il n'est pas sûr que les chrétiens se révéleraient comme étant les plus généreux des hommes. Seulement le chrétien accueille de Dieu ce qu'il donnera ensuite aux hommes. Ce qui fait le chrétien, c'est sa puissance d'accueil. Nous accueillons le don de Dieu et nous donnons à nos frères cet amour que Dieu nous donne de pouvoir donner.

Le Père H. de Lubac écrivait un jour : « Toute activité qui mérite d'être appelée chrétienne se déploie nécessairement sur un fond de passivité. » Il n'a pas peur du mot passivité, on pourrait peut-être le remplacer par le mot accueil, je ne pense pas que nos contemporains soient défiants par rapport au vocabulaire de l'accueil.

Aimer n'est pas seulement donner, c'est aussi accueillir. La prière est l'accueil du baiser divin. Le baiser est un symbole magnifique. C'est dans le baiser qu'on voit ce qu'est la réciprocité, dans l'amour humain, de l'accueil et du don. Un psaume dit : dilate ta bouche et je la remplirai. J'accueille ton souffle en moi et je verse mon souffle en toi. L'échange des souffles avec la réciprocité de l'accueil et du don signifie l'échange profond des âmes. Cela est d'autant plus vrai que c'est le même mot latin *(anima)* qui signifie souffle et âme. C'est bien pourquoi il ne faut pas prostituer le baiser qui est une chose magnifique.

La prière est contemporaine de la prise de conscience de ce que Dieu est et fait dans nos vies

Dans notre vie, nous prenons peu à peu conscience de certaines choses. Quand on est jeune, par exemple, on a une conscience extrêmement faible de l'amour porté par les parents; et, tout à coup, à la faveur d'une parole ou d'une circonstance, on en prend conscience de façon plus vive et plus intense.

Quand il s'agit de Dieu, nous avons la plupart du temps une conscience très faible et c'est bien pourquoi nous prions si peu et si mal. La prière devrait jaillir spontanément dès que, à telle ou telle occasion, nous prenons conscience de ce que Dieu est et fait dans nos vies.

Prise de conscience de ce que Dieu, à l'intérieur de chacun de nos actes libres, donne une dimension divine à notre activité humaine humanisante. Une activité n'est véritablement humaine que si elle est humanisante. Notre tâche, quelle que soit la forme qu'elle revête, consiste à construire un monde humain. L'homme n'est pas, il n'y a qu'une ébauche d'humanité, c'est à nous de faire que l'homme soit. Il n'y a qu'un Homme, c'est Jésus Christ. Nous, nous sommes tous en devenir d'humanisation et nous devenons de plus en plus hommes au fur et à mesure que nous posons des actes libres, que nous prenons des décisions humanisantes, celles qui vont dans le sens de la justice, de l'amour, de la fraternité et de la liberté. Là-dessus, tout le monde est d'accord.

Mais ce que nous, chrétiens, nous croyons, c'est que Dieu est à l'intérieur de ces décisions et qu'il les prend en compte pour leur donner une dimension proprement divine, pour que notre activité humanisante ne soit pas simplement humaine mais humano-divine. Si un homme marié prend la décision de tromper sa femme, le Christ ne peut pas être partie prenante dans cette décision. Si au contraire, il prend la décision de favoriser avec courage davantage de justice dans son entreprise, le Christ est partie prenante dans cette décision; ce n'est pas seulement une décision humaine, c'est une décision humano-divine.

C'est chacune de nos décisions minute après minute, jour après jour, parce que Dieu est dedans, qui construit ce que nous appelons la vie éternelle. Voilà ce que j'appellerai la condition chrétienne, en pensant au livre d'André Malraux, *La condition humaine.* Avez-vous conscience de votre condition chrétienne ? Si oui, comment voulez-vous que la prière ne jaillisse pas spontanément : Seigneur, oui, Seigneur, merci ! La prière est, à la racine d'elle-même, contemporaine d'une prise de conscience sérieuse de la présence active et divinisante du Père, du Christ ressuscité et de l'Esprit dans ma liberté.

On peut distinguer quatre formes de prière (on parlait autrefois d'adoration, d'eucharistie, de propitiation et d'impétration) qui s'expriment par quatre mots :

— *Oui :* le oui à Dieu est l'adoration. Le musulman adore en se courbant le front sous la transcendance de Dieu. Nous pouvons le faire, certes (pourquoi pas ?) mais, pour nous, l'adoration est, avant tout, l'accueil du baiser divin, le oui au baiser de Dieu, le baiser divinisant. Il est possible que le mot adoration vienne du mot latin *os, oris* qui veut dire bouche. L'adoration est le bouche à bouche, le oui à Dieu.

— *Merci :* eucharistie ou action de grâces. Comment ne pas dire merci à Dieu quand on prend conscience de la façon dont il transfigure toute notre vie, quand on prend conscience de la manière dont il donne à notre vie une dimension sans commune mesure avec tout ce que nous pouvons imaginer et concevoir ? On n'imagine pas qu'étant bénéficiaire d'un bienfait immense, par exemple une somme importante donnée pour qu'on puisse sortir de prison, on ne dise pas merci à celui qui a donné tout son avoir pour que nous soyons des hommes libres. C'est une image imparfaite de ce que Dieu est et fait pour nous.

— *Pardon :* quand je prends des décisions déshumanisantes, puisque je suis pécheur, que voulez-vous que le Christ en fasse, puisqu'il ne peut pas les diviniser et comment voulez-vous, quand j'en prends conscience, que je ne demande pas pardon à Dieu ? C'est ce que nous appelons la pénitence.

— *Donne :* c'est la prière de demande où, selon l'Évangile, nous devons demander à Dieu de nous donner le Saint Esprit, c'est-à-dire une augmentation de charité, une présence plus intense en nous de Celui qui, dans la Trinité, est, comme disent les théologiens, l'amour substantiel.

Pouvons-nous demander à Dieu des biens matériels ? Oui certes, l'Église y encourage. Car si je m'abstiens d'exprimer à Dieu ce que je désire humainement (santé, réussite, ne pas être trahi dans un amour auquel je tiens, etc.), je ne le considère pas comme un Père. Les demandes matérielles signifient que nous nous mettons dans une attitude filiale d'accueil par rapport à Dieu.

Mais toutes ces demandes ne sont que le signe d'une demande beaucoup plus profonde qui est celle d'être envahi par Dieu, transformé par lui. Seule cette demande est toujours exaucée, exactement comme les poumons sont toujours exaucés lorsque nous respirons. Plus nous progressons dans la vie spirituelle, plus notre prière se réduit à demander à Dieu ce qu'il veut nous donner, c'est-à-dire une augmentation d'amour. L'Évangile est formel là-dessus : « Le Père du ciel donnera l'Esprit Saint à ceux qui le lui demandent » (Lc 11, 13). Notre Père nous donne le Saint Esprit, pourvu que nous nous mettions en condition de l'accueillir.

La prière est l'exercice de la gratuité

Jamais nous ne mettrons trop l'accent sur l'urgence de la gratuité. Elle est un autre nom de l'amour et nous vivons en un siècle où il n'y a presque rien de gratuit. Il y a l'art, c'est vrai, mais l'art lui-même se commercialise, nous en savons quelque chose au plan du cinéma par exemple. Nous sommes véritablement asservis à l'utile. Les chrétiens devraient prendre à tâche d'ouvrir dans la société un espace de gratuité.

Pourquoi prier ? Pour rien, tout simplement parce que Dieu est Dieu. Et si le désir de Dieu est que j'accède à la gratuité la plus pure, j'exerce cette gratuité en coupant le courant de l'activité humaine et en offrant à Dieu du temps, un temps qui est la trame même sur laquelle se brodent toutes mes activités (le temps est ce qu'il y a de plus foncier dans l'existence humaine).

Je coupe le courant, j'éteins la lampe et je dis à Dieu : je te donne du temps car je ne peux rien te donner d'autre, finalement. Et je te donne un peu de temps comme la pécheresse de l'Évangile qui aurait pu verser quelques gouttes de parfum sur les pieds de Jésus mais qui a brisé le flacon; moi, je brise aussi le flacon, gratuitement, pour rien. Là, il n'y a plus d'objection contre la prière : ça ne vous dit rien ? ça ne vous dit rien! tant pis! donnez du temps. Mais je n'ai rien à dire à Dieu! Ne lui dites rien, donnez-lui du temps. C'est une véritable mort, mort de peu de durée mais l'expérience montre que nous répugnons à mourir, ne serait-ce que quelques minutes par jour.

Emmanuel Mounier (Dieu sait s'il fut un homme actif, il est mort à cinquante ans d'un excès d'activité) écrivait : « Se retirer de l'agitation n'est pas de tout repos. Celui qui, descendant en soi-même, ne s'arrête pas au calme des premiers abris mais se résout à mener jusqu'au bout l'aventure, est vite précipité loin de tout refuge. Artistes, mystiques, philosophes ont vécu parfois jusqu'à l'écrasement cette expérience intégrale que l'on appelle fort curieusement « intérieure », car ils y sont jetés aux quatre vents de l'univers. » La prière nous lance dans l'engagement au service de nos frères mais finalement pour aboutir à quoi ? A ce qu'ils soient ramenés à la véritable intériorité. Pourquoi faut-il que tous les hommes mangent à leur faim, aient un logement décent, n'aient pas des fins de mois angoissantes ? C'est pour qu'ils puissent être authentiquement des hommes, c'est-à-dire entrer au-dedans d'eux-mêmes, habiter leur propre profondeur, et être capables, à leur tour, de donner de façon authentique, être eux-mêmes « donnants ».

Un effort de purification intellectuelle s'impose de nos jours au plan de la foi (il n'est plus possible à des chrétiens de rester infantiles), mais cet effort doit être accompagné d'un approfondissement vécu dans la prière, sinon la foi sera en danger. « La foi d'un individu peut être, ou se croire, éclairée et pure, mais en même temps être faible, abstraite pour ainsi dire, évanescente, dévitalisée, incapable de soulever la moindre poussière. C'est que la foi n'est pas un assentiment quelconque donné à des valeurs ou à des vérités mais adhésion personnelle au Dieu vivant » (Père H. de Lubac).

Il est normal aussi que ce qu'il y a de sentimental dans la prière soit purifié, car, dans le sentiment, il y a toujours quelque chose pour soi. Si l'on veut vraiment que la prière soit l'Autre voulu pour lui-même, il faut consentir à être sevré de tout sentiment. C'est extrêmement éprouvant, les mystiques en savent quelque chose, ils ont tous expérimenté Dieu comme un désert et la prière comme une station silencieuse dans le désert. A la limite, Dieu n'est vraiment Dieu pour nous que lorsqu'Il n'est pas senti. Car toutes les fois que Dieu est senti, ce que nous prenons pour Dieu est un sentiment sur Dieu. La foi est autre chose que le sentiment religieux! Sainte Thérèse d'Avila disait : que de petites femmelettes comme moi aient besoin de sentiment pour prier, ça se comprend; mais quand je vois des hommes adultes qui ne prient que lorsqu'ils ont envie de prier, en vérité, cela me fâche! Voilà l'authenticité de la prière.

Je termine par l'admirable prière que Soljenitsyne a composée le jour où il a reçu le prix Nobel :

> « *Qu'il m'est facile de vivre avec Toi, Seigneur,*
> *Qu'il m'est facile de croire en Toi!*
> *Lorsque, dans la perplexité, mon esprit se dérobe ou fléchit,*
> *Lorsque les plus intelligents ne voient pas plus loin que ce soir*
> *Et ne savent pas ce qu'il faudra faire demain,*
> *Toi, tu m'infuses la sereine certitude que Tu existes*
> *Et que Tu veilles à ce que tous les chemins du bien ne soient pas fermés.*
> *Sur la crête de la gloire terrestre,*
> *Je considère avec étonnement ce chemin à travers la désespérance,*
> *Ce chemin où j'ai pu, même moi, envoyer*
> *à l'humanité un reflet de tes rayons.*
> *Tout ce qu'il faudra que j'en reflète encore,*
> *Tu me l'accorderas.*
> *Et tout ce que je ne réussirai pas à refléter,*
> *Cela voudra dire que Tu l'as assigné à d'autres.* »

(*ICI*, 15 décembre 1970.)

*Combattre le mal et la souffrance**

J'aborde ce qu'on appelle le problème du mal et de la souffrance avec timidité parce que, autant il est facile de discuter quand on ne souffre pas soi-même, autant, quand on se trouve devant quelqu'un qui souffre, il ne faut approcher cette question qu'avec des mains d'infirmière, c'est-à-dire avec beaucoup de délicatesse. Il n'y a rien de plus insultant pour quelqu'un qui souffre ou qui est victime du mal que de lui fournir, d'un ton tranchant ou assuré, des solutions qui n'en sont pas. Pourtant, on ne peut pas éliminer la question, car hélas! elle se pose et elle se pose depuis qu'il y a des hommes sur terre.

Ce qui est problème, c'est ce qui appelle une solution. Je me demande s'il y a une solution au mal et à la souffrance. Plutôt que de parler de problème, je dirai le scandale car c'est d'abord un scandale et nous allons essayer de voir comment nous pouvons transformer le scandale en mystère.

* *Manuscrit :* un texte faisant partie, semble-t-il, de la série rédigée en 1971-1972. — *Polycopies* : Lyon : « Le sens de la souffrance » (1er mars 1971); Annecy : « Le problème de la souffrance » (11 mars 1971); Péage-de-Roussillon : « Le mal » (27 octobre 1971); Pau (débat du 8 avril 1974); Montauban : « Le mystère du mal et de la souffrance » (13 février 1975); Carcassonne : « Le mal et la souffrance » (23 février 1978).

Le scandale du mal...

Sous ses deux formes, la souffrance et la faute, le mal est ce qui heurte notre volonté la plus profonde, notre conscience. Il est ce que nous ne pouvons ni comprendre (il n'y a donc pas de solution) ni aimer (il est donc un scandale). Le problème se pose avec une acuité toute particulière pour le chrétien. Car être chrétien veut dire que l'on n'est pas dualiste, on ne croit pas qu'il y a un principe éternel du Mal en face d'un principe éternel du Bien qui est Dieu. Nous affirmons que Dieu est le créateur de tout ce qui existe, pourtant nous ne pouvons pas dire qu'il est le créateur du mal car cela ne ferait que décupler le scandale. Que serait un tel dieu ?

D'autre part, nous affirmons que Dieu n'est qu'Amour, en lui il ne peut pas y avoir autre chose que de l'amour. Que de fois je me suis hasardé à dire à des incroyants : l'essentiel de la foi chrétienne est d'affirmer que Dieu est amour. Savez-vous la réponse que je me suis attirée : « Ça ne se voit guère ! » C'est pourquoi il faut être très délicat et ne pas affirmer que Dieu est amour, comme on affirmerait que deux et deux font quatre ou que la somme des angles d'un triangle est égale à deux droits. « Si Dieu existait et si Dieu était amour, de telles choses n'arriveraient pas : la guerre, la torture, la maladie, l'épidémie, la trahison sentimentale, le deuil, etc. »

On comprend que, de tout temps, l'existence du mal a été invoquée comme argument contre l'existence de Dieu. Si le mal et la souffrance existent, il n'est pas possible que Dieu soit. On comprend que, de tout temps aussi, les penseurs se soient employés à justifier Dieu, à l'innocenter, à essayer de montrer que Dieu ne pouvait pas faire autrement, comme s'il fallait plaider en faveur de Dieu pour le déclarer innocent de tout le mal et de toute la souffrance qu'il y a dans le monde.

TROIS PLAIDOIRIES POUR INNOCENTER DIEU

A mon avis, toutes ces tentatives pour innocenter Dieu n'aboutissent pas et c'est pourquoi mon dessein est de vous recommander, dans l'usage de ces arguments, une extrême prudence.

1° *Le mal serait l'ombre du bien*

Il faut intégrer le mal dans un plan ou une réalisation plus vaste où il joue le rôle de moyen ou de condition nécessaire pour un plus grand bien. De même que, dans un tableau de Rembrandt, les ombres sont nécessaires à l'harmonie de l'ensemble, la lumière ne serait pas si belle s'il n'y avait pas d'ombre, de même, par rapport à la beauté du monde, le mal et la souffrance sont nécessaires pour faire ressortir le bien. Allez dire cela à quelqu'un qui souffre! Or cet argument est développé par de très grands philosophes, tels saint Augustin, saint Thomas d'Aquin, Descartes. Celui-ci écrit : « La même chose qui pourrait, peut-être avec quelque raison, sembler très imparfaite si elle était toute seule... est très parfaite si elle est regardée comme une partie de l'univers. »

Leibniz, qui a poussé le plus loin cette idée-là, pense que « le mal n'est plus le mal s'il est un moment nécessaire dans le progrès ». Staline ne disait pas autre chose, Hitler non plus. Pour celui-ci, la suppression de six millions de juifs était une condition du progrès de l'humanité, comme, pour Staline, la liquidation de tous ceux qui s'opposaient à son régime. Le mal, dit-on, perd son caractère de mal dès qu'il est replacé dans la perspective du développement total : la souffrance n'est plus qu'une crise de croissance; la guerre est l'enfantement de l'histoire; le sacrifice des générations présentes permet l'accès à la société future.

Le chrétien doit refuser une telle argumentation, car il se place au point de vue du sujet, de celui qui souffre et qui subit l'injustice. Et il pense qu'une telle justification du mal est non seulement superficielle mais injuste et donc, si elle est injuste, elle est aussi un mal. Ce n'est pas faire disparaître le mal, c'est ajouter le mal au mal. Il y a des argumentations qui sont non seulement inefficaces mais moralement mauvaises et littéralement scandaleuses. Une telle philosophie n'est possible que si l'on compte pour rien l'individu, la personne, l'homme concret. Je proteste : c'est l'homme qui existe.

Berdiaeff a raison d'écrire : « Quelle valeur peut avoir l'idée même d'ordre et d'harmonie du monde et peut-elle jamais justifier l'injustice des souffrances de la personne ? » C'est la personne qui est au cœur du christianisme. Nous insistons beaucoup, à l'heure actuelle, sur la communauté et nous avons raison. Mais communauté signifie communauté de personnes et les communautés finalement existent pour le bien des personnes. Chaque être humain est l'objet d'un amour infini de Dieu. Il ne peut pas être une condition pour autre chose, un moyen pour la beauté du monde. Comment ne serions-nous pas gênés lorsque nous voyons Leibniz sacrifier Judas à l'harmonie du monde ? Dans une perspective chrétienne, la gloire de Dieu ne peut pas servir à justifier la souffrance ou le mal d'une seule créature consciente.

La vérité est, au contraire, dans cette parole d'Ivan Karamazov, dans le roman de Dostoïevski : « Quand bien même l'immense fabrique de l'univers apporterait les plus extraordinaires merveilles et ne coûterait qu'une seule larme d'un seul enfant, moi, je refuse. » Le chrétien s'oppose à cette idée que, dans la pensée divine, une génération puisse être réduite au rang d'un simple moyen pour la réalisation de l'humanité future. Chaque moment du temps compte autant aux yeux de Dieu. Les richesses et le progrès de l'avenir ne sauraient compenser le mal subi par des personnes humaines.

Sur ce thème, on brode. On dit qu'au plan physique la douleur est un avertissement utile et qu'au plan spirituel surtout l'épreuve est purifiante. Peut-être n'est-ce pas complètement faux ! La souffrance peut engendrer un sursaut de courage, la faute elle-même peut engendrer un redressement. Beaucoup de romans de Mauriac sont bâtis sur cette idée qu'il faut que l'homme descende très bas dans le péché pour pouvoir rebondir et s'ouvrir à la vérité et à la justice. On a voulu voir dans la souffrance, et même dans le péché, un moyen employé par Dieu pour le bien même de ses créatures. On va jusqu'à dire que la souffrance est une marque de la prédilection divine et nous avons tous entendu la phrase (imprudente en dehors de la foi !) : « Dieu éprouve ceux qu'il aime. » Je vous avoue que je suis tenté de répondre spontanément : « Pourvu que Dieu ne m'aime pas trop ! »

Certes il y a quelque chose de vrai dans les vers célèbres d'Alfred de Musset :

> « *L'homme est un apprenti, la douleur est son maître*
> *Et nul ne se connaît tant qu'il n'a pas souffert.* »

Mais qu'est-ce que cela prouve ? Si la douleur est un avertissement, on peut toujours demander avec Max Scheler : faut-il que ces signaux soient douloureux ? Pourquoi est-il nécessaire qu'ils fassent mal ? Il pourrait très bien y avoir des sonnettes d'alarme qui ne fassent pas mal, il pourrait bien y avoir d'autre maître que la souffrance pour que l'homme devienne véritablement adulte.

On dit encore : Dieu ne veut certainement pas le mal mais il le permet. Que pensez-vous de cette distinction ? Je multiplie les points d'interrogation, vous n'êtes pas obligés de penser comme moi, vous pouvez estimer que ces plaidoiries sont efficaces, mais je vous laisse aux prises avec ceux qui souffrent ou avec les esprits qui sont exigeants. Pensez-vous que cette distinction entre une volonté formelle de Dieu et une permission de Dieu soit valable ? Qu'est-ce qui nous permet de parler d'une sorte de nécessité qui s'impose à Dieu lui-même comme si Dieu ne pouvait pas faire autrement ? N'oublions pas que la toute-puissance de Dieu est la puissance de l'amour. Dieu ne peut pas détruire, écraser, dominer, Il ne peut que ce que peut l'amour. Faut-il donc que ce soit l'amour qui exige que Dieu permette la souffrance ? Peut-être, mais nous ne pourrons le dire que si nous nous situons vraiment à la pointe du christianisme.

Dans toutes ces tentatives pour innocenter Dieu ou pour résoudre le problème du mal, il s'agit de rendre acceptable pour Dieu ce qui scandalise ou révolte notre conscience. C'est tout de même un peu fort ! Un Dieu qui tolère le mal n'est qu'une idole. Une conscience qui refuse le mal est supérieure à un Dieu qui le tolère.

2° *La souffrance serait un châtiment*

C'est un thème très ancien qu'on trouve dans certains passages de l'Ancien Testament. Nous connaissons tous les formules populaires : après tout, tu l'as bien mérité ! tu es puni par où tu as péché ! L'homme souffrirait parce qu'il pèche.

Les objections sont aussi très anciennes. Il apparaît bien vite que le mal et la souffrance ne sont nullement répartis à nos yeux conformément aux mérites de chacun. Malebranche, prêtre du XVIIe siècle, écrit : « Le soleil se lève indifféremment sur les bons et les méchants, il brûle souvent les terres des gens de bien, alors qu'il rend fécondes celles des impies. Les hommes ne sont pas misérables à proportion qu'ils sont criminels. » Par conséquent, si l'on parle de justice, il ne peut s'agir que d'une justice divine toute différente de la nôtre. On risque fort de lui prêter ce que l'on veut et de lui ôter toute signification. En outre, on rend incompréhensible ou illusoire la révolte de la conscience. Il est bon, il est sain que notre conscience soit révoltée par le mal et par la souffrance.

En face d'une telle conception, on a toujours élevé une protestation au nom de la souffrance de l'enfant innocent et de l'homme juste. Il est tout de même choquant d'affirmer que les souffrances de l'enfant sont méritées. Dans *La Peste* de Camus, l'on voit précisément un médecin incroyant refuser les arguments que lui propose un père jésuite.

Dans le livre de Job, vous avez à la fois la thèse du malheur-châtiment, à laquelle croient les amis de Job, et la proclamation toujours reprise par Job de son innocence. Il est bien certain que Dieu n'est pas du côté des consolateurs de Job. Les amis de Job lui offrent des consolations qui ne sont absolument pas efficaces et qui sont plutôt insultantes à sa souffrance.

C'est toujours la même prétention de l'homme de se substituer à Dieu. En vérité, il n'y a rien de plus déplaisant que cette prétention à lire, dans les malheurs individuels ou collectifs, le jugement de Dieu. Cela suppose une fausse conception de la Providence. Lorsque j'étais enfant, on me disait d'un homme qui revenait de tromper sa femme et qui était victime d'un accident de chemin de fer : ah ! c'est la justice immanente de Dieu, c'est le châtiment, il l'a bien mérité ! Je n'avais pas la répartie très vive, mais, plus tard, je me suis dit : les accidents de la route ou de chemin de fer au retour d'un pèlerinage à Lourdes, est-ce la justice divine ? Allons donc, la Providence n'est pas dans les freins de la voiture ou de la locomotive qui n'ont pas fonctionné. Il est facile de dire n'importe quoi et de faire intervenir Dieu dans l'histoire n'importe comment.

Voici un glissement de terrain qui anéantit un certain nombre de maisons où tout le monde périt sous les décombres, sauf une famille. Elle est chrétienne, le père dit à sa femme et à ses enfants : si vous voulez, nous allons nous mettre à genoux afin de remercier Dieu qui nous a bien protégés. Tiens ! Il vous a protégés vous, et il n'a pas protégé les autres ? C'est se flatter de déchiffrer à la place de Dieu ses desseins. Je crois très fort à la Providence : elle ne se situe pas au niveau des événements mais à celui des consciences (sauf miracle, ce qui est extrêmement rare !). Dieu intervient dans l'histoire certes, mais pour lui donner une dimension divinisante. Il divinise nos actions humaines humanisantes !

Ces plaidoiries, dans leur effort pour justifier Dieu du mal, aboutissent toujours à justifier le mal lui-même, ce qui revient à dire que le mal est finalement un bien. Le mal justifié n'est plus le mal, puisque le mal est précisément l' « injustifiable », comme l'écrit J. Nabert[1]. On ne parvient pas à justifier le mal sans heurter la conscience.

1. J. Nabert, *Essai sur le mal*, PUF, 1955.

3° *Le mal se rattacherait à la liberté de l'homme*

Voici plus sérieux : ce n'est pas Dieu, dit-on, mais la liberté de l'homme qui est responsable du mal. Affirmer que le mal naît de notre liberté semble à la fois innocenter Dieu et échapper aux contradictions qu'il y a à vouloir justifier le mal. Cette affirmation est valable mais insuffisante.

La liberté de la créature entraîne la possibilité d'un mauvais usage de cette liberté, donc la possibilité du mal moral et, parmi la multitude des conséquences qui en découlent, se trouve en particulier la souffrance. Il est très vrai qu'en bien des cas, l'homme est l'artisan de ses propres maux. Supprimez l'égoïsme humain : incontestablement, une grande part de la souffrance qui est dans le monde n'existera plus. Il faut même pousser le plus loin possible cette recherche destinée à rattacher chaque forme du mal (guerre, injustice sociale, etc.) à des responsabilités humaines. Dans quelle mesure, nous autres Français, sommes-nous responsables de tout ce qui s'est passé au Cambodge, de toutes les tortures qui sont perpétrées en Argentine et au Chili ?

C'est assez difficile à dire mais je suis persuadé que nous sommes tous responsables parce que nous sommes tous solidaires. Il y a un sens profond dans l'idée d'une responsabilité qui dépasse nos actes individuels et qui rattache notre volonté mauvaise à une carence dans l'ordre de l'amour. Notre égoïsme est responsable de bien des choses. Max Scheler écrit : « Le méchant aurait-il été méchant si je l'avais suffisamment aimé[2] ? » On ne peut nier que la plupart des gangsters sont des mal-aimés. Je pense toujours à cette jeune femme de vingt-deux ans qui me disait que sa maman ne l'avait jamais embrassée !

Pourtant, il est difficile de rattacher toutes les formes du mal à la liberté de l'homme. Est-ce parce que je fais un mauvais usage de ma liberté qu'il y a des raz de marée, des éruptions volcaniques, des cyclones, des épidémies ? Il est tout de même difficile d'affirmer que c'est à cause du péché que tous ces cataclysmes existent. Quand j'étais enfant, je me demandais pourquoi il y avait des moustiques et l'on me répondait : mon petit bonhomme, c'est parce que l'homme est pécheur ! Je ne vois pas le rapport qu'il y a entre le péché de l'homme et cet animal qui bourdonne et empêche de dormir...

Même si tout mal et toute souffrance ont pour origine une ancienne démarche libre de l'homme, cela ne supprimerait pas le scandale de la souffrance pour une conscience qui souffre sans avoir elle-même causé

2. M. SCHELER, *L'homme du ressentiment*, p. 73.

sa souffrance. Après tout, je ne suis pas responsable du péché d'Adam et l'Église le reconnaît. Le péché n'est pas employé dans le même sens s'il s'agit du péché originel ou s'il s'agit du péché actuel que, moi, je commets. Le problème rebondit : reste à savoir pourquoi l'homme use si mal de sa liberté et quelle puissance mauvaise ou quel penchant incline si fréquemment la volonté à vouloir le mal. Il ne semble pas que la seule finitude de la créature, son imperfection, suffise à rendre compte de la fréquence et de l'intensité de toutes ces défaillances de la volonté qui s'appellent péché ou crime.

Toute tentative de justification ou d'explication du mal échoue. La conscience continue de protester. En toutes ces argumentations, la conscience dénonce quelque chose qui est radicalement insuffisant, pour ne pas dire dérisoire.

... peut devenir un mystère de purification

Notre protestation scandalisée contient peut-être un enseignement : ne peut-elle pas nous amener à prendre, en face du problème du mal, une autre attitude ? Au lieu de chercher à tout prix en Dieu la justification du mal, ne faut-il pas découvrir Dieu au sein même de notre protestation et de nos efforts pour supprimer le mal ou, au moins, le surmonter ? « Dieu se manifeste dans la larme versée par l'enfant qui souffre et non dans l'ordre du monde qui justifierait cette larme » (Berdiaeff)[3].

Le chrétien, je dirai même le philosophe, est invité à se détourner d'une explication du mal qui ne peut être que stérile et insuffisante pour se tourner vers l'attitude concrète que l'homme doit prendre en face du mal. Il faut renoncer définitivement à trouver au mal et à la souffrance une explication, une fonction, une finalité. Même à l'intérieur de la foi, il n'y a pas d'explication au mal. Le péché originel n'est pas du tout une explication de l'origine du mal. La foi n'est pas faite pour expliquer les choses (c'est à la science ou à la philosophie que revient cette tâche). Dieu n'explique pas le problème du mal, il n'est pas un professeur qui nous donnerait des réponses de professeur à des questions que nous lui poserions. Il ne répond pas à notre curiosité intellectuelle. Le mal n'est pas fait pour être compris mais pour être combattu.

3. BERDIAEFF, *Esclavage et liberté de l'homme*, p. 96.

Le mal est un non-sens, la souffrance est absurde. Impossible de leur trouver un sens, mais peuvent-ils prendre un sens ? Puis-je, moi, avec ma liberté, leur donner un sens ? Berdiaeff dit bien : « Objectivement, c'est le non-sens qui règne ici-bas sur la vie (il va loin!) mais la vocation de l'esprit est de lui donner un sens. » Pour cela, je vous propose quelques réflexions très simples.

1° *Maintenir les exigences de la conscience*

Il faut d'abord lucidement reconnaître le mal et refuser les fausses solutions. Il s'agit pour le chrétien, non pas de voiler le mal comme s'il était nécessaire pour mieux faire saillir la bonté de Dieu, mais, tout au contraire, de le reconnaître partout où la conscience le dénonce. Il faut maintenir très fermement les aspirations et les exigences de la conscience. Ce sont les progrès de la conscience qui font apparaître des formes de plus en plus nombreuses du mal et de l'injustice dans le monde. Il n'y a pas tellement longtemps, les chrétiens n'estimaient pas scandaleux le fait qu'on faisait travailler des gamins de huit ans, la nuit, dans les boulangeries.

Ce sont les progrès de la conscience qui font apparaître que, dans bon nombre d'institutions sociales et politiques, il y a des choses qui ne vont pas et qu'il faut réformer. C'est lorsque l'inertie de la conscience est secouée que de nouvelles formes du mal apparaissent auxquelles elle était d'abord insensible. Nous devons rester capables d'indignation et de colère. Il y a de saintes colères. Il nous faut refuser énergiquement le dilettantisme, le pharisaïsme et le fanatisme qui entendent « résoudre dans l'histoire, le problème du mal par des techniques d'écrasement » (E. Borne). Ne nous résignons pas au mal, restons capables de le dénoncer, et toujours avec davantage de lucidité.

2° *La vocation à la joie est plus forte que le mal*

La révolte de la conscience devant le mal serait une absurdité si elle ne s'enracinait pas dans une certitude. A moins de se résigner à l'absurdité de nos aspirations les plus fondamentales vers la justice, le bien, l'amour, la fraternité, à moins d'accepter de dire que tout cela n'est qu'illusion, il faut bien admettre, derrière le refus ou le scandale du mal, une aspiration qui, d'une certaine manière, nous assure déjà que le mal est surmonté. N'est-ce pas parce que nous sommes faits pour la joie, parce que notre vocation est le bonheur, que nous protestons contre le mal et la souffrance ? J'affirme que si notre vocation, qui est gravée au cœur de notre conscience, n'était pas une vocation à la joie, notre indignation contre le mal et la souffrance ne serait pas ce qu'elle est.

Par le salut proposé en Jésus Christ, c'est, en définitive, la Joie qui sera victorieuse. Le Christ nous dit bien : « Je veux que là où je suis, vous soyez avec moi » (Jn 14, 3). Divinisés, introduits au cœur même de la Trinité, participant à ces relations d'amour qui sont celles des Trois Personnes, nous nous donnerons les uns aux autres le Don que les Trois Personnes se font d'Elles-mêmes, l'une à l'autre. Notre joie sera la Joie même de Dieu.

3° *Passer de l'avoir à l'être*

C'est dans la foi qu'il nous est possible de donner un sens à ce non-sens qu'est la souffrance. Je ne dis plus maintenant : le mal, je dis : la souffrance. Le mal : il n'y a qu'une chose à faire, c'est retrousser ses manches et travailler autant qu'il est possible à le diminuer, sinon à le supprimer. La souffrance : je vous invite ici à vous situer à ce que j'appellerai l'extrême pointe de la foi chrétienne. Quand on est devant la chaîne du Mont-Blanc, au coucher du soleil, à Combloux par exemple, on voit l'ombre qui gagne la montagne, qui monte peu à peu; puis vient un moment où il n'y a plus qu'un point lumineux, une aigrette, c'est le sommet qui est encore illuminé par le soleil couchant, le quatre mille huit cent septième mètre et, tout à coup, tout s'éteint. Pour que la souffrance ne nous soit pas un scandale, il faut qu'elle soit pour nous un mystère de purgatoire corrélatif du mystère du ciel, je veux dire : mystère de purification.

S'il ne s'agissait que de contempler Dieu éternellement, comme un beau spectacle ou une belle œuvre d'art, une purification aussi complète, aussi totale, brûlant jusqu'à la racine de l'égoïsme ne serait peut-être pas absolument nécessaire. Mais, puisque le Dieu vivant n'est qu'Amour, puisque ma vocation d'homme est d'entrer en Lui pour vivre à jamais de sa Vie et être rendu capable d'aimer comme Il aime, il me faut bien admettre que pas un atome d'égoïsme ne peut subsister là où il n'y a que de l'amour. C'est pourquoi la plus haute joie, ce qui fait que nous sommes chrétiens — ne faire qu'un éternellement avec l'amour infini — s'accompagne nécessairement de la plus haute exigence : être moi-même tout entier amour, être purement, c'est-à-dire uniquement, amour, sans aucune attention à moi, regard sur moi, repliement sur moi.

Or, il est bien certain qu'il y a en nous autre chose que de l'amour. Plus profonde que tout autre, il y a en nous cette souffrance, qui est une noblesse en même temps qu'un aveu, de ne pouvoir aimer personne sans nous aimer nous-mêmes davantage. Lorsque je dis à quelqu'un : je t'aime, je ne suis jamais absolument sincère; trop souvent et toujours un peu, celui ou celle à qui je dis que je l'aime, est un moyen pour l'amour que je me porte à moi-même. Lorsque je pleure un être cher, c'est toujours un peu sur moi que je pleure. Nous savons que notre impureté essentielle consiste en ce que nous nous appartenons à nous-mêmes. Propriété et amour s'excluent rigoureusement. Or, nous ne pouvons faire qu'en cette vie mortelle nous ne soyons des propriétaires, non pas de biens matériels, mais de nous-mêmes. Pour être à Dieu, il ne faut pas être à soi. Pour ne plus être à soi, il faut être arraché à soi. Mais l'arrachement à soi est précisément ce que nous appelons la souffrance.

Toute souffrance peut être comprise, c'est le sens que je peux lui donner, comme une mort partielle, une ébauche de mort. La souffrance est le pion avancé de la mort tout au long de la vie. La mort est le passage de l'avoir à l'être ou de l'égoïsme à l'amour. Ces termes ici sont interchangeables : l'avoir, c'est l'égoïsme, l'être, c'est l'amour. « Bienheureux les pauvres » veut dire : bienheureux ceux qui sont et qui aiment. Comme Dieu. Pour être vraiment, il faut que je sois dépouillé de mon avoir. Ce dépouillement, c'est la souffrance. Et la mort finale n'est pas autre chose que la fin de ce mouvement d'expropriation qui me jette hors de moi pour que, n'ayant plus rien à moi, je sois tout à Dieu et au Christ, pure relation à l'Autre et aux autres, ce qui est la définition même de l'amour. Moyennant quoi, je pourrai enfin entrer dans l'amour.

L'Église est tellement pénétrée de la grandeur de l'Amour de Dieu et de la profondeur d'enracinement de l'égoïsme dans l'homme qu'elle croit que le purgatoire se poursuit au-delà de la mort, tellement Dieu est immense et profond! Tellement je suis collé, en quelque sorte, à moi-même, englué dans le monde de l'avoir! Le suprême passage de l'avoir à l'être, c'est le purgatoire qui l'opère enfin. « Le passage de l'avoir à l'être est la seule vérité terrible du christianisme, je n'en connais pas d'autre » (Nédoncelle). Il y a, dans *Partage de Midi* de Claudel, une petite phrase que Mesa répète obstinément et qui est très éloquente : « Cela, du moins, est à moi. » Précisément, il faut que cela ne soit plus à toi; sinon, tu n'entreras pas dans l'amour éternel qui n'a rien à lui parce qu'Il est tout et que ce tout est un tout donné.

Ma santé, du moins, est à moi : souffrance de la maladie qui t'arrache la santé.

Mon intelligence, du moins, est à moi : souffrance de l'humiliation ou de la déchéance intellectuelle.

Job : sept mille brebis, trois mille chameaux, cinq cents paires de bœufs, cinq cents ânesses et un très grand nombre de serviteurs : cela, du moins, est à moi. Quand il n'eut plus rien à lui, il dit : « Je suis sorti nu du ventre de ma mère, nu je retournerai dans le ventre de la terre » (1, 21). Il a raison, sauf qu'il ne s'agit pas du ventre de la terre mais du sein même de Dieu : on n'y peut entrer que nu.

Je dirai avec une voix d'infirmière ce qui suit :

Ma femme, du moins, était à moi, mon mari, du moins, était à moi. C'est vrai et, selon le désir de Dieu, vous n'étiez elle et toi, lui et toi, qu'une seule chair. Mais reconnais donc qu'en l'aimant, tu t'aimais un peu toi-même. Désormais, tu n'as plus sa présence sensible qui te charmait et qui te comblait toi-même : maintenant, tu l'aimes, elle, sans t'aimer aucunement, toi.

Mon enfant, du moins, était à moi, ma mère et sa tendresse étaient à moi : voici les deuils.

Mon succès était à moi : voici l'échec.

Mon passé était à moi : voici que, déjà, mes facultés s'altèrent et mon passé commence à ressembler à la maison d'un autre.

Ma vie, du moins, était à moi : voici la mort où l'on entre absolument seul en emportant avec soi uniquement ce que l'on a donné. Ce qu'on n'a pas donné reste là et pourrit peu à peu, mais ce que l'on a donné s'est transformé en être et on l'emporte avec soi pour l'éternité. Car notre être se construit de ce que nous donnons, à l'image de Dieu qui est, Lui, si l'on peut dire, éternellement construit de son propre Don.

Voici trois textes, pour finir, l'un d'un philosophe, l'autre d'un romancier et le troisième d'un savant.

Maurice Blondel écrit : « L'homme ne peut gagner son être qu'en le reniant en quelque façon pour le rapporter à son principe et à sa fin. Renoncer à ce qu'il a de propre et anéantir ce néant qu'il est (anéantir tout ce qui, en nous, est néant, c'est-à-dire tout ce qui n'est pas amour), c'est recevoir cette vie pleine à laquelle il aspire, mais dont il n'a pas la source en soi. Il faut donner le tout pour le tout... »

André Gide, dans les années qui suivirent la guerre de 14-18 et où il était très près de la conversion religieuse, écrit : « Celui qui aime sa vie, son âme, qui protège sa personnalité, qui soigne sa figure dans ce monde, la perdra. Mais celui qui en fera l'abandon, la rendra vraiment vivante et lui assurera la vie éternelle : non point la vie futurement éternelle mais la fera déjà, dès à présent, vivre à même l'éternité. Si le grain ne tombe en terre et ne meurt, il ne portera pas de fruit. Résurrection dans la vie totale. Oubli de tout bonheur particulier. »

J'ajoute, avec Teilhard de Chardin : « Si nous entendons pleinement le sens de la Croix, nous ne risquerons plus de trouver que la Vie est triste et laide. Nous serons seulement devenus plus attentifs à son incompréhensible gravité. » Et, préfaçant le livre où sont consignées les notes de sa sœur, qui fut toute sa vie une grande malade, il écrit : « O Marguerite, ma sœur, pendant que, voué aux forces positives de l'Univers, je courais les continents et les mers, passionnément occupé à regarder monter toutes les teintes de la terre, vous, immobile, étendue, vous métamorphosiez silencieusement en lumière, au plus profond de vous-même, les pires ombres du Monde. Au regard du Créateur, dites-moi, lequel de nous aura-t-il eu la meilleure part ? »

CONCLUSION

L'Eucharistie récapitule tout[*]

Le mystère de l'Eucharistie est d'une telle profondeur, ses aspects en sont tellement divers et complexes qu'on ne peut espérer, en une conférence, en épuiser le contenu. En effet, l'Eucharistie est la récapitulation de tout, le point à partir duquel toutes les lignes divergent et vers lequel elles convergent. C'est l'unité de Dieu et de l'homme dans le Christ; du passé, du présent et de l'avenir; de la nature et de l'histoire; de l'accueil et du don; de la mort et de la vie, etc. Je ne puis que me borner à quelques aspects, ceux qui me sont chers.

Union au Christ qui se donne en nourriture

L'Eucharistie est le sacrement du Christ qui se donne en nourriture aux hommes pour les transformer en Lui-même et ainsi constituer son Corps mystique qui est l'Église (« mystique » ne s'oppose pas à « réel »). Pour comprendre cela, il faut toujours revenir à ce qui est dit dans la

* *Manuscrit :* composé de nombreuses notes avec des résumés de lecture d'articles de R. Didier, C. Duquoc (*Lumière et Vie*, n° 94); X. La Bonnardière et M. Maschino (*Promesses*, juin 1970) et des notes de cours du Père E. Pousset. — *Polycopies :* Belleville (mardi saint 1967); Le Péage-de-Roussillon (9 janvier 1969); Boulogne (15 décembre 1970); Mâcon (21 janvier 1971); texte polycopié sans indication de lieu (antérieur à août 1972); Annecy (5 avril 1973); Belleville (10 mars 1974); Pau (10 avril 1974); Montauban (17 février 1976).

première conférence : le dessein fondamental de Dieu est de s'unir tous les hommes dans l'amour et de leur faire partager sa Vie propre[1]. Comme je ne cesse de vous le répéter, Dieu a partagé notre humanité pour que nous partagions sa divinité. En d'autres termes, notre humanité est en vue de notre divinisation, la création est pour l'Alliance.

L'Alliance est, en effet, la réalité majeure de la Bible, avec ses différentes étapes depuis Noé jusqu'à Jésus Christ qui consacre « le calice de la Nouvelle et Éternelle Alliance ». Elle n'est pas une union juridique mais une union d'amour. Voilà pourquoi, d'un bout à l'autre de la Bible, circule le symbolisme du mariage. Et la Tradition a toujours uni très étroitement le sacrement de mariage au sacrement de l'Eucharistie.

Dieu crée l'humanité pour l'épouser et il l'épouse en s'incarnant. Épouser au sens le plus fort, c'est-à-dire ne plus faire qu'une seule chair avec elle. Dieu veut être avec l'humanité tout entière une seule chair. Tel est le fond des choses. Nous savons que le vœu profond de l'amour conjugal ne s'arrête pas à l'étreinte de deux corps qui restent extérieurs l'un à l'autre. Le vœu de l'amour est la fusion, sans confusion, dans laquelle chacun ne veut plus subsister que pour se laisser consommer par l'autre en devenant, en quelque sorte, sa nourriture, la chair de sa chair.

Le symbolisme du baiser est très éloquent. C'est le commencement du geste de manger. Les mamans disent que leurs enfants « sont à croquer ». On voudrait manger l'autre et se laisser manger par lui pour être la chair de sa chair. Je t'aime, cela veut dire : je veux me laisser consumer et consommer par toi, c'est toi qui es ma raison de vivre. L'homme et la femme ne parviennent pas à réaliser le vœu de leur amour parce que leurs corps qui sont les instruments de leur union sont, en même temps, obstacles à l'union totale. Leur vœu ne s'accomplit pas, car il implique une mort à la nature et à l'histoire. Il faut mourir à cette nature qui fait que nous demeurons extérieurs les uns aux autres et que même les moments d'union très intime ne sont pas la fusion vraiment totale et ne durent qu'un instant. Devenir vraiment la chair de la chair de l'autre, de celui que j'aime implique la mort.

C'est le grand rêve du romantisme allemand : dans l'opéra de Wagner, Tristan et Isolde chantent qu'ils ne pourront connaître la plénitude de l'amour que par la mort. Au deuxième acte, l'amour et

1. Le Père VARILLON, dans cette première partie, reprend, en les développant, des notes de cours du Père POUSSET.

la mort s'entrelacent dans des thèmes musicaux admirables qui deviennent indiscernables l'un de l'autre. C'est très beau mais finalement, c'est absurde parce que la mort n'accomplit pas l'amour. Elle y met plutôt un obstacle brutal. C'est pourquoi, ici-bas, le vœu profond de l'amour n'est jamais réalisé en plénitude. Entrer dans l'amour, c'est entrer dans la joie mais c'est aussi entrer dans la souffrance. C'est l'inévitable souffrance de l'inachèvement de l'amour. Le vœu suprême de l'amour ne peut pas être exaucé au plan de l'existence naturelle, la nature de l'homme s'y oppose.

Le Christ, lui, parce qu'Il est Dieu et sans péché, peut renoncer à son être naturel et historique immédiat. Il peut mourir au monde des limitations corporelles sans cesser d'être pour l'humanité l'Époux qui se donne. C'est pourquoi, au-delà de la mort, mais seulement au-delà de la mort, le Christ accomplit le vœu suprême de l'amour. Le Christ qui meurt et ressuscite se fait lui-même nourriture afin de véritablement devenir la chair de la chair de l'humanité beaucoup plus radicalement qu'en une étreinte qui ne rapproche deux corps qu'un seul instant. Dieu, dans l'Eucharistie, épouse véritablement l'homme. A la base du mystère eucharistique, il y a cette idée de nourriture, elle est absolument essentielle.

L'Eucharistie n'est donc pas seulement un repas que l'on prend ensemble et où l'on s'unit les uns aux autres. Certes cet aspect est important mais il est insuffisant. L'union, avant d'être celle des hommes entre eux par le repas qui est partagé, est d'abord l'union de chacun au Christ qui se donne en nourriture. C'est en conséquence que le Christ unit entre eux ceux qui communient. Si le symbolisme est pris simplement au niveau du repas comme être-ensemble, il n'exprime pas la réalité la plus fondamentale qui est celle d'une fusion achevant l'amour entre époux.

Pour comprendre cela, il faut être bien persuadé que l'Incarnation de Dieu ne se termine pas au Christ mais à l'humanité tout entière. Tant que nous imaginerons que l'Incarnation, c'est Dieu qui s'unit à un homme appelé Jésus, nous ne comprendrons rien. Le fond des choses, c'est que Dieu s'unit ou épouse l'humanité tout entière par le Christ. Dieu s'est fait homme pour que tous les hommes soient divinisés. L'Eucharistie est l'universalisation de l'œuvre du Christ.

Ce qui est primordial dans l'Eucharistie, ce n'est pas simplement la présence du Christ. Le Christ n'est pas là pour être là, il est là pour se donner à nous en nourriture afin que l'union entre lui et nous soit la plus totale possible. L'Eucharistie n'est pas d'abord une présence, elle est une union et l'union implique la présence.

Présence réelle

Certes la présence du Christ dans l'Eucharistie est une présence réelle. Elle est même la plus réelle de toutes les présences car elle est une présence réalisante. L'Eucharistie réalise la présence du Christ dans nos actes libres : « Qui mange ma chair et boit mon sang a la Vie en lui » (Jn 6, 54), c'est tout ce qu'il y a de plus réel! Je vous rappelle, une fois de plus, la distinction entre le plan de la signification et celui de l'explication. La foi se situe toujours au niveau de la signification. Le mystère eucharistique signifie que le Christ se donne en nourriture pour nous unir à Lui, en nous unissant les uns aux autres d'une manière telle que par nous-mêmes nous ne saurions y parvenir. Cette énergie unissante implique sa présence réelle. Mais cette signification ne repose pas sur de l'absurde. La question de l'explication ou du « comment » de la présence réelle relève de la philosophie; pour l'aborder, il est nécessaire de faire appel à des concepts philosophiques.

Je me contente de rappeler qu'il n'y a pas opposition entre signe ou symbole et réalité. Faites-en l'expérience en posant deux questions à un enfant :

— Qu'est-ce qu'une poignée de main ? Il ne vous répondra pas qu'elle est une certaine dépense d'énergie musculaire provoquée par la pression de deux paumes l'une contre l'autre. Il vous répondra : elle est le signe de la bonne entente, de la camaraderie, de l'amitié. La réalité d'une poignée de main est d'être un signe.

— Qu'est-ce qu'un feu rouge ? L'enfant commencera par se moquer de vous puis il ne vous dira pas que c'est une lampe allumée derrière un verre coloré mais une interdiction de passer; le signe est la réalité du feu rouge.

Par ces exemples élémentaires, nous comprenons que le signe n'est pas quelque chose d'extérieur à la réalité mais qu'il est la réalité même dans ce qu'elle a de plus profond. Dire que les sacrements, à commencer par l'Eucharistie qui est le Sacrement par excellence, sont des signes et des « signes efficaces »[2] ne veut pas dire du tout qu'ils soient en dehors de la réalité mais qu'ils sont la réalité la plus profonde.

2. Pour de plus amples développements sur cette expression, voir *Éléments de doctrine chrétienne*, II, p. 180.

Signe efficace de la tâche humaine accomplie

On dit parfois que, dans l'hostie consacrée, le Corps du Christ remplace le pain : c'est une hérésie, il faut le savoir. Si l'on procédait, dans un laboratoire, à l'analyse chimique d'une hostie consacrée, on n'y trouverait pas autre chose que les éléments qui composent le pain. Cette remarque est tout à fait élémentaire mais je m'aperçois qu'elle n'est pas une évidence pour tout le monde. Il n'a jamais été question dans l'Église de croire que les paroles de la Consécration changeaient la structure physico-chimique du pain. C'est bien pourquoi l'expression classique, issue du Concile de Trente, « transsubstantiation », c'est-à-dire changement de la substance du pain en la substance du Corps du Christ, ne peut plus être employée sans être longuement expliquée. Car le mot substance n'a plus de nos jours le sens qu'il avait au XVIe siècle.

Dire que le Christ vient remplacer le pain, cela équivaudrait à dire que Dieu s'incarne pour remplacer l'homme, comme s'il nous disait : ôte-toi de là que je m'y mette, car tu n'es bon à rien! ta vie, tes sueurs, ta grossesse, l'éducation de tes enfants, tout cela n'est presque rien : moi, je viens et je prends ta place! Si le Christ prenait la place du pain, ce serait abominable. Un tel Dieu qui se ferait homme pour remplacer l'homme n'existe pas et, s'il me fallait croire en ce Dieu-là, soyez sûrs que je serais athée. Les « maîtres du soupçon » que sont Marx, Nietzsche, Freud, pour parler comme Ricœur, auraient raison de soupçonner la foi d'être une vaste mystification ou aliénation. C'est ma dignité d'homme qui m'interdit de croire que le Christ vient me remplacer.

Le Christ ne remplace pas le pain, pas plus que la femme ne remplace pas la petite fille; c'est la petite fille qui devient femme. Ce n'est pas le papillon qui remplace la chenille, c'est la chenille qui devient papillon. Ce n'est pas un autre qui vient prendre ma place, c'est le même qui devient autre. Pour ma part, je n'aime pas beaucoup qu'on parle de l'autre monde car, en rigueur de termes, il n'y a pas d'autre monde. Le monde de notre vie éternelle est le monde tout court mais qui devient autre. Être remplacé par un autre ou devenir soi-même tout autre, c'est tout de même différent. Lorsque saint Paul nous affirme que nous sommes des « membres du Christ » (1 Co 12, 27), une telle expression ne supprime pas notre qualité d'homme, notre personnalité humaine. Ce n'est pas le membre du Christ qui vient remplacer l'homme, c'est l'homme qui devient membre du Christ.

Ou, en nous référant à notre vocabulaire, c'est précisément lorsque l'homme est divinisé qu'il est pleinement humanisé, s'il est vrai que c'est le même, le Christ, qui est, à la fois, pleinement homme et pleinement Dieu. Il ne peut pas nous faire devenir ce qu'il est sans à la fois nous humaniser et nous diviniser.

De bonnes religieuses croyaient bien faire en me présentant avec beaucoup d'admiration un petit livre destiné à faire comprendre aux enfants la présence réelle. Sur la première page de cette brochure, une hostie était dessinée; entre la première et la seconde page, il y avait une tirette; il suffisait de dire à l'enfant, tire et tu verras! L'enfant tirait, l'hostie s'en allait et, à la place de l'hostie, on voyait apparaître le Christ tout souriant. J'ai regardé ces religieuses avec une certaine ironie mêlée d'affection et je leur ai dit : « Mes sœurs, vous êtes hérétiques. » Elles étaient sidérées : « Mon Père, vous exagérez ? — Pas du tout! Le Concile de Trente a refusé le mot substitution. Le Christ ne vient pas se substituer au pain, le mot du Concile de Trente est celui de " conversion eucharistique ". Ce mot est peut-être difficile à faire comprendre actuellement à des auditoires peu cultivés mais c'est le pain qui devient le Christ et non pas le Christ qui vient remplacer le pain. »

Les religieuses ont compris : si Dieu s'est fait homme, ce n'est tout de même pas pour supprimer l'homme. Certains s'imaginent que Jésus ressuscité tombe du ciel dans un morceau de pain, sans quoi il ne saurait pas où se mettre pour être le plus proche possible. On apporte sur l'autel un support qui a le grand avantage d'être comestible, on le mangera parce que c'est ainsi que le Christ sera le plus intimement présent... Parler ainsi est épouvantable et, sans s'en rendre compte, on fabrique des verges pour se faire battre. Ne confondons pas proximité et présence transfigurante.

A l'Exposition universelle de Paris, au moment de l'inauguration de la tour Eiffel, mon père fut très intéressé par la galerie des machines sur le Champ-de-Mars. C'était prodigieux. On assistait à toute la transformation du bois en papier. A un bout de la galerie, on voyait des troncs d'arbres arrivant de la forêt et, à l'autre bout, après toute la série des transformations (sciage des troncs, fabrication de la pâte à papier, etc.), on voyait le papier; c'était l'histoire du papier.

Imaginez qu'au lieu de faire assister le spectateur à l'histoire du papier, on ait décidé de le faire assister aux étapes de l'histoire du pain. C'est exactement la même chose, à une nuance près, qui est très importante : on peut, à la rigueur, se passer de papier, mais on ne peut pas se passer de pain, car il touche à la vie de plus près.

A un bout de la galerie, les sacs de blé qui sont déjà le fruit du travail de l'agriculture arrivent de la campagne, puis toute la série des transformations se déroule et, à l'autre bout de la galerie, le pain sort du four du boulanger. C'est l'histoire du pain, c'est-à-dire l'histoire du travail sous les espèces du pain, finalement l'histoire de l'homme. Car il est très vrai que, dans l'histoire d'un homme, le travail a une place importante, puisque même la vie privée, même l'amour, même les loisirs sont conditionnés par le travail.

Si l'on veut échapper à l'abstraction et, du même coup, à la mythologie, il faut saisir l'homme dans sa réalité. Or l'homme n'est saisi dans sa réalité que lorsqu'il est saisi dans son histoire; l'homme abstrait n'existe pas. L'homme réel, l'homme que Jésus Christ saisit pour le transformer est l'homme qui vit une histoire : homme ou femme, célibataire ou marié, avec ou sans enfants, chômeur ou au travail, etc.

Pour ma part, quand j'ai un peu de temps, j'aime beaucoup, avant de célébrer la messe, prendre, dans ma main, une hostie qui n'est pas consacrée et méditer devant ce morceau de pain. Il y a d'ailleurs deux expressions synonymes : gagner sa vie et gagner son pain; le pain, c'est la vie. Et je me dis : comment Dieu regarde-t-il ce morceau de pain ? Il ne le voit pas comme il verrait un caillou. Car ce pain est le résultat de toute une histoire. Pour que je puisse le tenir dans mes mains, il a fallu le travail du laboureur, du semeur, sans parler de tous ceux qui ont fabriqué la charrue; il a fallu ensuite le travail des moissonneurs et de ceux qui ont fabriqué la moissonneuse-lieuse, puis le travail du meunier, du boulanger, donc tous les corps de métiers qui ont fabriqué le pétrin du boulanger, etc. Ce pain est le fruit de la transformation de la nature. Notre œuvre, notre tâche humaine est l'humanisation de la nature, la transformation du monde pour qu'il devienne humain. C'est bien pour cela qu'il faut être si sévère pour un travail qui n'humanise pas vraiment. Si la matière sort ennoblie de l'atelier et si l'homme en sort avili, c'est un véritable scandale. Il y a là une amorce de dialogue avec les marxistes puisque cette idée que l'homme se fait homme dans et par le travail est à la base du marxisme.

Si l'on en reste là, c'est fini. L'histoire de l'homme reste purement humaine, elle boucle sur elle-même : ce pain, on va le manger et puis on continuera à travailler, à transformer la nature et à produire du pain, il n'y a pas de débouché au-delà de l'histoire. Mais si je porte ce pain sur l'autel, le Christ en fait son propre Corps, il divinise ou christifie ce que, moi, j'ai humanisé. La prière de la préparation du pain et du vin est excellente : « Nous te présentons ce pain, fruit de la terre et du travail des hommes : il deviendra le pain de la vie. Nous te présentons ce vin, fruit de la vigne et du travail des hommes : il deviendra le vin du Royaume éternel. »

Si le morceau de pain que je porte à l'autel n'est pas l'homme, il n'y a plus grand-chose à comprendre à l'Eucharistie, sinon un Christ qui tombe du ciel dans un morceau de pain pour devenir notre nourriture au sens où cela nous consolera, nous fortifiera, nous permettra de lutter contre les tentations : nous retombons dans un moralisme proprement infantile, dans lequel il est impossible que puissent entrer nos contemporains. Le vrai est que toute l'histoire de l'homme devient le corps du Christ. Elle ne cesse pas pour autant d'être une histoire humaine, mais elle débouche sur un au-delà de l'homme qui est sa véritable vocation. Et c'est quand l'homme devient véritablement Corps du Christ qu'il devient pleinement homme.

Ne pouvons-nous pas, pour éduquer les enfants, fabriquer des films de court-métrage où l'on verrait toute l'histoire de l'hostie, depuis le labourage jusqu'à l'autel ? L'hostie n'existe qu'au terme de toute une transformation de la nature par l'homme et le Christ divinise, christifie ce que l'homme a déjà transformé en accomplissant sa tâche humaine. L'Eucharistie est le signe efficace de la tâche humaine accomplie.

Il paraît que, dans une sacristie désaffectée de Leningrad, lors de la révolution de 1917, les communistes ont jeté tous les vases sacrés et ont mis symboliquement à leur place leurs instruments de travail. Ils ont bien fait d'apporter leurs instruments de travail mais il aurait fallu les mettre dans les vases sacrés au lieu de jeter ceux-ci. Une telle histoire, si elle est vraie, est tout à fait typique du malentendu formidable qu'il y a à l'heure actuelle et dont nous, chrétiens, sommes en partie responsables, car nous avons oublié que Jésus Christ est homme. Si Dieu s'est fait homme, ce n'est tout de même pas pour court-circuiter l'homme !

La remarque d'une jeune fille engagée par rapport à la guerre du Vietnam, d'une manière d'ailleurs très intelligente, me revient aussi en mémoire : « La messe, j'en ai ras le bol ! Mes parents veulent m'obliger à y aller !

— Voyons, lui dis-je, je pense que vous saisissez bien le lien entre l'Eucharistie et votre engagement politique ? »

Elle me regarde en croyant que je devenais fou : « Absolument pas ! »

« Oh ! alors, si vous ne saisissez pas ce lien, je comprends très bien que vous n'alliez plus à la messe. Qu'iriez-vous y faire ? En effet, si vous allez à la messe, c'est pour que le Christ divinise toute votre activité engagée, c'est pour que le Christ donne une dimension de Royaume éternel à toute votre tâche humaine. Votre travail à vous ne consiste pas à faire du pain, mais à établir la paix entre les hommes. C'est une activité qui est transformante. Toute activité humaine humanisante est transformante, qu'il s'agisse du niveau modeste des relations entre époux, entre parents et enfants, entre enseignants et lycéens, etc., ou qu'il s'agisse des institutions. A la communion, le Christ se donne à nous en nourriture pour que nous ayons non seulement une énergie humaine, mais une énergie véritablement divine pour travailler à construire la communauté humaine fraternelle. Car, sans le Christ, nous ne pouvons rien faire » (Jn 15, 5).

Le Christ est donc présent non pas comme quelqu'un qui tombe du ciel mais comme étant le fruit de la transformation divinisante qu'il opère dans ce mystère le plus central de notre foi qu'est l'Eucharistie. L'hostie consacrée n'est pas seulement le Christ, c'est aussi l'homme christifié.

Sacrifice

Ceci doit nous permettre de comprendre comment l'Eucharistie est le sacrement d'un Sacrifice. Ce mot est dévalué, détourné de son sens originel dans le langage courant : faire le sacrifice d'une situation ou d'une partie de plaisir; on dira à l'enfant : tu feras le sacrifice d'un morceau de chocolat. Nous avons pris l'habitude d'identifier sacrifice et privation et nous n'allons plus à la racine des choses.

Il devient très difficile de comprendre que l'acte sacrificiel est l'acte par lequel on se réfère à Dieu (étymologiquement sacrifice signifie : faire du sacré, du divin). C'est ce qu'il y a de plus haut dans l'existence humaine, il est ce par quoi nous ratifions notre vocation profonde qui est de nous épanouir en Dieu, dans l'Absolu. Le sacrifice n'est pas d'abord une privation mais l'orientation positive de tout notre être, de toute notre vie vers Dieu. Et se donner à Dieu est la seule façon d'être vraiment soi-même. Dieu est Amour. L'homme n'est pleinement homme que s'il est pour Dieu.

Cela implique, bien entendu, une privation parce que, dans un monde de péché, on ne peut pas à la fois vivre pour Dieu et vivre pour soi, être référé à l'Autre en même temps qu'on se réfère à soi. Être une pure référence à Dieu, c'est renoncer à être à soi-même son propre centre. Nous connaissons notre égoïsme, nous savons bien que, dans nos actes les plus généreux, nous nous replions sur nous-mêmes. Quel est celui d'entre nous qui oserait affirmer : moi, je n'existe que pour Dieu et mes frères les hommes ? Comprenons bien que, dans le vocabulaire de l'Église (méfions-nous toujours des mots que nous ne comprenons plus!), cela reviendrait à dire : je suis capable d'offrir un sacrifice parfait.

Dans l'histoire du monde, si nous mettons à part le cas particulier de la Vierge Marie, il n'y a qu'un seul homme dont nous puissions dire que toute son activité, toute sa vie a été un sacrifice. La vie de Jésus Christ est une référence continuelle à Dieu. Dans son être profond — c'est pour cela que nous croyons en Lui et que nous savons qu'Il est le Centre de tout —, Il est le seul qui n'a jamais posé un acte libre pour Lui-même mais dont tout acte libre a été Amour. Toute sa vie n'a été que Charité. Pas la moindre trace de repliement sur soi, de volonté de soi, de regard sur soi, de mouvement d'égoïsme. Tout l'être du Christ est un être sacrificiel. Le Christ est l'Homme parfait, en ce qu'il est pure, absolue référence à Dieu et aux autres. Je dis : aux autres car, je le répète, il n'y a pas d'opposition entre l'homme et Dieu. Dieu ne nous demande pas autre chose que de travailler pour le vrai bonheur de nos frères humains. Si ce que nous faisons pour l'homme est vraiment pour le bien profond de l'homme, du même coup, c'est pour Dieu.

C'est dans sa mort sur la croix que culmine le Sacrifice du Christ. Car la mort seule peut fournir la preuve qu'on ne vit pas pour soi. Nous savons bien que c'est toujours plus ou moins par lâcheté que nous essayons d'échapper à la mort. S'il ne s'agit pas de la mort définitive, totale, il s'agit de cette mort partielle qu'est la diminution du confort, le renoncement à certains privilèges, bref tout ce qui nous arrache à notre égoïsme et à notre paresse. D'où le mot admirable de Péguy : « La vie n'existe que pour être donnée. »

L'Eucharistie est le Sacrifice du Christ, c'est l'Amour qui n'est qu'Amour, qui donc va jusqu'à la mort et d'où surgit la nouvelle naissance, la Résurrection. De deux choses l'une : ou bien l'amour est plus fort que la mort, ou bien la mort est plus forte que l'amour. Le mystère pascal signifie que l'amour est plus fort que la mort. C'est vrai pour le Christ et c'est vrai pour nous si le Christ n'est pas un étranger, si nous tenons à lui comme les membres au corps. Il suffit d'avoir le cœur bien placé pour comprendre qu'une vie n'est pas authentique si ce n'est pas une vie sacrifiée, c'est-à-dire avec un passage en Dieu. C'est de cela que l'Eucharistie est signe.

Action de grâces

Étymologiquement, Eucharistie signifie action de grâces. Ce n'est pas par hasard. Le sens premier de grâce est celui de beauté; de là, on passe à l'idée de gratuité, donc à l'idée de don. Le véritable don est gratuit. Le don suprême est le pardon, c'est-à-dire le don parfait, d'où l'expression « faire grâce » (le droit de grâce appartient au chef de l'État). Rendre grâces, c'est reconnaître que tout est grâce, d'où la reconnaissance au sens de gratitude. Si tout est grâce, tout doit être retour de grâces. Il est dommage que nous n'ayons pas le substantif reddition de grâces.

Dans l'Évangile, le Christ nous montre la nature entière comme devant être reçue de la main du Père, comme un don du Père. L'Évangile nous montre que nous devons d'abord vivre l'amour en forme d'accueil. Accueillir. Tout est donné. Le monde nous est donné, est remis entre nos mains. « Ne vous mettez pas en peine en disant : que mangerons-nous ? que boirons-nous ? avec quoi nous habillerons-nous ? Car ce sont les païens qui recherchent toutes ces choses, mais votre Père céleste sait que vous en avez besoin » (Mt 7, 31-32). Les païens sont propriétaires des choses : ils les acquièrent et les possèdent. Les chrétiens sont gestionnaires des choses : ils les reçoivent et les accueillent. C'est pourquoi les païens sont inquiets, les chrétiens sont ou devraient être calmes. Le monde moderne est énervé dans la mesure où sa foi n'est pas vivante, où il oublie que tout vient de Dieu et que si vraiment Dieu est notre Père, nous nous devons d'être calmes comme sont calmes tous ceux qui ont confiance.

Jésus pose sur la nature un regard limpide, calme. Même devant la faim et devant la mort qui sont des situations limites. Pour lui, demander et rendre grâces se confondent : il demande en forme d'action de grâces, tellement il est sûr que le Père s'occupe de ses enfants. Pourvu qu'ils aient le souci du Royaume de Dieu : « Cherchez d'abord le Royaume de Dieu et sa justice, le reste vous sera donné par surcroît » (Mt 7, 33). Le reste, c'est-à-dire le pain quotidien : « Père, que ton Règne vienne, donne-nous notre pain », c'est-à-dire tout ce dont nous avons besoin pour vivre, le conditionnement de notre vie.

Admirez ce que dit Jésus devant cette situation limite qu'est la faim. Il ne dit pas : « Père, je te demande de multiplier les pains dans mes mains » mais : « Père, je te rends grâces » (Jn 6, 11). Avant que les pains soient multipliés, Jésus remercie, tellement il est sûr qu'il sera exaucé. Et, devant cette autre situation limite qu'est la mort, au tombeau de Lazare, Jésus dit : « Père, je te rends grâces de ce que tu m'as exaucé. » Ce n'est pas encore vrai, Lazare est toujours un cadavre, il n'est pas revenu à la vie, mais Jésus dit : « Père je te remercie » (Jn 11, 41).

Si, au désert, Jésus refuse la nourriture, c'est parce qu'elle ne Lui est pas donnée par le Père. C'est le sens profond de son refus de changer les pierres en pains. Il ne veut manger que s'il Lui est possible de rendre grâces. Il ne se reconnaît pas le droit d'user de quelque chose de la nature si ce n'est pas le Père qui le lui donne. Or, s'il transformait lui-même les pierres en pains par magie, c'est une nourriture qui ne serait pas reçue du Père. Il suffirait que, dans l'Évangile, Jésus ait fait, non pas ce miracle car ce ne serait pas un miracle, mais ce prodige pour que nous ayons le droit de suspecter l'Évangile tout entier.

Saint Paul rend grâces comme il respire. On peut dire que la respiration de Paul est une respiration de reconnaissance : « Nous rendons, dit-il, de continuelles actions de grâces; nous ne cessons pas de... sans cesse nous rendons grâces... » (1 Th 1, 2; Ph 1, 3; 1 Co 1, 4; Ép 1, 15-16, etc.). Cœur dilaté de Paul. Pour lui, d'ailleurs, l'action de grâces est toujours liée à la grâce ou à la foi. La grâce est ce que Dieu donne à l'homme. La foi est l'accueil du don de Dieu. Alors : « Je rends grâces à votre sujet, pour la grâce qui vous a été donnée » (1 Co 1, 4) ou : « Nous ne cessons de rendre grâces (Timothée et moi), ayant été informés de votre foi » (Col 1, 3).

Il faut saisir le lien entre l'Eucharistie-action de grâces et l'Eucharistie-nourriture : la nourriture est notre rapport le plus essentiel à la nature. Nous avons besoin de manger pour vivre et que mangeons-nous ? Viande, fruits, légumes, tout cela vient de la nature dans laquelle nous ne sommes pas isolés. Claudel dit que « le moindre ver de terre a besoin pour vivre de toute la machine des planètes » et que « pour l'envol d'un papillon, il faut tout l'univers ». Moi aussi, pour vivre, j'ai besoin de l'univers tout entier, y compris le soleil et la mer.

Le pain est le symbole de tout ce que Dieu nous donne pour vivre. Le pain et le vin sont la nourriture élémentaire des pays méditerranéens, du pays de Jésus Lui-même. En soustrayant à ma nourriture un peu de pain et quelques gouttes de vin, je signifie que c'est la nature tout entière qui doit faire retour au Père. L'Eucharistie est donc l'action de grâces sous les espèces de la nourriture. Si tout est grâce, tout doit être action de grâces. Pour signifier ce tout, rien de meilleur que le pain et le vin sans lesquels rien n'est possible. Ils sont les éléments de la vie même. Dieu donne pour que nous redonnions ce qui est donné. « Tu es béni, Dieu de l'univers, Toi qui nous donnes ce pain... »

Notez bien que nous n'avons pas à donner mais à redonner, à rendre car ce que nous avons est déjà don. Donner, c'est faire acte de propriétaire. On donne ce que l'on possède et c'est pourquoi la phrase de Pascal : « Mon Dieu, je vous donne tout » n'est pas absolument chrétienne. La phrase chrétienne est celle de saint Ignace de Loyola à la fin de ses *Exercices spirituels :* « Mon Dieu, je vous rends tout. » Nous ne sommes propriétaires de rien, nous sommes gestionnaires. La charité sans action de grâces ne serait pas une véritable charité chrétienne. Ce serait une largesse de propriétaire.

Le pain et le vin eucharistiés sont le retour à Dieu de toute cette nature que Dieu donne à l'homme pour qu'il vive. Pour le marxiste, le rapport de l'homme à la nature est le travail; pour le chrétien aussi, bien entendu, mais c'est, à la base même de l'action de grâces, une disposition profonde qui est le contraire d'une mentalité de propriétaires. Sans l'Eucharistie, notre vie est faussée, elle est une vie de propriétaire. Or la Vie éternelle est l'absence totale de propriété. Dieu, en aucune manière, n'est propriétaire. Avec l'Eucharistie, notre vie est vraie, elle est une vie de reconnaissance, c'est-à-dire de connaissance réfléchie du vrai.

Sacrement de la communauté humaine à construire

Soulignons enfin que si le Christ se donne à nous en nourriture, c'est pour nous réunir en communauté fraternelle. Ce n'est pas parce que j'ai beaucoup insisté sur le Christ se faisant lui-même la nourriture de chacun que nous allons négliger pour autant le symbolisme du repas, c'est-à-dire une nourriture que nous prenons ensemble et non chacun dans son coin, séparément. L'aspect personnel et l'aspect communautaire sont tous deux essentiels. Le Christ a institué l'Eucharistie, signe de la Nouvelle Alliance, au moment même où il promulgue la clause unique de cette Nouvelle Alliance : « Aimez-vous les uns les autres comme je vous ai aimés. » La clause de l'union à Dieu est l'union fraternelle des hommes entre eux, c'est-à-dire la construction de la communauté humaine. Pas d'alliance avec Dieu s'il n'y a pas alliance des hommes entre eux.

Le symbolisme du pain et du vin a été explicité dès les tout premiers siècles, il nous en reste des traces à travers certaines prières eucharistiques : « De même, ô notre Dieu, que les grains de blé étaient répandus dans les plaines et ont été moulus en une seule farine, de même que les grappes de raisin étaient répandues sur les coteaux et ont été pressées en un seul vin, que nous soyons tous rassemblés en une seule communauté fraternelle. » Saint Augustin disait : « Quand nous mangeons le Corps du Christ, c'est l'humanité tout entière que nous nous incorporons. »

Lorsqu'on a compris que le morceau de pain consacré que nous recevons est une parcelle de ce pain immense qui est toute l'humanité divinisée par le Christ, on n'a plus envie de s'ennuyer. Voilà pourquoi l'on peut habiller la célébration eucharistique avec des éléments culturels : l'eucharistie doit être une fête mais elle ne sera jamais du music-hall ! L'eucharistie est plutôt la condition de toute fête car, s'il n'y avait pas d'eucharistie, il n'y aurait pas d'espérance de résurrection et la fête humaine serait enfermée dans le cercle de la mort.

Une communauté n'est pas seulement une collectivité. Elle n'existe que s'il y a des liens réciproques d'amour ou d'amitié, si chacun est pour les autres plus que pour soi. Celui qui nous fait « un », c'est le Christ. C'est pourquoi Il ne donne son Corps qu'une fois qu'il est partagé. Le pain eucharistique est du pain rompu, la messe est la « fraction du pain », c'est-à-dire la construction de la communauté. Quand je dis la prière avant le repas, je me garde bien de dire : « Seigneur, bénis cette nourriture que nous allons prendre et donne du pain à ceux qui n'en ont pas. » J'aurais trop peur que Dieu me réponde : « C'est à toi de leur en donner. » Je dis toujours : « Apprends-nous à partager. »

C'est le partage du même Pain qui signifie que nous devons partager avec les autres hommes tout ce qu'il nous est possible de partager : notre argent, notre temps, notre culture, etc. Il arrive, bien sûr, qu'ayant partagé le même pain, on dise du mal de son voisin, on refuse un service, etc., mais cela, c'est le péché. « Celui-là, écrit Bossuet, qui reçoit l'Eucharistie ayant la haine dans le cœur contre son frère, fait violence au Corps du Sauveur. » « Quand tu présentes ton offrande à l'autel, si ton frère a quelque chose contre toi, laisse là ton offrande, va te réconcilier avec lui et tu viendras alors apporter ton offrande » (Mt 5, 23), sinon elle ne signifie absolument rien. J'ai toujours rêvé, arrivant pour une messe à onze heures, d'être bousculé par quelqu'un sortant de l'église : « Je me souviens que je suis en froid avec un membre de ma famille, je vais me réconcilier, j'espère bien que j'aurai le temps de revenir à la messe. » Si nous prenions vraiment conscience que ce partage du pain est le signe que nous devons tout partager, il y aurait à la civilisation une base solide. L'Eucharistie est le sacrement de l'unité humaine.

C'est ce qu'il importe de bien comprendre : nos repas humains sont impuissants à exprimer une humanité totalement réconciliée dans l'amour. Les repas que nous prenons, chez nous, avec nos familles et nos amis, ne peuvent signifier qu'une fraternité très partielle, nous sommes huit ou douze à partager la même nourriture, c'est tout! D'ailleurs, on n'invite pas des ennemis à sa table. Il n'y a pas de rassemblement humain sans *exclusion*. On peut même aller plus loin et dire que, dans le repas humain, le morceau que je mange, vous, vous ne le mangez pas. Cette remarque peut paraître infantile mais elle ne l'est pas. Car, tandis que nous sommes en France dans une économie d'abondance, il y a, sur d'autres continents, des peuples entiers qui n'ont pas de quoi manger à leur faim. Certes ces problèmes sont multiples et complexes, il s'agit d'économie, de marchés, d'égoïsme des nations prospères, mais c'est à partir de là qu'il s'agit de réfléchir pour comprendre que l'humanité n'est pas encore fraternelle.

Je célèbre volontiers des eucharisties « domestiques », dans la salle à manger d'une famille : on a commencé par le repas amical, l'on poursuit par une réflexion sur l'Évangile et l'on termine par la célébration. Il y a là quelque chose de très émouvant car vraiment on touche du doigt une relation réelle entre le signe eucharistique et le vécu de la fraternité humaine. Mais il y a un inconvénient : ceux qui sont réunis sont déjà fraternels. Ce sont des groupes d'amis, hommes et femmes, qui se connaissent, qui relèvent de la même culture, qui ont entre eux beaucoup d'affinités. Le danger est que l'Eucharistie risque d'apparaître simplement comme la consécration d'une fraternité qui est déjà réalisée.

Un des plus beaux souvenirs de ma vie est cette rencontre d'un groupe de patrons, ingénieurs, employés et ouvriers de la même entreprise, tous chrétiens. Pendant deux heures, la réunion fut très dure : les points de vue des patrons, des ingénieurs et des ouvriers s'opposaient. A la fin, nous allions nous séparer lorsqu'un ouvrier se lève et dit : « Nous sommes des chrétiens, nous n'allons tout de même pas nous séparer sans dire le Notre Père. » Ces hommes qui, pendant deux heures, s'étaient affrontés durement, ont dit ensemble le Notre Père. Nous aurions pu célébrer l'Eucharistie : là, elle aurait pris tout son sens. Car elle n'est pas le couronnement d'une fraternité qui est *déjà réalisée* mais l'exigence d'une fraternité à laquelle il s'agit de travailler en retroussant ses manches, chacun selon sa vocation et ses capacités. C'est toute la dialectique du « *déjà là* » et du « *pas encore* ».

L'Eucharistie est la *critique* de nos repas humains qui sont légitimes certes mais qui excluent beaucoup plus qu'ils ne rassemblent. La nourriture, on se l'approprie. *Seul le Corps du Christ* ressuscité ne peut pas être *approprié*, car il est au-delà des limites de la nature et de l'histoire. Il est Lui-même la Désappropriation absolue, la Charité, Celui qui est sans aucune espèce de propriété. On ne peut pas s'approprier une désappropriation, cela ne veut rien dire. Tout repas humain n'est qu'une *victoire provisoire*[3] sur l'agressivité, la haine, l'égoïsme; aucun ne peut se targuer d'être une victoire définitive. Le seul repas qui signifie la réconciliation universelle est le partage du Corps du Christ. C'est l'Eucharistie qui nous rappelle, jour après jour, qu'en dehors de la mort et de la résurrection du Christ, il n'y a pas de fraternité universelle possible.

Ce n'est pas sans raison que, pendant des siècles, l'Église a fait un devoir aux chrétiens de participer à l'assemblée eucharistique, au moins une fois par semaine. Elle y insiste beaucoup moins aujourd'hui, car on répugne à des actes d'autorité trop extrinsèques. Ce que l'Église espère, c'est que le progrès des années à venir sera tel que les chrétiens n'auront plus besoin d'un commandement précis pour participer à la messe.

Car l'Eucharistie est le Sacrement par excellence. Elle est le Christ sacrifié qui, en tant qu'homme, est tout entier tendu vers Dieu et, en tant que Dieu, est tout entier tendu vers l'homme. Le Christ est l'étreinte, j'ose dire la cristallisation de ces deux élans. *Le Baiser* de Rodin est un seul bloc de marbre; la femme n'est que mouvement vers l'homme, l'homme n'est que mouvement vers la femme. Ce n'est qu'une image mais qui peut nous aider à comprendre la réalité de l'amour entre Dieu et l'homme. L'hostie consacrée est à la fois le don de l'homme à Dieu (c'est-à-dire le Sacrifice) et le don de Dieu à l'homme (c'est-à-dire le Sacrement). Au terme de tout cela, il y a ce que je m'obstine à appeler notre définitive divinisation, c'est-à-dire l'objet de notre espérance : notre pleine et totale liberté dans la joie. « Je veux que là où je suis vous soyez avec moi » (Jn 17, 24). « Nous Le verrons tel qu'Il est » (1 Jn 3, 2). C'est ce que Jésus Christ apporte d'irremplaçable.

3. C. Duquoc, « L'Eucharistie sacrement de l'existence réconciliée », *Lumière et Vie*, n° 94, p. 51-62; tout ce numéro est consacré à l'Eucharistie.

Épilogue

Je veux terminer sur une note d'optimisme et d'espérance. Si vous avez bien compris les conférences que je vous ai proposées, ce qui doit dominer en vous, c'est l'espérance et c'est la joie. Quelle que soit la lourdeur de la vie, quelle que soit la souffrance que nous ne pouvons pas ne pas éprouver devant la division des chrétiens, l'Église est certainement en plein renouveau. Mais nous devons tous y contribuer et cela ne peut pas se faire sans travail.

Comme l'expriment les dernières paroles de *Jeanne d'Arc au bûcher* (de Claudel) admirablement mises en musique par Arthur Honegger :

« *IL Y A L'ESPÉRANCE QUI EST LA PLUS FORTE!*

IL Y A LA JOIE QUI EST LA PLUS FORTE!

IL Y A L'AMOUR QUI EST LE PLUS FORT! »

Table des matières

Deuxième partie

L'ACCUEIL DU DON DE DIEU

Troisième partie

LE CHRIST

vrai Dieu, vrai homme, révèle
qui est Dieu et qui est l'homme

Quatrième partie

QUELQUES CRITÈRES DE DISCERNEMENT POUR L'ACCOMPLISSEMENT DE LA TACHE HUMAINE

Conclusion

Imprimé en France
Imprimerie des Presses Universitaires de France
73, avenue Ronsard, 41100 Vendôme
Mars 1982 — N° 28 248